Le Grand Meaulnes

Critique littéraire, auteur de romans et de récits (*La Main négative*, Argol, 2008 ; *Les Indulgences*, Seuil, 2003 ; *Météorologie du rêve*, Seuil, 2000) ainsi que d'essais (*L'Intertextualité, mémoire de la littérature*, Albin Michel, 2005 ; *La Montre cassée*, Verdier, 2004 ; *Littérature et mémoire du présent*, Pleins Feux, 2001), Tiphaine Samoyault enseigne la littérature comparée à l'université Paris VIII. Elle a déjà préfacé pour la collection GF deux romans de Raymond Roussel : *Locus Solus* et *Impressions d'Afrique* (2005).

ALAIN-FOURNIER

Le Grand Meaulnes

PRÉSENTATION
NOTES
DOSSIER
CHRONOLOGIE
ET BIBLIOGRAPHIE

par Tiphaine Samoyault

GF Flammarion

ISBN : 978-2-0812-2704-0

INTERVIEW

« **Pierre Michon,**
pourquoi aimez-vous *Le Grand Meaulnes* ? »

Parce que la littérature d'aujourd'hui se nourrit de celle d'hier, la GF a interrogé des écrivains contemporains sur leur « classique » préféré. À travers l'évocation intime de leurs souvenirs et de leur expérience de lecture, ils nous font partager leur amour des lettres, et nous laissent entrevoir ce que la littérature leur a apporté. Ce qu'elle peut apporter à chacun de nous, au quotidien.

Né en 1945, Pierre Michon, écrivain et romancier, est notamment l'auteur, chez Gallimard, des Vies minuscules *(1984) et de* Rimbaud le fils *(1991), et, chez Verdier, du* Roi du bois *(1996), de* La Grande Beune *(1996), de* Corps du roi *(2002), de* L'Empereur d'Occident *(2007) et des* Onze *(2009). Il a accepté de nous parler du* Grand Meaulnes *d'Alain-Fournier, et nous l'en remercions.*

Quand avez-vous lu ce livre pour la première fois ? Racontez-nous les circonstances de cette lecture.

Je l'ai lu dans les murs d'une école communale de village. Un jeudi ou un dimanche, ou plutôt pendant des vacances, dans la salle de classe vide, à la place vide du maître, sur *le bureau*, la place de monsieur Seurel, puisque c'était là que je m'installais pour lire les jours de congé : j'habitais la maison d'école, comme François Seurel, et pour les mêmes raisons familiales. Je pouvais avoir douze ans. Je ne saurais dire si c'était l'hiver ou l'été, puisque l'hiver et l'été sont également présents dans *Le Grand Meaulnes* : mais je suis sûr que, lisant, j'entendais véritablement les bruits qui scandent *Le Grand Meaulnes*, les galoches de l'hiver ou les appels des faneurs de l'été. Je n'avais pas besoin de planter le décor, j'étais en plein dedans.

Votre coup de foudre a-t-il eu lieu dès le début du livre ou après ?

Dès les premières pages, oui. C'était ma propre vie qui était là décrite noir sur blanc, et pourtant en même temps, dès l'attaque, c'était ce qui dépassait et sauvait ma propre vie : la morne campagne, et le météore venu d'ailleurs qui fait exploser des fusées de juillet dans l'hiver et illumine la morne campagne ; le comble de la famille – fêtes de Noël, grands-parents, dindes enveloppées dans des torchons – et, s'y dérobant avec violence, le *grand gars* qui s'en arrache, fuit. Le fugitif éternel. Je crois bien que c'est ça d'abord, pour un enfant, *Le Grand Meaulnes* : au comble de la famille, apparaît ce qui transcende la famille, en libère, la dénie.

Mais peut-on dire ce que fut vraiment, pour l'enfant qu'on a été, la première lecture d'un livre de ce genre ? Nous en gardons une vague idée, mais nous ne retrouverons jamais l'éblouissement et la délivrance qu'elle nous fit éprouver. C'est de l'ordre de la découverte existentielle, de la première nomination des choses, ça n'est pas vraiment ce qu'on appelle de la « lecture ».

Je me souviens de la première fois où, bien plus tôt, ma mère me montra et nomma le givre, sur un bouleau pleureur qui a disparu, au carrefour d'un chemin qui n'a pas disparu. J'ai compris en un éclair ce qu'était le givre, et j'ai su son nom : lire *Le Grand Meaulnes* est une expérience du même ordre. Je lisais Jules Verne ou James Oliver Curwood. Je ne lisais pas *Le Grand Meaulnes*, il m'était révélé, divulgué, c'était une vérité naturelle et indubitable qui m'avait été cachée jusqu'à ce jour. Et je me répétais les titres fatals des chapitres de la même façon qu'à trois ou quatre ans je m'étais répété le mot *givre*, le jour de la découverte du givre : *Je fréquentais la boutique d'un vannier*, *On frappe au carreau*, *Le gilet de soie*, *La chambre de Wellington*, *La fête étrange*, *Les gendarmes !*, *Le secret.*

Relisez-vous ce livre parfois ? À quelle occasion ?

Je l'ouvre au moins tous les étés, quand je vais à la campagne, où ce vieux livre magique, ce talisman rouge et or m'attend : car je ne tiens pas à ce qu'il me suive dans les villes. Je l'ouvre n'importe où et aussitôt quelque chose me happe : les titres, les illustrations merveilleuses de Claude Delaunay pour cette collection « Rouge et Or », les phrases fétiches, et dans le mouvement j'en relis trois pages, deux chapitres, parfois tout. Je cours après l'éblouissement premier, qui ne revient pas. Mais le souvenir en revient.

Est-ce que cette œuvre a marqué vos livres ou votre vie ?

Ma vie, je ne sais pas.

Mes livres se souviennent beaucoup du *Grand Meaulnes.* Surtout sûrement *La Grande Beune*, dont quelqu'un a écrit que c'était quelque chose comme « la femelle du Grand Meaulnes ». C'en est une version pervertie, où il y a une école de village, une femme rêvée, un François Seurel empêché, un Meaulnes vieilli et cruel. L'héroïne, la femme qu'on pourchasse, s'y appelle Yvonne aussi. Il y a un *domaine enchanté*, qui est une grange brutale sur laquelle règne comme un dragon une moissonneuse John Deere : il s'y passe des *fêtes étranges*.

Quelles sont vos scènes préférées ?

Il y a une scène miraculeuse. Meaulnes a disparu, il est en fugue, il est dans le pays sans nom. Les enfants sont terrés dans la classe de décembre. Et soudain, ceci : « Un coup brusque au carreau nous fit lever la tête. Dressé contre la porte, nous aperçûmes le grand Meaulnes secouant avant d'entrer le givre de sa blouse, la tête haute et comme ébloui ! »

C'est un dieu de l'été qui va entrer, avec tout l'hiver dans son dos. *Deus, ecce deus !* C'est Apollon qui rentre d'une de ses fugues septentrionales. C'est une des plus pures apparitions de ce que les Grecs appelaient l'Apollon boréen, dans les littératures modernes. Et c'est bien ainsi que le voyait Alain-Fournier, qui parlait à Jacques Rivière du « matin d'hiver où, après trois jours d'absence inexplicable, Meaulnes rentre à son cours comme un jeune dieu mystérieux et insolent ». Dans ce moment parfait Meaulnes est un dieu en effet, un messager, une pure force venue du Pays qui donne de la force.

Et cela continue dans le chapitre suivant, où il arpente les greniers nocturnes d'un pas divin, et où François soudain voit briller sous la blouse de son camarade mythologique l'habit du dieu, le gilet de soie indubitable.

On frappe au carreau, *Le gilet de soie* : jamais plus le livre n'atteindra la température de ces deux chapitres. Et celui que j'appelle Meaulnes est celui qui apparaît dans ce moment précis du livre.

Y a-t-il, selon vous, des passages « ratés » ?

Sans doute, puisque l'apogée est dans la première partie, dans les deux scènes dont je viens de parler. Tout ne peut que déchoir, après.

Peut-être aussi ce livre n'est-il pas fait pour la femme : pas fait pour que la femme y apparaisse, s'y meuve et parle, qu'on ait loisir de la bien voir. La femme n'y devrait apparaître que nommée dans le discours, pas même le discours, dans le rêve intérieur intense des adolescents *adossés au chambranle, contre la porte, les yeux grands ouverts et muets.*

Car la femme est une chose cachée. La « grande chose demoiselle », comme l'appelait Alain-Fournier dans ses lettres, est un objet dérobé.

Cette œuvre reste-t-elle pour vous, par certains aspects, obscure ou mystérieuse ?

Oui, comme l'est la lisière d'un bois.

Le Grand Meaulnes est un livre qui une à une passe des lisières, écarte des branches, soulève des rideaux, dans la quête d'un objet qui se dérobe toujours. C'est un jeu de cache-cache, un dévoilement toujours recommencé et reporté, une « chercherie enfantine », comme disait Baudelaire. On ne saura jamais ce qu'il y a derrière la dernière lisière : peut-être cette « passion de la cruauté » dont Alain-Fournier disait qu'elle était sa vie même, sous les beaux atours sentimentaux du livre, si réussis, si bien taillés, si seyants ?

Quelle est pour vous la phrase ou la formule « culte » de cette œuvre ?

Permettez-moi d'en dire plus d'une.

La plus épique, bien sûr : « Dressé contre la porte, nous aperçûmes le Grand Meaulnes. »

La plus nostalgique : « Mes souliers sont rouges/ Adieu, mes amours. »

La plus libre : « Je n'ai plus ni père, ni sœur, ni maison, ni amour… Plus rien, que des compagnons de jeu. »

La plus troublante : « Elle écartait de ses deux mains nues les plis de son grand manteau. »

La plus rimbaldienne : « Ah ! ils filaient autrement que cela les nuages, lorsque j'étais sur la route, dans la voiture de la Belle-Étoile. »

Si vous deviez présenter ce livre à un adolescent d'aujourd'hui, que lui diriez-vous ?

Ce livre t'apprendra clairement ce que tu sais déjà : le bonheur est un jeu d'enfants. Le bonheur et la chance sont des jeux d'enfants. Le malheur aussi.

*
* *

Avez-vous un personnage « fétiche » dans cette œuvre ? Qu'est-ce qui vous frappe, séduit (ou déplaît) chez lui ?

Qui, si ce n'est Meaulnes ?

Quand, peu de temps après la lecture du *Grand Meaulnes*, je rencontrai pour la première fois la figure légendaire d'Arthur Rimbaud, elle me fit immédiatement penser à quelque chose, à quelqu'un : ce quelqu'un, c'était Augustin Meaulnes, tel qu'il apparaît dans la première partie du livre. Et les deux figures demeurent pour moi couplées, l'une errant sur les chemins des Ardennes, l'autre sur les chemins de Sologne : *l'Auberge verte* et *le Domaine enchanté*, c'est le même pays, sous la Grande Ourse.

Ils avaient le même âge et la même détermination. Ils marchaient du même pas. C'est le même : rasé, les mains dans les poches, les épaules rentrées, mais *la tête haute et comme ébloui*. C'est l'adolescent éternel, buté, quêteur, branleur, fugueur, mutique. C'est une brute, c'est un ange, c'est un dieu. Et il n'est pas indifférent qu'Alain-Fournier appelle son Meaulnes la plupart du temps « le grand gars », qui est aussi le terme qu'a employé Mallarmé pour désigner le souvenir qu'il gardait de la personne physique de Rimbaud.

Ce personnage commet-il, selon vous, des erreurs au cours de sa vie de personnage ?

Moins que les autres personnages du même livre. Au moins prend-il le large. Au moins est-il éternellement un écolier évadé, quelque chose comme une version enfantine du forçat évadé, un Jean Valjean d'école de village. Écolier et évadé, toujours porté vers l'avant de soi. Au moins jouit-il de plusieurs amours. Au moins a-t-il aussi le sens flamboyant du sacrifice. Au moins repart-il vers de nouvelles aventures.

Quel conseil lui donneriez-vous si vous le rencontriez ?

Les gens de cette espèce n'ont que faire de conseils. Mais on peut les encourager, de loin. Je lui crierais donc, mais il ne m'entendrait même pas, il aurait déjà disparu :

Courage ! Évade-toi toujours. Tiens les serments que tu t'es faits, ceux que tu fais aux autres sont révocables. Décarcasse-toi cependant pour ceux que tu aimes. Profite bien de tes nouvelles aventures. Donne-toi des fêtes étranges. Regrette le passé. Ouvre l'avenir. Goûte le remords, l'espérance et la satisfaction, l'insatisfaction. Jouis de tout cela.

Si vous deviez réécrire l'histoire de ce personnage aujourd'hui, que lui arriverait-il ?

La même chose, avec des accessoires et dans des paysages un peu différents. Et je suis sûr qu'en levant la tête sur un chemin de campagne Meaulnes verrait, à travers les nuages et sous la Grande Ourse, les traînées voyageuses que laissent après eux les jets long-courriers.

*

* *

Le mot de la fin ?

C'est un mot d'Alain-Fournier lui-même, dans une lettre : « Je sais qu'il y a sur la terre des paysages, des instants et des femmes. » *Le Grand Meaulnes* ne dit pas autre chose.

Présentation

> Certes nous grandissions, et parfois nous pressions
> d'être bientôt des grands, moitié pour plaire à ceux
> qui n'avaient plus rien d'autre que cela, d'être des grands.
> Et pourtant nous étions dans notre marche solitaire
> contentés de durable et nous nous tenions là
> dans l'intervalle entre le monde et le jouet,
> en un endroit qui depuis l'origine
> était fondé pour un événement pur.
>
> R.M. RILKE, *Élégies de Duino*,
> « La quatrième élégie » (1915) [1].

Plus on oublie *Le Grand Meaulnes*, plus on s'en souvient. Pour beaucoup de lecteurs, plus se sont éloignés les péripéties sentimentales, les détails réalistes, les aventures des personnages après leur départ de l'école, plus vif est le souvenir de la magie de la fête, de l'étrange atmosphère qui règne au château des Sablonnières, de l'éphémère rencontre entre Augustin Meaulnes et Yvonne de Galais. Les traces profondes laissées par le récit dépendent aussi de cet évanouissement du reste, comme si la brume des paysages de Sologne nimbait à ce point le texte dans la mémoire qu'elle éloignait la plupart de ses caractères pour mieux en faire apparaître quelques-uns. L'image et le souvenir sont alors d'autant

1. Rainer Maria Rilke, *Élégies de Duino*, dans *Œuvres poétiques et théâtrales*, sous la dir. de Gérald Stieg, Gallimard, « Bibliothèque de la Pléiade », 1997, p. 538.

plus insistants qu'ils se détachent sur ce fond d'effacement qui les rend quasi fantastiques. C'est un canevas simple qui renaît de ce roman complexe : dans un climat d'*heroic fantasy*, celui d'un vieux château abandonné où règnent pour un soir des enfants, lors d'une rencontre qui semble relever de la magie ou du rêve, deux d'entre eux tombent amoureux. Disparus, les autres abandons et les autres amours. Il ne reste que l'école et le château : on passe de l'un à l'autre comme d'un monde à un autre, d'un réel intenable à un rêve impossible, on s'échappe, on revit. Par ce processus de l'oubli, l'expérience de lecture la plus courante du *Grand Meaulnes* idéalise le texte, le réduisant à un amour sublime et à une fête enchantée. Ce faisant, elle refoule ce qu'il a de compliqué, d'impur, de torturé. Lire ou relire *Le Grand Meaulnes* aujourd'hui, c'est peut-être lever l'écran de ce seul souvenir pour faire apparaître d'autres images, moins enchantées sans doute, mais plus ambiguës et peut-être plus troublantes encore.

Dans un des livres les plus intéressants qui aient été écrits sur le roman d'Alain-Fournier [1], Alain Buisine fait l'hypothèse que c'est le texte lui-même qui programme cet oubli du réel au profit de la féerie. Souhaitant prendre à contre-pied « le puissant mythe critique produit par ce livre que ses lecteurs n'auront jamais cessé d'idéaliser », il veut dévoiler tout ce que le texte cherche à cacher en vue de produire l'oubli de son lecteur : « tel est effectivement le programme que vise à enclencher le texte, tel est bien le programme, au sens informatique du terme, qu'il met en place : la critique ne fait alors que suivre docilement les directives du programme. *Le Grand Meaulnes*, c'est un logiciel d'idéalisation comme il en est de traitement de texte [2] ». Cette entreprise de rédemption, dans

1. De son vrai nom Henri Alban Fournier, l'auteur du *Grand Meaulnes* prit le pseudonyme d'Alain-Fournier pour éviter toute confusion avec Henri Fournier, qui était à l'époque un coureur automobile célèbre.

2. Alain Buisine, *Les Mauvaises Pensées du Grand Meaulnes*, PUF, 1992, p. 15.

laquelle Alain Buisine voit un souci de l'auteur lui-même pour se purifier de ses fautes aux yeux de ses lecteurs (par exemple pour dissimuler la tension qui marque toute sa relation à l'amour, entre sensualité et idéal de pureté), explique l'effet puissant suscité par la première partie de l'œuvre : ce n'est pas seulement parce que la fête est belle qu'elle reste aussi présente dans la mémoire ; c'est parce qu'elle s'impose comme radicale disjonction que son univers vient s'imprimer en surexposition sur l'ordinaire des jeunes garçons, et littéralement l'efface.

L'ENFANCE IMMOBILE, L'IMMÉMORIAL [1]

Qualifiée d'« étrange » dans les six derniers chapitres par lesquels s'achève la première partie du *Grand Meaulnes*, la fête aux Sablonnières – où Augustin Meaulnes échoue par hasard après s'être égaré sur la route de Vierzon, alors qu'il était parti sans permission chercher les grands-parents de son ami François Seurel, le narrateur – porte en elle la thématique d'un paradis à la fois perdu et à venir, de l'enfance retrouvée à volonté. Le « domaine » est certes retranché, mais il est suffisamment ouvert pour que tout y soit possible, pour qu'on y ait cette fois « toutes les permissions » (I, XI) [2]. Les enfants y font la loi, et lorsque des adultes apparaissent de façon fugitive (le père d'Yvonne et de Frantz de Galais, quelques domestiques en cuisine), ils n'interviennent en rien dans le déroulement non ordonné des événements. Le « fiancé » lui-même, Frantz de Galais,

1. « Quand dans la nouvelle maison reviennent les souvenirs des anciennes demeures, nous allons au pays de l'enfance immobile, immobile comme l'Immémorial », Gaston Bachelard, *La Poétique de l'espace*, cité par Jacques Lacarrière dans *Alain-Fournier, les demeures du rêve*, Christian Pirot, 2003.

2. Première partie, chapitre XI. Nous recourons partout à ce système d'abréviation pour renvoyer aux parties et aux chapitres du *Grand Meaulnes.*

sur le point d'assumer la transition qui le ferait passer de la troupe des enfants au rang des adultes à l'occasion de cette fête organisée pour célébrer ses fiançailles avec Valentine, est décrit « comme un enfant » (II, IV), avec son visage sans barbe et sa violente envie de pleurer. Presque étrangère dans son étrangeté, cette demeure reconduit à ce qui est le plus familier, le territoire de l'enfance : « Il lui sembla bientôt [à Meaulnes] que le vent lui portait le son d'une musique perdue. C'était comme un souvenir plein de charme et de regret. Il se rappela le temps où sa mère, jeune encore, se mettait au piano l'après-midi dans le salon, et lui, sans rien dire, derrière la porte qui donnait sur le jardin, il l'écoutait jusqu'à la nuit... » (I, XI). L'enfance immobile, présente à jamais sous la forme de ce moment où quelque chose est dérobé (le secret derrière la porte), et par essence inatteignable (la jeunesse de la mère, la musique qu'on ne saurait fixer), compose un espace-temps où tout est suspendu. En suspens le mariage de Frantz et de Valentine – la fiancée, au dernier moment, ne viendra pas (I, XVI) –, en suspens la fête elle-même dont seuls les préparatifs auront vraiment lieu, en suspens la rencontre d'Augustin et d'Yvonne, sur un nom qui ne se dit pas [1], sur une attente qui est vouée à ne jamais finir et qui ne s'interrompra qu'avec la mort. « Nous sommes deux enfants », suggère Yvonne allusivement [2]. Et : « Je vous attendrai » (I, XV).

L'enfance immobile ne peut que mettre en attente tout le reste. Si le moment magique de la fête ouvre sur un avenir, c'est sous cette forme de la suspension prolongée, qu'un autre état viendrait couper définitivement, signant l'accomplissement d'un passage, la transition vers un autre univers, le changement d'âge. C'est pourquoi

1. « Je ne sais pas non plus votre nom », répondit Meaulnes ; et surtout « Le nom que je vous donnais était plus beau » (I, XV).

2. Voir ci-après, p. XXIV, note 1.

Yvonne de Galais, même après la nuit de noces [1], reste une jeune fille qu'on ne peut se résigner à appeler Mme Meaulnes, et paie de sa vie la soudaine connaissance qu'elle a acquise de l'amour et des relations entre les êtres qui se différencient. Le rêve continué serait de pouvoir rendre absolument homogènes le temps de la mère et celui de l'épouse, ainsi que le fantasme Meaulnes tandis qu'il regarde Yvonne jouer du piano comme le faisait sa mère : « Alors ce fut un rêve comme son rêve de jadis. Il put imaginer longuement qu'il était dans sa propre maison, marié, un beau soir, et que cet être charmant et inconnu qui jouait du piano, près de lui, c'était sa femme… » (I, XIV). Sans même recourir à la psychanalyse et à la pure expression du complexe d'Œdipe contenue dans cette remarque, on est invité à ne voir dans l'avenir projeté que le retour de quelque chose qui a été perdu. Il ne s'agit pas seulement ici d'une nostalgie de l'enfance, mais d'une incapacité à en sortir : c'est elle qui précipite la tragédie dans *Le Grand Meaulnes.* On ne quitte pas impunément sa mère, ou du moins la terre où l'on a été enraciné.

Appelons « Immémorial » ce dont le souvenir ne peut s'éteindre parce qu'il n'a jamais été aboli, parce que la généalogie, le mode de vie et d'être sont restés continus, non pas inchangés mais transmis. C'est aussi l'une des forces du roman, sa puissance de préfiguration sans doute, que de porter une réflexion sur ce qui ne peut plus passer d'une génération à l'autre, sur un lien coupé. La difficulté des personnages à grandir et à changer ne tient pas seulement à leur fixation sur l'indéterminé, à l'ouverture des possibles et au jeu ; elle est aussi impossibilité historique de continuer, soupçon de drame ou d'impureté. Publié en 1913, à la veille d'une guerre mondiale

1. À dire vrai longtemps différée et qui ne se fait qu'au prix d'une chute concrète impliquant que soient exhibés avant l'heure les signes physiques de la défloration (III, IX). Voir le dossier, p. 237 : « Un roman de l'adolescence ».

qui allait être la première expression de la violence et de la destruction massive devant caractériser le siècle qui s'ouvrait alors, *Le Grand Meaulnes* apparaît comme la prémonition d'un bouleversement peut-être moins visible mais également déterminant pour le monde occidental : la fin de la ruralité, la rupture avec les liens ancestraux, parmi lesquels celui qui liait les hommes à la terre pour leur subsistance et leur prolongation n'était pas le moindre. Si pendant près d'un siècle *Le Grand Meaulnes* a été si populaire, c'est parce qu'il portait la mémoire de ce monde en train de disparaître tout en préfigurant à sa manière sa disparition. L'enfance immobile fixe l'Immémorial ; en s'y maintenant, on est certain de ne pas perdre la mémoire, de ne rien trahir. La mort d'Alain-Fournier au commencement de la guerre – mobilisé le 1er août 1914, il fut porté disparu sur les Hauts-de-Meuse le 22 septembre, peu avant son vingt-huitième anniversaire – confirme de façon rétrospective que quelque chose, à ce moment-là, était contraint de finir. Même si l'on ne vise pas à faire correspondre absolument le contenu du livre aux événements de la vie réelle de l'auteur, on ne peut s'empêcher de voir entre le livre qui raconte l'impossible transition vers l'âge adulte et le destin d'un auteur voué à rester jeune à jamais une concordance des points de vue, un nœud problématique où les faits se confondent [1]. Cette confusion joue aussi un rôle dans le culte rendu au livre par plusieurs générations qui cherchèrent à comprendre ce qui s'était joué là.

L'attachement d'Alain-Fournier à son enfance, la fixation de ses propos personnels et de ses textes de fiction sur ce qui représente pour lui le lieu de mémoire par excellence renvoient certes à un lieu singulier et à une histoire qui est la sienne. Mais l'auteur a une manière de l'évoquer qui lui donne sa force de généralité, et permet

---

1. Sur la façon dont les œuvres portent en quelque sorte l'avenir de leur auteur, le préfigurent, voir Pierre Bayard, *Demain est écrit*, Minuit, « Paradoxe », 2005.

à chaque lecteur de reconnaître son propre espace de l'Immémorial, que celui-ci soit une maison, une chanson, une rue ou une langue devenue presque étrangère. Pour son ami Jacques Rivière, avec qui il entretient une intense correspondance à partir de l'année 1905, il tente très tôt de caractériser ce territoire qui appartient à la fois au passé et à l'avenir et dont la restitution apparaît bien vite comme la seule nécessité de la création. Le 13 août 1905, il s'efforce de lui décrire le « pays de ses rêves », le lieu où il est né et qu'il quitta à l'âge de cinq ans, mais où il revint chaque été :

> Ainsi La Chapelle d'Angillon où depuis dix-huit ans je passe mes vacances m'apparaît comme le pays de mes rêves, le pays dont je suis banni – mais je vois la maison de mes grands-parents comme elle était du temps de mon grand-père : odeur de placard, grincement de porte, petit mur avec des pots de fleurs, voix de paysans, toute cette vie si particulière qu'il faudrait des pages pour l'évoquer un peu [1].

Il s'agira moins de multiplier les détails réalistes pour décrire avec exactitude ce lieu même dans sa particularité que de trouver ce par quoi il est ce territoire de l'enfance immobile dont le sentiment d'appartenance se conjugue avec le sentiment d'une exclusion (« le pays dont je suis banni »). « Aucun pays n'est le mien [2] », écrit-il un an plus tard à Rivière. Aussi serait-ce un contresens de voir en Alain-Fournier un romancier régionaliste, attaché à transmettre la beauté romantique et brumeuse des paysages de sa Sologne natale. Ce que lui apporte son pays perdu et par définition sans nom – *Le Grand Meaulnes*, dont la rédaction occupa Alain-Fournier pendant six ans, s'est longtemps appelé, avant de trouver son titre définitif, *Le Pays sans nom* [3] –, c'est la compréhension très générale de ce qui détermine une vie, son mystère, sa

1. Alain-Fournier, Jacques Rivière, *Correspondance 1905-1914*, Gallimard, 1926, t. I, p. 36.
2. Lettre du 26 décembre 1906, *ibid.*, p. 430.
3. Voir le dossier, p. 280 : « Genèse et suites du *Grand Meaulnes* ».

contingence : « Ainsi, précise-t-il, je voudrais avoir toujours conscience de la relativité de toute vie, mais, aussi, exprimer chaque vie germée n'importe où avec son organisme complet, la vie de la banlieue, comme celle des charbonniers au fond du bois [1]. » Et il ajoute quelques jours plus tard, de façon plus lyrique encore : « Je suis celui qui sait l'immensité et le mystère de toutes les vies. Je me disais, un jour, que je serais le nocturne passeur des pauvres âmes, des pauvres vies. Je les passerais sur le rivage de mon pays où toutes choses sont vues dans leur secrète beauté [2]. » Pour ce faire, il faut à la fois transmettre l'intimité de sa propre enfance, de son propre pays, et s'employer à le déterritorialiser, à le rendre en quelque sorte étranger à soi-même afin de lui conférer une portée plus ample et générale.

Alain-Fournier est conscient très tôt de l'immense effort qu'il va devoir fournir pour réaliser son projet, lui donner une suffisante impersonnalité, le dégager de toute la naïveté si souvent attachée aux récits d'enfance. S'éloigner de son lieu pour y revenir autrement, le « défamiliariser », l'auteur y travaille en étudiant la langue anglaise, ce qui va lui permettre de mettre à distance sa langue maternelle et trouver son style propre ; il s'y emploie aussi en investissant le territoire du rêve :

> Mon *credo* en art et en littérature : l'enfance. Arriver à la rendre sans aucune puérilité, avec sa profondeur qui touche les mystères. Mon livre futur sera peut-être un perpétuel va-et-vient insensible du rêve à la réalité ; "rêve" entendu comme l'immense et imprécise vie enfantine planant au-dessus de l'autre et sans cesse mise en rumeur par les échos de l'autre [3].

L'atmosphère onirique qui règne dans *Le Grand Meaulnes* et qui laisse la plupart des personnages dans

1. Lettre du 15 décembre 1906, *Correspondance 1905-1914*, *op. cit.*, t. I, p. 419.
2. Lettre du 26 décembre 1906, *ibid.*, p. 431.
3. Lettre du 22 août 1906, *ibid.*, p. 323.

une trouble indétermination, les rendant incapables de se fixer ou de connaître le bonheur, est ainsi liée à cette exploration de l'enfance comme paradoxe : non pas un âge où le futur se prépare, mais un temps séparé, profondément incompatible avec la sortie de l'enfance. La portée allégorique du domaine des Sablonnières n'échappe pas : attribuant un lieu fictif à ce temps séparé, il en exprime la beauté, l'autonomie, mais aussi le tragique lié à l'impossibilité de durer, illustrée dans le texte par l'abandon dans lequel la demeure est laissée.

UN THÉÂTRE DE LA CRUAUTÉ

Le Grand Meaulnes ne se limite pas à l'évocation d'un temps à jamais éloigné et d'un lieu retranché. S'il laisse le souvenir d'un paradis perdu, c'est bien parce que la perte est au cœur du propos. La thématique chrétienne de la Chute, le motif philosophique du déclin, largement orchestré à l'époque où écrit Alain-Fournier, ou encore la métaphore de la lézarde venant fissurer l'édifice de la civilisation [1] sont aisément lisibles dans la trame d'une fiction qui renvoie de nombreux échos du monde présent. Roman de l'adieu au XIXe siècle, il donne un portrait de l'époque sur le mode de la trace et sous l'aspect d'un décor. L'école, pour commencer, qui est celle des « hussards noirs de la République » comme on appelait alors les instituteurs, distribue les protagonistes côté classe et côté cour, presque comme sur une scène de théâtre. Ce lieu réel par excellence, dont la description se nourrit

1. Robert Pickering, dans un article consacré au *Grand Meaulnes*, met en relation le roman avec l'essai de Valéry, « La crise de l'esprit » (1919), sur la mortalité des civilisations : « Nous, civilisations, savons désormais que nous sommes mortelles. » Voir « Pays perdu, bonheur manqué, joie étrange : Alain-Fournier et les enjeux d'une civilisation mortelle », dans *Mystères d'Alain-Fournier*, colloque de Cerisy organisé par Alain Buisine et Claude Herzfeld, Saint-Genouph, Nizet, 1999, p. 215-230.

avec exactitude des souvenirs autobiographiques de l'enfant d'instituteurs qu'était Alain-Fournier, apparaît aussi dans le texte comme le terrain d'un jeu familial, social, idéologique. L'absence d'autorité des adultes, leur présence presque évanescente, réduite à des éléments de costume (le chapeau à quoi est occupée la mère du narrateur dans le premier chapitre, la capote de la mère d'Augustin) ou à des formes de manquement (« M. Seurel, en copiant ses problèmes, pense à autre chose. Il se retourne de temps à autre, en regardant tout le monde d'un air à la fois sévère et absent », I, IV), marquent déjà le possible débord du rêve sur le réel.

Ainsi ramenée à quelques traits – le Cours moyen, le Cours supérieur, la cour, la classe, les gamins du bourg, l'appartement de l'instituteur, le cabinet des archives –, l'école est à la fois bien identifiée dans ses caractéristiques typiques de la IIIe République, et suffisamment vague et générale pour être l'école de tout le monde, telle que quiconque ne s'y est pas senti opprimé peut en avoir le souvenir. En effet, c'est moins la discipline et l'apprentissage qui constituent ici l'expérience, que les lectures et les jeux faits « après quatre heures » (I, II) dans la solitude de la mairie ou avec la bande des petits paysans. Tout est prétexte à distraction ou à transgression. Le chahut règne régulièrement dans la classe, des batailles ont lieu en son sein, on ne punit pas l'élève fugueur et le maître participe à l'examen des trésors que le bohémien sort de sa besace : « L'après-midi ramena les mêmes plaisirs et, tout le long du cours, le même désordre et la même fraude. Le bohémien avait apporté d'autres objets précieux, coquillages, jeux, chansons, et jusqu'à un petit singe qui griffait sourdement l'intérieur de sa gibecière… À chaque instant, il fallait que M. Seurel s'interrompît pour examiner ce que le malin garçon venait de tirer de son sac… » (II, IV).

La métaphore du monde comme théâtre n'est pas neuve mais elle est ici ravivée par l'idée qu'il s'agit d'un théâtre du désordre, voire d'un théâtre de la cruauté. Il doit autant aux scénographies populaires et aux spectacles de rue qu'au théâtre proprement dit, et le récit comprend maintes allusions au cirque, à la pantomime, aux interprétations françaises de la *commedia dell'arte*, aux avatars de Pierrot. Le chapitre VI de la deuxième partie, « Une dispute dans la coulisse », présente un spectacle composé de « pantomimes… chansons… fantaisies équestres », qui comprend aussi des numéros de chèvre savante, d'écuyère et de Pierrot qui tombe. Il est permis de lire cette scène comme une mise en abyme, comme du théâtre dans le théâtre à la manière de Shakespeare dans *Hamlet* où des acteurs jouent devant les principaux protagonistes une pièce racontant et interprétant leur propre histoire. Ici, la pantomime de « l'homme qui tombe », que Fournier avait vue en 1908 et dont il écrit à Rivière que « l'homme qui invente un tel type, un tel visage, et qui retrouve pour en intensifier l'expression de telles expressions sur le visage, des gestes et des cris humains, est une manière de génie [1] », apparaît comme l'emblème du mouvement qui aspire certains personnages du roman vers la chute, l'animalité, l'impureté : « dès son arrivée dans le cirque, après s'être vainement et désespérément retenu sur les pieds, il tomba. Il eut beau se relever ; c'était plus fort que lui : il tombait. Il ne cessait pas de tomber. Il s'embarrassait dans quatre chaises à la fois. Il entraînait dans sa chute une table énorme qu'on avait apportée sur la piste. Il finit par aller s'étaler par-delà la barrière du cirque jusque sur les pieds des spectateurs » (II, VII). Cette culbute concrète de Ganache en clown triste constitue le simulacre tragicomique de plusieurs chutes que connaîtront à la fin Yvonne de Galais, qui tombe et se blesse en cherchant à rattraper Meaulnes (III, IX), et Augustin trahissant Frantz et Yvonne en

1. Lettre du 12 septembre 1908, *Correspondance 1905-1914*, *op. cit.*, t. II, p. 251.

rencontrant Valentine à Paris (III, XIV), épisode présenté comme une véritable descente aux enfers[1].

Ces allusions aux spectacles populaires, qui inscrivent dans le texte un théâtre de la cruauté et des jeux d'ombres et de lumières, trouvent leur synthèse dans une référence récurrente à Pierrot. Héritée de la *commedia dell'arte* italienne, la figure de Pierrot, valet bouffon empruntant également au clown anglais et à l'Arlequin français, longtemps mise à l'honneur au théâtre, fait l'objet de transformations à la fin du XIXe siècle et investit peu à peu tous les genres. Elle devient une figure proliférante, affectée de valeurs nombreuses et parfois contradictoires : qu'elle hante le roman du *Grand Meaulnes* est le signe d'un esprit du temps. Pierrot en est venu à incarner le poète, à travers l'avatar qu'en donne Jules Laforgue dans ses *Complaintes*, qu'Alain-Fournier admirait absolument – parmi les modèles auxquels ce dernier se réfère lorsqu'il veut devenir écrivain, Laforgue vient en premier, ses personnages s'élaborant comme « des rêves qui se rencontrent[2] ». Les attributs du Pierrot, le blanc et le noir, la collerette, le large pantalon font de lui un être ambivalent, androgyne, capable de tenir tous les emplois, ce qu'exploite *Le Grand Meaulnes* en liant le personnage aussi bien à Frantz de Galais qu'à Augustin Meaulnes – à travers le personnage de Ganache, un « grand pierrot blafard, aux manches trop longues, coiffé d'un bonnet noir » (I, XIV), qui est l'ami de Frantz et qu'Augustin retrouve plus tard, à l'occasion de la représentation de cirque donnée sur la place de

1. « Il me vient cette pensée affreuse que j'ai renoncé au paradis et que je suis en train de piétiner aux portes de l'enfer » (III, XIV).

2. « Pour le moment, je voudrais plutôt procéder de Laforgue, mais en écrivant *un roman*. C'est contradictoire ; ça ne le serait plus si on ne faisait, de la vie avec ses personnages, du roman avec ses personnages, que des rêves qui se rencontrent. [...] J'entends par rêve : vision du passé, espoirs, une rêverie d'autrefois revenue qui rencontre une vision qui s'en va, un souvenir d'après-midi qui rencontre la blancheur d'une ombrelle et la fraîcheur d'une autre pensée », lettre à Jacques Rivière du 13 août 1905, dans *Correspondance 1905-1914*, *op. cit.*, t. I, p. 34.

l'église lors de laquelle Ganache se livre à la pantomime dont nous avons parlé (II, VI-VII) –, ainsi qu'à Valentine, la fiancée de Frantz qui ne vient pas, et au sujet de laquelle un enfant affirme : « Moi, maman m'a dit qu'elle avait une robe noire et une collerette et qu'elle ressemblait à un joli pierrot » (I, XIII). L'ambivalence de Pierrot le renvoie au martyr aussi bien qu'à l'ange déchu (« l'homme qui tombe »), ce qui explique qu'il soit devenu un masque privilégié de la décadence. On le trouve en effet dans toute la littérature de l'époque que fréquentait assidûment Alain-Fournier. Il était déjà chez Nerval (au début d'*Aurélia*) ; on le rencontre chez Jean Richepin, chez Willette (*Pauvre Pierrot*), chez Huysmans, chez Verlaine et Mallarmé... Comme l'écrit Jean de Palacio dans un ouvrage qu'il consacre aux mutations du *Pierrot fin-de-siècle*, il est présent partout dans la poésie et « contamine le roman, où vient fréquemment faire irruption la pantomime (Goncourt, P. Margueritte, Dodillon, Lorrain, Champsaur), et que sa présence au sein des scènes carnavalesques contribue à dérégler [1] ». L'époque s'est identifiée à lui parce qu'elle y reconnaît sa difficulté d'être, ses ambivalences, sa pulsion de mort et parfois sa cruauté – car Pierrot fuit (le réel, le mariage, l'insertion sociale...) mais peut aussi parfois être cruel, voire sadique : c'est son côté noir.

Dans son versant blanc, c'est aussi une figure du silence, celle de l'absence de couleur et de l'absence de langage, qui est un trait de la pantomime, théâtre où l'on ne parle pas. Voué au mutisme, Pierrot impose un silence qui porte avec lui le malaise des poètes et des écrivains qui ont l'impression que tout a été dit et qui craignent de ne pouvoir produire du neuf : « Il semble donc que les variations sur le noir et le blanc ne constituent que la quête d'une écriture impossible. Le costume de Pierrot est comme la page où pourrait s'écrire son histoire. Mais,

1. Jean de Palacio, *Pierrot fin-de-siècle ou les Métamorphoses d'un masque*, Séguier, 1990, p. 10.

entre le noir et le blanc, l'équilibre est constamment rompu. Trop blanc, c'est le vide qui s'installe ; trop noir, c'est l'opacité de l'ombre. Entre le clair et l'obscur, il n'y a point de salut : rien qui se rédige ou s'énonce[1]. » L'ambiguïté de la figure traverse le livre d'Alain-Fournier, parcouru de non-dits, de secrets, d'effleurements discrets. Augustin est profondément silencieux ; Meaulnes et Yvonne sont « étouffés comme par une grande nouvelle qui ne p[eu]t pas se dire » (III, IX) ; la neige qui tombe annule tous les sons et la campagne glacée pétrifie l'action dans un silence insistant. On lit dans ce mutisme une tendance de l'écriture à l'extase et à l'engloutissement. Cela peut tenir à une certaine lumière, à un souci du ciel ou du vide qui provoque une sorte d'évanouissement du sujet comme lorsque, dans *Madame Bovary*, la narration se perd dans les rêveries d'Emma. « Moments [...] doublement silencieux, écrit Gérard Genette qui les repère et les décrit dans "Silences de Flaubert" : parce que les personnages ont cessé de parler pour se mettre à l'écoute du monde et de leur rêve ; parce que cette interruption du dialogue et de l'action suspend la parole même du roman et l'absorbe, pour un temps, dans une sorte d'interrogation sans voix[2]. » Les voix presque blanches du *Grand Meaulnes*, non pas neutres mais parcourues d'une émotion contenue, si elles portent la marque de la littérature symboliste, contribuent à donner le sentiment que tout se joue dans un arrière-plan, comme au fond d'une scène où les figurants seraient absorbés dans leur monde, sans égards particuliers pour l'univers des spectateurs.

Le goût pour les masques, la présence d'autres formes de spectacles populaires – le cirque, le théâtre parisien de Valentine, la fête costumée à la manière de celle qui est

---

1. *Ibid.*, p. 186.
2. Gérard Genette, « Silences de Flaubert », dans *Figures I*, Seuil, « Points », 1966, p. 223-243, ici p. 237.

décrite dans *Sylvie* de Gérard de Nerval, autre admiration d'Alain-Fournier [1], le jeu avec la poupée (II, VII) qui évoque à la fois *Solness le constructeur* d'Ibsen (1892) [2] et *Le Théâtre de marionnettes* de Kleist (1810) – théâtralisent également l'ensemble. Qu'il s'agisse de féerie ou de théâtre cruel (la pantomime avec la poupée apparaît comme la mise en scène d'un fantasme sadique) [3], c'est tout le réel qui se trouve ainsi embarqué sur une scène et que l'on regarde à distance, sans pouvoir y prendre part. Cette impression d'éloignement, l'auteur y travaille par tout un matériau d'allusions et de renvois aux mythes qui expriment son époque et témoignent en profondeur de son présent. La référence à *Pelléas et Mélisande* (1893),

1. Lettre à Jacques Rivière du 9 décembre 1905, dans *Correspondance 1905-1914*, *op. cit.*, t. I, p. 124 : « J'ai lu un peu *Sylvie* de Gérard de Nerval, que j'ai trouvé sur les quais pour 2 sous. [...] Ce qui est joli c'est le genre, l'époque ; ce qui est exquis c'est la façon bête de finir comme on finissait alors dans les livres de prix. » Comme en écho à cette remarque, dans *Le Grand Meaulnes*, Augustin, arrivé au domaine de la Sablonnière, « s'aperçut lui-même reflété dans l'eau, comme incliné sur le ciel, dans son costume d'étudiant romantique. Et il crut voir un autre Meaulnes ; non plus l'écolier qui s'était évadé dans une carriole de paysan, mais un être charmant et romanesque, au milieu d'un beau livre de prix » (I, XV). Isabelle Rivière et Alain-Fournier ont plusieurs fois raconté qu'avant qu'ils soient remis aux enfants méritants, ils dévoraient les livres de prix que recevait l'école. Voir par exemple Isabelle Rivière, *Images d'Alain-Fournier par sa sœur Isabelle*, Fayard, 1972, p. 40-43.

2. Dans cette pièce, une femme pleure, plus que les enfants morts, des poupées anéanties par le feu d'un incendie. La lecture de *Solness le constructeur* a fortement marqué Henri Fournier qui écrit à Jacques Rivière, le 17 février 1906 : « La lamentation de Madame Solness sur la maison brûlée, et les poupées (Que c'est beau, cela ; je ne songe plus à chicaner le Symbole) », *Correspondance, op. cit.*, t. I, p. 286.

3. « [...] il lui faisait sortir par la bouche tout le son qu'elle avait dans le ventre. Puis, avec de petits cris pitoyables, il la remplissait de bouillie et, au moment de la plus grande attention, tandis que tous les spectateurs, la lèvre pendante, avaient les yeux fixés sur la fille visqueuse et crevée du pauvre pierrot, il la saisit soudain par un bras et la lança à toute volée » (II, VII). Pour l'analyse de ce fantasme, voir Alain Buisine, *Les Mauvaises Pensées du Grand Meaulnes, op. cit.*, et Anne Clancier, « Alain-Fournier et l'enfance », dans *Mystères d'Alain-Fournier, op. cit.*, p. 17-28.

pièce de Maeterlinck mise en opéra par Debussy en 1902, qui habite souterrainement l'ensemble du texte, donne à la fois son intrigue et son arrière-plan légendaire au roman. L'histoire est aussi celle d'un trio qui implique deux frères (Golaud et Pelléas) et une femme, Mélisande, dont ils sont tous les deux amoureux. L'amour de Pelléas et de Mélisande, comme celui de Meaulnes et d'Yvonne, est marqué par le silence et les non-dits. À la fin de la pièce, Golaud tue son frère par jalousie, et Mélisande, comme Yvonne, meurt en donnant naissance à un enfant. Plusieurs passages du roman sont littéralement démarqués de la pièce de Maeterlinck : en témoignent la réplique « Nous sommes deux enfants » (I, XV), adressée à Meaulnes par Yvonne, qui reprend une réplique de Golaud adressée à son frère et à Mélisande [1] ; et la naissance de la petite fille à la fin du *Grand Meaulnes*, qui vient au monde alors que sa mère meurt et qui porte sur son visage les stigmates de la mort : « La petite fille endormie dans son berceau était toute pâle, toute blanche, comme un petit enfant mort » (III, XII) – écho du livret de Maeterlinck pour l'opéra de Debussy : « Elle a accouché sur son lit de mort ; est-ce que ce n'est pas un grand signe ? – Et quel enfant ! L'avez-vous vu ? Une toute petite fille qu'un pauvre ne voudrait pas mettre au monde… Une petite figure de cire qui est venue beaucoup trop tôt… » (acte V, scène I). La mémoire de la littérature ainsi portée par le roman, outre qu'elle l'inscrit dans une généalogie, lui donne une matière, celle du rêve, où réel et souvenirs sont étroitement imbriqués.

---

1. Maurice Maeterlinck, *Pelléas et Mélisande*, dans *Théâtre complet*, Genève, Slatkine, t. II, acte III, scène II : « GOLAUD. – Vous êtes des enfants… Mélisande, ne te penche pas ainsi à la fenêtre, tu vas tomber… Vous ne savez pas qu'il est tard ? Il est près de minuit. – Ne jouez pas ainsi dans l'obscurité. Vous êtes des enfants… »

LE PRÉSENT MIS À DISTANCE

L'éloignement de la réalité, la transfiguration des lieux en décors et des personnages en figures imaginaires sont aussi une façon de mettre le présent à distance. Mais *Le Grand Meaulnes* le renvoie sous la forme de l'écho ou du reflet. On entend la rumeur qu'un monde est en train de finir. La morbidité du paysage, marqué par une météorologie des brumes et du froid, n'ouvre pas à la possibilité d'un renouveau : « Le grand vent et le froid, la pluie ou la neige, l'impossibilité où nous étions de mener à bien de longues recherches nous empêchèrent, Meaulnes et moi, de reparler du Pays perdu avant la fin de l'hiver » (II, I). Ainsi débute la deuxième partie du livre. Le temps qui disperse l'avenir a pour corollaire la passivité des personnages qui certes conduisent une enquête, mais sans trop y croire, sans s'y investir pleinement et sans que la narration soit occupée à ne faire que la relater, comme ce serait le cas dans un roman d'aventures privilégiant l'aventure. « Je savais, écrit Fournier à Rivière en 1909, que nos voyages, notre expérience [...] et nos topographies nous empêchaient maintenant de partir à la découverte, et que jamais plus rien ne serait nouveau pour nous [1]. » Le sentiment que le monde occidental est malade, que l'avenir est essentiellement incertain, en cette veille du premier conflit mondial, est partagé par beaucoup. Plusieurs allusions à l'Allemagne comme pays de la légende et de l'errance semblent vouloir conjurer la possibilité que la France entre en guerre avec elle. Mais l'Allemagne romantique ici invoquée est aussi un espace où la mort rôde au bout du chemin. Le bruissement des aulnes que l'on entend dans le nom de Meaulnes fait aussitôt penser au « Roi des aulnes » de Goethe, poème dans lequel l'enfant est à la fois emporté de force et attiré par l'aspiration de la mort. Il fut un moment, d'ailleurs, où le manuscrit s'intitulait

1. Lettre à Jacques Rivière du 3 mars 1909, dans *Correspondance 1905-1914, op. cit.*, t. II, p. 269.

Le Voyage entre les aulnes[1]. Les personnages – comme l'auteur – se tiennent au bord d'un précipice, ou dans la proximité d'un mystère qui tout à la fois les excite et les effraie. Et Alain-Fournier accompagne l'écriture de son roman de ces mots qui concernent et son personnage et lui-même : « Chaque jour, sur un papier, comme un homme perdu, il décrit le progrès de l'inondation mortelle. Dans sa vie très simple, chaque fois, quelque chose de monstrueux, tant cela est pur et désirable, se glisse, comme une parole incompréhensible dans les discours de celui qui va devenir fou[2]. »

L'esprit du temps tel qu'il se lit dans *Le Grand Meaulnes* explique que le roman ait été dans l'ensemble bien compris et apprécié par la critique et les lecteurs au moment de sa sortie. Bien qu'elle lui reproche de se perdre dans des développements inutiles à partir de la deuxième partie[3], la critique contemporaine lui reconnaît son caractère de « roman poétique », qui l'apparente aux contes de Gérard de Nerval ou de Charles Nodier. Elle relève aussi des familiarités avec le décor des romans paysans de George Sand et avec les fantaisies symbolistes de Laforgue ou de Maeterlinck. Dans *Le Courrier européen* du 7 novembre 1913, une critique non signée décrit le livre en ces termes :

> L'auteur nous promène à travers un domaine étrange. La plus grande fantaisie habille les héros de vêtements surannés et charmants. Malgré la trame moderne du roman, on pense

---

1. Les aulnes font partie des arbres qui boisent la forêt de Sologne (voir II, IX, p. 127). Alain-Fournier a peut-être aussi emprunté le nom de son héros au village de Meaulne, situé dans l'Allier, au confluent de l'Aumance et du Cher, non loin de la forêt de Tronçais.

2. *Ibid.*, p. 312.

3. « Le mystère dure trop longtemps, écrit par exemple Robert Kemp dans *L'Aurore*, le 8 décembre 1913, après avoir loué le charme de la première partie. Nous sommes bien forcés d'avouer que le grand Meaulnes y met de la maladresse, et qu'il ne doit pas être difficile de savoir le nom du domaine mystérieux… Et pourtant, quand les années ont passé, quand Augustin a retrouvé Yvonne de Galais, le charme est rompu, et nous le regrettons. Cela s'achève en roman triste. »

aux types bizarres du théâtre italien. Derrière les masques énigmatiques de Fritz [*sic*, pour Frantz] ou du *Grand Meaulnes* frémissent plus de grimaces ou de souffrance que les mots de la phrase n'en portent dans leur acception grammaticale. Cela inquiète et parfois déconcerte malgré les beautés réelles du livre [1].

La notation finale fait entendre que la nouveauté est perçue et dérange en dépit de la reconnaissance que le critique a de l'ensemble. Vingt-cinq ans plus tard, les jugements sont plus ambivalents, et l'on s'étonne de la faveur que le roman continue d'avoir auprès du public. Marcel Arland écrit ainsi, dans un article qui polémique avec Henri de Montherlant, que « *Le Grand Meaulnes* a curieusement vieilli. Il porte trop de vraie jeunesse pour se faner rapidement ; mais il s'efface, il s'éloigne, il se disperse. De plus en plus, ses deux éléments fondamentaux, son réalisme et son symbolisme épris de mythes, divergent et se nuisent [2] ». Malgré tout, poursuit Arland, les défauts du livre, ses coups de théâtre et ses péripéties dans lesquelles on reconnaît des thèmes en vogue font peut-être aussi sa force :

Il se trouve pourtant que c'est surtout par ses faiblesses que *Le Grand Meaulnes* a exercé une influence. On lui a emprunté son matériel : saltimbanques, fêtes enfantines, domaines perdus, son mécanisme, sa gratuité. Le sens en fut ainsi dénaturé. On a fait du *Grand Meaulnes* une école de puérilité et d'impuissance. C'était avant tout le livre de l'ardeur et de la recherche.

---

1. Pour un aperçu de l'ensemble du dossier de réception, voir « Le dossier de presse du *Grand Meaulnes* de 1913 à nos jours », *Bulletin des amis de Jacques Rivière et d'Alain-Fournier*, n°s 30, 31 et 33, 1984. Pour les différentes étapes dans la réception du texte au cours du XXe siècle, voir le chapitre intitulé « *Le Grand Meaulnes* devant la critique » dans le livre de Zbignuiew Naliwajek, *Alain-Fournier romancier*, Orléans, Paradigme, 1997.

2. Marcel Arland, « Alain-Fournier et *Le Grand Meaulnes* », dans *La Nouvelle Revue française*, n° 302, 1er novembre 1938, p. 818-821.

C'est sans doute à l'aune de cette recherche qu'il faudrait réapprendre à lire *Le Grand Meaulnes* aujourd'hui, une fois laissés au loin les souvenirs qui l'ont ancré dans la mémoire des générations précédentes : la culture populaire du monde rural, les rêveries des jeunes gens bloqués dans leur avenir par la reproduction sociale, la fidélité généalogique, la menace de la guerre. Ou ce qu'il faut entendre par le mot *aventure*.

L'ADOLESCENCE, L'AVENTURE

L'équipée de Meaulnes aux Sablonnières, la fête et la rencontre avec Yvonne sont présentées à plusieurs reprises dans le livre comme « l'aventure ». On est pourtant loin de *Michel Strogoff* (1875) de Jules Verne ou de *L'Île au trésor* de Stevenson (1883). Mais la définition de l'aventure a changé. Si elle reste profondément liée au genre romanesque, c'est parce qu'elle résume une part de son activité, qui repose sur un modèle organique (un roman est comme une vie) et sur un excès. Un célèbre article consacré au roman d'aventures que Jacques Rivière fit paraître quelques mois seulement avant la publication du *Grand Meaulnes* et où se reflète, autant que dans le roman, le dialogue des deux amis, pose les caractères d'une aventure qui s'oppose au déterminisme et à la nécessité :

> L'aventure, c'est ce qui advient, c'est-à-dire ce qui s'ajoute, ce qui arrive par-dessus le marché, ce qu'on n'attendait pas, ce dont on aurait pu se passer. Un roman d'aventure, c'est le récit d'événements qui ne sont pas contenus les uns dans les autres. À aucun moment on n'y voit le présent sortir tout fait du passé ; à aucun moment le progrès de l'œuvre n'est une déduction. Chaque chapitre s'ouvre en excès sur le précédent, non pas en ce sens qu'il est plus intense, plus violent, plus bouleversant ; mais simplement les événements qu'il raconte, les sentiments qu'il décrit, débordent ceux du chapitre précédent. Ils viennent les prolonger, les porter plus

loin, ils leur font suite ; mais ils ne peuvent en aucune façon s'y réduire ni en résulter [1].

La surprise, le hasard, la métamorphose sont les privilèges de la fiction, du *comme si*, que l'aventure soit intérieure ou qu'elle surgisse de l'extérieur. Cette conception d'une aventure qui tranche dans la causalité, qui soit digression, dévoiement ou chaos, explique qu'Albert Thibaudet, toujours dans *La Nouvelle Revue française* mais en 1919, reconnaisse *Le Grand Meaulnes* comme « le chef-d'œuvre de l'art que comporte le roman d'aventures conçu à la française, c'est-à-dire le roman romanesque d'aventures ou le roman de l'aventure romanesque » :

> L'aventure romanesque de Meaulnes vient du dedans et non du dehors, est donnée par l'effet de l'imagination naturelle, non par un accident comme celui qui engage Vignerte dans une cour d'Allemagne ou le capitaine de Saint-Avit dans le couloir de rochers au bout duquel il y a l'Atlantide [2]. Elle fait corps avec cette imagination, c'est-à-dire avec de la substance, de la plante et de la fleur humaine. Enfin et surtout, il y a là une économie merveilleuse de moyens : le château des Sablonnières et le passage des saltimbanques, cela demeure peu de choses et ne dépasse pas l'horizon d'une carte d'école primaire, et toute l'aventure romanesque française tient là-dedans comme toute l'aventure active anglaise tient dans certaines pages si simples et si infiniment résonantes de Stevenson.

Qu'elle puisse tenir du rêve, de la traversée de miroirs et pas seulement des mers, fait de l'aventure ainsi entendue le lieu d'un passage : quelque chose s'ouvre, inscrit une frontière et change.

Une pensée du seuil, de la lisière (entre dedans et dehors, entre intériorité et extériorité, entre un monde et

---

1. Jacques Rivière, *Le Roman d'aventure*, Éditions des Syrtes, 2000, p. 54. (Première publication dans *La Nouvelle Revue française*, mai, juin, juillet 1913.)
2. Allusion à deux romans de Pierre Benoit, *Kœnigsmark* (1918) et *L'Atlantide* (1919).

un autre), lie le modèle de l'aventure au thème de l'adolescence. Souvent lu comme un roman de l'adolescence, comme ont été lus *Les Désarrois de l'élève Törless* de l'Autrichien Robert Musil ou *Le Diable au corps* de Radiguet [1], *Le Grand Meaulnes* présente en outre la particularité d'être le roman de la transition impossible. L'aventure y devient une métaphore de cet âge qui devrait trouver un port pour finir, mais qui n'en trouve pas, ainsi qu'en témoignent les voyages de plus en plus lointains de Frantz et des bohémiens à la fin du récit. Et, à la dernière phrase du livre, le départ de Meaulnes « pour de nouvelles aventures » dit bien que cet état est voué à la reprise et à l'inachèvement. Mu par un principe d'alternance, l'adolescent est ballotté entre un passé irrévocable et un avenir destructeur. « Et peut-être tout reviendra-t-il comme c'était autrefois ? » se dit Yvonne de Galais sans trop y croire. « Mais le passé peut-il renaître ? » (III, VI). La logique paradoxale de l'adolescence s'inscrit dans le texte selon la formule du « et… et » plutôt que du « ni… ni » : les personnages sont à la fois écoliers et étudiants, enfants et jeunes gens. Ils sont encore pris dans les jeux de l'enfance et déjà pleins de désirs qui ne demandent qu'à s'assouvir. Ils sont eux aussi marqués par un excès qui dérègle l'action et précipite le drame. Tandis qu'il est en train d'écrire son roman, Alain-Fournier est conscient que son héros est une figure habitée par l'excès, le trop-plein, la démesure, comme le souligne d'emblée son nom, l'adjectif « grand » pouvant être connoté de multiples manières :

> le héros de mon livre est un homme dont l'enfance fut *trop* belle. Pendant toute son adolescence, il la traîne après lui. Par instants, il semble que tout ce paradis imaginaire qui fut le monde de son enfance va surgir au bout de ses aventures, ou se lever sur un de ses gestes. Ainsi, le matin d'hiver où,

1. Voir le dossier, p. 249 : « Un roman de l'adolescence ».

après trois jours d'absence inexplicable, il rentre à son cours *comme un jeune dieu mystérieux et insolent* [1].

L'excès garantit l'héroïsme, l'accession au rang de dieu ou de demi-dieu, mais il précipite aussi la chute.

Un roman de l'adolescence est-il un roman pour adolescents ? Certes, le texte joue sur le *topos* de la littérature de jeunesse : l'arrivée dans un château inconnu et mystérieux, la découverte d'un monde autre, les premières émotions amoureuses… Et si le livre s'achevait sur « La partie de plaisir », comme s'intitule le chapitre où Meaulnes retrouve enfin Yvonne de Galais (III, V), il obéirait au programme du roman pour enfants, avec sa clôture et son *happy end*. Mais il reste dix chapitres et un épilogue encore, qui vont inverser les faits, trahir l'amour, saccager le merveilleux. Ainsi, l'adolescence est loin d'être idéalisée dans le roman : elle est au contraire l'âge de la chute et de la dévastation, et aller au bout de sa logique consiste à rencontrer la mort. Élisabeth Ravoux-Rallo fait alors l'hypothèse que *Le Grand Meaulnes* est un livre où l'on assiste « à la destruction systématique du roman pour la jeunesse à l'intérieur d'un roman pour adulte [2] » et que ce sabotage passe par l'exclusion, la suppression des femmes. L'obsession de la pureté, malmenée par le désir et la sexualité, se solde par la disparition de la jeune fille, littéralement assassinée par la possession de Meaulnes. Tout s'accomplit en une seule fois : l'acte sexuel entraîne la grossesse qui conduit à l'accouchement qui provoque la mort. La nuit de noces est ainsi marquée d'emblée par le désastre. Ce moment qui pourrait être celui de l'accomplissement de l'idylle est en effet troublé par une intervention du narrateur qui le compare à une scène de violence conjugale : « Il m'est arrivé, dans les quartiers pauvres de Paris, de voir soudain, descendu

1. Lettre à Jacques Rivière du 4 avril 1910, dans *Correspondance 1905-1914*, *op. cit.*, t. II, p. 338. Nous soulignons.

2. Élisabeth Ravoux-Rallo, *Images de l'adolescence dans quelques récits du XXe siècle*, José Corti, 1989, p. 139.

dans la rue, séparé par des agents intervenus dans la bataille, un ménage qu'on croyait heureux, uni, honnête. Le scandale a éclaté tout d'un coup, n'importe quand, à l'instant de se mettre à table, le dimanche avant de sortir, au moment de souhaiter la fête du petit garçon… et maintenant tout est oublié, saccagé. L'homme et la femme, au milieu du tumulte, ne sont plus que deux démons pitoyables et les enfants en larmes se jettent contre eux, les embrassent étroitement, les supplient de se taire et de ne plus se battre » (III, IX). La magie est définitivement rompue et le drame, avant même d'avoir lieu, est déjà advenu. Éternelle jeune fille, Yvonne de Galais, que le narrateur ne peut se résigner à appeler Mme Meaulnes, ne peut survivre à ce passage à l'âge adulte. Au bout de l'aventure, il n'y a rien.

L'actualité du *Grand Meaulnes* paraît plus forte dans la prise en compte de ces thèmes troublants de la modernité – l'impossible renoncement à l'enfance et le refus de grandir – que dans la théâtralité fantastique mais un peu démodée de la fête et du domaine mystérieux. Le syndrome de Peter Pan, de l'enfant qui ne veut pas devenir un homme ou, selon l'interprétation de la psychologie contemporaine, de l'homme qui veut conserver les prérogatives de l'enfant (le jeu, l'attachement à la mère, l'absence de responsabilité…) [1], trouve sa pleine illustration dans ce livre qui ne voit dans le monde des adultes qu'ennui, répétition et enfouissement. L'indétermination des personnages et leur refus de la fixité peuvent encore nourrir l'esprit de liberté et de révolte. Il est vrai que la désespérance qui habite la fin du livre est également propice à décourager la velléité de transgression. On reste cependant sensible à sa beauté triste, qui est aussi celle que l'on trouve aux mondes engloutis et aux villages abandonnés.

Tiphaine SAMOYAULT.

---

1. Voir le dossier, p. 255 : « Le syndrome de Peter Pan ».

Le Grand Meaulnes

À ma sœur Isabelle [1]

1. Isabelle Fournier, la sœur de l'auteur, est née trois ans après lui, en 1889. Très proche de son frère, dont elle partagea les lectures dans le grenier de l'école et les rêveries, elle épousa son ami Jacques Rivière le 24 août 1909. Cette sœur est absente du roman, mais Henri l'associe toujours à ses souvenirs d'Épineuil. Voici ce qu'il écrit à ses parents le 20 mars 1905 : « Nous, nous "venions au monde" là-dedans, et tout notre cœur, tout notre bonheur, tout ce que nous sentons de doux et de pénible, nous avons appris à le sentir, à le connaître dans la cour où, mélancoliques, les jeudis où nous n'entendions que les cris des coqs dans le bourg, – et dans la chambre, où par la lucarne, le soleil venait jouer sur mes saintes vierges et sur l'oreiller rouge, – et dans la classe où entraient avec les branches de pommiers, quand papa faisait "étude"... »

Première partie

CHAPITRE PREMIER

LE PENSIONNAIRE

Il arriva chez nous un dimanche de novembre 189... [1]. Je continue à dire « chez nous », bien que la maison ne nous appartienne plus. Nous avons quitté le pays depuis bientôt quinze ans et nous n'y reviendrons certainement jamais.

Nous habitions les bâtiments du Cours supérieur [2] de Sainte-Agathe. Mon père, que j'appelais M. Seurel, comme les autres élèves, y dirigeait à la fois le Cours supérieur, où l'on préparait le brevet d'instituteur, et le Cours moyen. Ma mère faisait la petite classe [3].

---

1. Les premiers brouillons indiquent explicitement 1891, date à laquelle la famille Fournier est arrivée à Épineuil-le-Fleuriel, alors qu'Henri avait cinq ans.

2. L'école républicaine, telle qu'elle fut mise en place à la fin du XIXe siècle dans presque toutes les communes de France (et dans 75 000 établissements en tout dans les années 1880), répartissait l'enseignement en « Cours » : Cours préparatoire (l'actuel CP), Cours élémentaire, Cours moyen. Le Cours supérieur, réservé à des élèves ayant déjà obtenu le certificat d'études (qui se passait à l'âge moyen de quatorze ans), était destiné aux futurs professeurs des écoles. Le diplôme d'instituteur se préparait en effet à l'école primaire, et non au lycée comme les diplômes destinant à d'autres professions. Il était ainsi accessible aux jeunes gens du monde rural, qui pour des raisons économiques ou culturelles n'avaient pas forcément accès aux lycées des zones urbanisées.

3. Moins bien rémunérées en général que leurs collègues masculins, les institutrices se voyaient souvent attribuer les petites classes, censées réclamer plus de soins « maternels ». L'enquête de Jacques Ozouf sur

Une longue maison rouge, avec cinq portes vitrées, sous des vignes vierges, à l'extrémité du bourg ; une cour immense avec préaux et buanderie, qui ouvrait en avant sur le village par un grand portail ; sur le côté nord, la route où donnait une petite grille et qui menait vers la gare, à trois kilomètres ; au sud et par-derrière, des champs, des jardins et des prés qui rejoignaient les faubourgs… tel est le plan sommaire de cette demeure où s'écoulèrent les jours les plus tourmentés et les plus chers de ma vie – demeure d'où partirent et où revinrent se briser, comme des vagues sur un rocher désert, nos aventures.

Le hasard des « changements », une décision d'inspecteur ou de préfet nous avaient conduits là. Vers la fin des vacances, il y a bien longtemps, une voiture de paysan, qui précédait notre ménage, nous avait déposés, ma mère et moi [1], devant la petite grille rouillée. Des gamins qui volaient des pêches dans le jardin s'étaient enfuis silencieusement par les trous de la haie… Ma mère, que nous appelions Millie, et qui était bien la ménagère la plus méthodique que j'aie jamais connue, était entrée aussitôt dans les pièces remplies de paille poussiéreuse, et tout de suite elle avait constaté avec désespoir, comme à chaque « déplacement », que nos meubles ne tiendraient jamais dans une maison si mal construite… Elle était sortie pour me confier sa détresse. Tout en me parlant, elle avait

---

les instituteurs montre bien la disparité des conditions sociales de la profession malgré l'uniformisation voulue par l'État. Selon que le ménage avait un ou deux traitements, selon que l'instituteur venait ou non d'une famille aisée, selon qu'il avait ou non des enfants, la situation pouvait aller de la relative aisance à la plus extrême misère. Comme la famille de Fournier, la famille de François Seurel peut compter sur deux traitements et, grâce au logement de fonction, peut vivre confortablement. Voir Jacques Ozouf, *Nous les maîtres d'école : autobiographies d'instituteurs de la Belle Époque*, présenté par Jacques Ozouf, Julliard, collection « Archives », 1966 ; rééd. « Folio Histoire », 1993.

1. Le détail est autobiographique : le petit Henri est en effet arrivé à Épineuil-le-Fleuriel en octobre en compagnie de sa mère (et de sa sœur).

essuyé doucement avec son mouchoir ma figure d'enfant noircie par le voyage. Puis elle était rentrée faire le compte de toutes les ouvertures qu'il allait falloir condamner pour rendre le logement habitable… Quant à moi, coiffé d'un grand chapeau de paille à rubans, j'étais resté là, sur le gravier de cette cour étrangère, à attendre, à fureter petitement autour du puits et sous le hangar.

C'est ainsi, du moins, que j'imagine aujourd'hui notre arrivée. Car aussitôt que je veux retrouver le lointain souvenir de cette première soirée d'attente dans notre cour de Sainte-Agathe, déjà ce sont d'autres attentes que je me rappelle ; déjà, les deux mains appuyées aux barreaux du portail, je me vois épiant avec anxiété quelqu'un qui va descendre la grand'rue. Et si j'essaie d'imaginer la première nuit que je dus passer dans ma mansarde, au milieu des greniers du premier étage, déjà ce sont d'autres nuits que je me rappelle ; je ne suis plus seul dans cette chambre ; une grande ombre inquiète et amie passe le long des murs et se promène. Tout ce paysage paisible – l'école, le champ du père Martin, avec ses trois noyers, le jardin dès quatre heures envahi chaque jour par des femmes en visite – est à jamais, dans ma mémoire, agité, transformé par la présence de celui qui bouleversa toute notre adolescence et dont la fuite même ne nous a pas laissé de repos.

Nous étions pourtant depuis dix ans [1] dans ce pays lorsque Meaulnes arriva.

J'avais quinze ans. C'était un froid dimanche de novembre, le premier jour d'automne qui fît songer à l'hiver. Toute la journée, Millie avait attendu une voiture de la gare qui devait lui apporter un chapeau pour la mauvaise saison. Le matin, elle avait manqué la messe ; et jusqu'au sermon, assis dans le chœur avec les autres

---

1. Ce détail permet de situer l'action du roman au tout début du XXe siècle. L'ellipse indique une forte accélération du récit, qui passe sur dix ans d'intimité familiale et d'existence scolaire.

enfants, j'avais regardé anxieusement du côté des cloches, pour la voir entrer avec son chapeau neuf.

Après midi, je dus partir seul à vêpres [1].

« D'ailleurs, me dit-elle, pour me consoler, en brossant de sa main mon costume d'enfant, même s'il était arrivé, ce chapeau, il aurait bien fallu, sans doute, que je passe mon dimanche à le refaire. »

Souvent nos dimanches d'hiver se passaient ainsi. Dès le matin, mon père s'en allait au loin, sur le bord de quelque étang couvert de brume, pêcher le brochet dans une barque ; et ma mère, retirée jusqu'à la nuit dans sa chambre obscure, rafistolait d'humbles toilettes. Elle s'enfermait ainsi de crainte qu'une dame de ses amies, aussi pauvre qu'elle mais aussi fière, vînt la surprendre. Et moi, les vêpres finies, j'attendais, en lisant dans la froide salle à manger, qu'elle ouvrît la porte pour me montrer comment ça lui allait.

Ce dimanche-là, quelque animation devant l'église me retint dehors après vêpres. Un baptême, sous le porche, avait attroupé des gamins. Sur la place, plusieurs hommes du bourg avaient revêtu leurs vareuses de pompiers [2] ; et, les faisceaux [3] formés, transis et battant la semelle, ils

---

1. Les vêpres sont un office catholique du soir (du latin *vespera*, qui signifie « soir »). Elles sont encore célébrées aujourd'hui dans certains monastères. Pendant la première moitié du XXe siècle (jusqu'au concile Vatican II), elles avaient habituellement lieu le dimanche en fin d'après-midi dans les églises.

2. La vareuse est au départ une blouse courte de marin, en toile de coton, destinée à protéger dans le cadre de travaux salissants (emploi de goudron, etc.). Elle désigne ensuite le vêtement porté dans certains corps de métiers (vareuse d'ouvrier, vareuse de chasseur alpin, vareuse de pompier…) ; sa matière peut alors varier.

3. Le faisceau, qui désigne l'assemblage d'éléments identiques, est synonyme de « fagot » ou de « botte ». Mais il s'est spécialisé dans le regroupement en forme de cône (d'où son sens fréquent de faisceau lumineux). Il renvoie ici au groupement d'hommes disposés en ordre – conique, probablement. Dans la Rome antique, le faisceau était l'emblème du pouvoir des magistrats, ce qui explique que Mussolini l'ait repris et ait donné son nom à son parti naissant (« fascisme », de l'italien *fascio*, « faisceau »).

écoutaient Boujardon, le brigadier, s'embrouiller dans la théorie…

Le carillon du baptême s'arrêta soudain, comme une sonnerie de fête, qui se serait trompée de jour et d'endroit ; Boujardon et ses hommes, l'arme en bandoulière, emmenèrent la pompe au petit trot ; et je les vis disparaître au premier tournant, suivis de quatre gamins silencieux, écrasant de leurs grosses semelles les brindilles de la route givrée où je n'osais pas les suivre.

Dans le bourg, il n'y eut plus alors de vivant que le café Daniel, où j'entendais sourdement monter puis s'apaiser les discussions des buveurs. Et, frôlant le mur bas de la grande cour qui isolait notre maison du village, j'arrivai, un peu anxieux de mon retard, à la petite grille.

Elle était entrouverte et je vis aussitôt qu'il se passait quelque chose d'insolite.

En effet, à la porte de la salle à manger – la plus rapprochée des cinq portes vitrées qui donnaient sur la cour –, une femme aux cheveux gris, penchée, cherchait à voir au travers des rideaux. Elle était petite, coiffée d'une capote de velours noir à l'ancienne mode [1]. Elle avait un visage maigre et fin, mais ravagé par l'inquiétude ; et je ne sais quelle appréhension, à sa vue, m'arrêta sur la première marche, devant la grille.

« Où est-il passé ? mon Dieu ! disait-elle à mi-voix. Il était avec moi tout à l'heure. Il a déjà fait le tour de la maison. Il s'est peut-être sauvé… »

Et, entre chaque phrase, elle frappait au carreau trois petits coups à peine perceptibles.

Personne ne venait ouvrir à la visiteuse inconnue. Millie, sans doute, avait reçu le chapeau de la gare, et sans rien entendre, au fond de la chambre rouge, devant un lit semé de vieux rubans et de plumes défrisées, elle

---

1. La capote peut renvoyer à tout type de chapeau féminin, mais désigne ici probablement un chapeau attaché au menton par un ruban. La précision « à l'ancienne mode », plus qu'un détail réaliste signalant l'âge de la femme, introduit le motif de la présence du temps passé qui deviendra dominant dans l'épisode de la fête étrange (p. 61 *sq.*).

cousait, décousait, rebâtissait sa médiocre coiffure... En effet, lorsque j'eus pénétré dans la salle à manger, immédiatement suivi de la visiteuse, ma mère apparut tenant à deux mains sur sa tête des fils de laiton, des rubans et des plumes, qui n'étaient pas encore parfaitement équilibrés... Elle me sourit, de ses yeux bleus fatigués d'avoir travaillé à la chute du jour, et s'écria :

« Regarde ! Je t'attendais pour te montrer... »

Mais, apercevant cette femme assise dans le grand fauteuil, au fond de la salle, elle s'arrêta, déconcertée. Bien vite, elle enleva sa coiffure, et, durant toute la scène qui suivit, elle la tint contre sa poitrine, renversée comme un nid dans son bras droit replié.

La femme à la capote, qui gardait, entre ses genoux, un parapluie et un sac de cuir, avait commencé de s'expliquer, en balançant légèrement la tête et en faisant claquer sa langue comme une femme en visite. Elle avait repris tout son aplomb. Elle eut même, dès qu'elle parla de son fils, un air supérieur et mystérieux qui nous intrigua.

Ils étaient venus tous les deux, en voiture, de La Ferté-d'Angillon, à quatorze kilomètres de Sainte-Agathe. Veuve – et fort riche, à ce qu'elle nous fit comprendre – elle avait perdu le cadet de ses deux enfants, Antoine, qui était mort un soir au retour de l'école, pour s'être baigné avec son frère dans un étang malsain. Elle avait décidé de mettre l'aîné, Augustin, en pension chez nous pour qu'il pût suivre le Cours supérieur.

Et aussitôt elle fit l'éloge de ce pensionnaire qu'elle nous amenait. Je ne reconnaissais plus la femme aux cheveux gris, que j'avais vue courbée devant la porte, une minute auparavant, avec cet air suppliant et hagard de poule qui aurait perdu l'oiseau sauvage de sa couvée.

Ce qu'elle contait de son fils avec admiration était fort surprenant : il aimait à lui faire plaisir, et parfois il suivait le bord de la rivière, jambes nues, pendant des kilomètres, pour lui rapporter des œufs de poules d'eau, de canards sauvages, perdus dans les ajoncs... Il tendait aussi des nasses[1]... L'autre nuit, il avait découvert dans le bois une faisane prise au collet...

Moi qui n'osais plus rentrer à la maison quand j'avais un accroc à ma blouse, je regardais Millie avec étonnement.

Mais ma mère n'écoutait plus. Elle fit même signe à la dame de se taire ; et déposant avec précaution son « nid » sur la table, elle se leva silencieusement comme pour aller surprendre quelqu'un...

Au-dessus de nous, en effet, dans un réduit où s'entassaient les pièces d'artifice noircies du dernier 14 juillet, un pas inconnu, assuré, allait et venait, ébranlant le plafond, traversait les immenses greniers ténébreux du premier étage, et se perdait enfin vers les chambres d'adjoints abandonnées où l'on mettait sécher le tilleul et mûrir les pommes.

« Déjà, tout à l'heure, j'avais entendu ce bruit dans les chambres du bas, dit Millie à mi-voix, et je croyais que c'était toi, François, qui étais rentré... »

Personne ne répondit. Nous étions debout tous les trois, le cœur battant, lorsque la porte des greniers qui donnait sur l'escalier de la cuisine s'ouvrit ; quelqu'un descendit les marches, traversa la cuisine, et se présenta dans l'entrée obscure de la salle à manger.

« C'est toi, Augustin ? » dit la dame.

C'était un grand garçon de dix-sept ans environ. Je ne vis d'abord de lui, dans la nuit tombante, que son chapeau de feutre paysan coiffé en arrière et sa blouse noire sanglée d'une ceinture comme en portent les écoliers. Je pus distinguer aussi qu'il souriait...

Il m'aperçut, et, avant que personne eût pu lui demander aucune explication :

« Viens-tu dans la cour ? » dit-il.

---

1. La nasse peut désigner tout type de filet ou de piège, mais renvoie plus spécifiquement à un instrument de pêche en osier, en forme de panier cylindrique, que l'on dépose au fond de l'eau et où le poisson peut entrer mais d'où il ne peut sortir.

J'hésitai une seconde. Puis, comme Millie ne me retenait pas, je pris ma casquette et j'allai vers lui. Nous sortîmes par la porte de la cuisine et nous allâmes au préau, que l'obscurité envahissait déjà. À la lueur de la fin du jour, je regardais, en marchant, sa face anguleuse au nez droit, à la lèvre duvetée.

« Tiens, dit-il, j'ai trouvé ça dans ton grenier. Tu n'y avais donc jamais regardé ? »

Il tenait à la main une petite roue en bois noirci ; un cordon de fusées déchiquetées courait tout autour ; ç'avait dû être le soleil ou la lune au feu d'artifice du 14 juillet.

« Il y en a deux qui ne sont pas parties : nous allons toujours les allumer », dit-il d'un ton tranquille et de l'air de quelqu'un qui espère bien trouver mieux par la suite.

Il jeta son chapeau par terre et je vis qu'il avait les cheveux complètement ras comme un paysan. Il me montra les deux fusées avec leurs bouts de mèche en papier que la flamme avait coupés, noircis, puis abandonnés. Il planta dans le sable le moyeu de la roue, tira de sa poche – à mon grand étonnement, car cela nous était formellement interdit – une boîte d'allumettes. Se baissant avec précaution, il mit le feu à la mèche. Puis, me prenant par la main, il m'entraîna vivement en arrière.

Un instant après, ma mère qui sortait sur le pas de la porte, avec la mère de Meaulnes, après avoir débattu et fixé le prix de pension, vit jaillir sous le préau, avec un bruit de soufflet, deux gerbes d'étoiles rouges et blanches ; et elle put m'apercevoir, l'espace d'une seconde, dressé dans la lueur magique, tenant par la main le grand gars nouveau venu et ne bronchant pas…

Cette fois encore, elle n'osa rien dire.

Et le soir, au dîner, il y eut, à la table de famille, un compagnon silencieux, qui mangeait, la tête basse, sans se soucier de nos trois regards fixés sur lui.

CHAPITRE II

APRÈS QUATRE HEURES [1]

Je n'avais guère été, jusqu'alors, courir dans les rues avec les gamins du bourg. Une coxalgie [2], dont j'ai souffert jusque vers cette année 189... [3], m'avait rendu craintif et malheureux. Je me vois encore poursuivant les écoliers alertes dans les ruelles qui entouraient la maison, en sautillant misérablement sur une jambe...

Aussi ne me laissait-on guère sortir. Et je me rappelle que Millie, qui était très fière de moi, me ramena plus d'une fois à la maison, avec force taloches, pour m'avoir ainsi rencontré, sautant à cloche-pied, avec les garnements du village.

L'arrivée d'Augustin Meaulnes, qui coïncida avec ma guérison, fut le commencement d'une vie nouvelle.

Avant sa venue, lorsque le cours était fini, à quatre heures, une longue soirée de solitude commençait pour moi. Mon père transportait le feu du poêle de la classe dans la cheminée de notre salle à manger ; et peu à peu les derniers gamins attardés abandonnaient l'école refroidie où roulaient des tourbillons de fumée. Il y avait encore quelques jeux, des galopades, dans la cour ; puis la nuit venait ; les deux élèves qui avaient balayé la classe cherchaient sous le hangar leurs capuchons et leurs pèlerines [4], et ils partaient bien vite, leur panier au bras, en laissant le grand portail ouvert...

---

1. Cette heure est celle de la fin des cours. On notera ici le ralentissement de la vitesse du récit, qui se centre désormais sur le quotidien des jeunes gens.

2. La coxalgie est une maladie osseuse qui provoque une claudication. Elle était fréquente dans les campagnes jusqu'au milieu du XXe siècle.

3. La date demeure imprécise et est sensiblement la même qu'au premier chapitre, malgré l'ellipse de dix ans. Cette indication confère le sentiment d'un suspens du temps.

4. La pèlerine est une cape destinée à se protéger de la pluie et portée indifféremment par les hommes et par les femmes.

Alors, tant qu'il y avait une lueur de jour, je restais au fond de la mairie, enfermé dans le cabinet des Archives plein de mouches mortes, d'affiches battant au vent, et je lisais assis sur une vieille bascule, auprès d'une fenêtre qui donnait sur le jardin [1].

Lorsqu'il faisait noir, que les chiens de la ferme voisine commençaient à hurler et que le carreau de notre petite cuisine s'illuminait, je rentrais enfin. Ma mère avait commencé de préparer le repas. Je montais trois marches de l'escalier du grenier ; je m'asseyais sans rien dire et, la tête appuyée aux barreaux froids de la rampe, je la regardais allumer son feu dans l'étroite cuisine où vacillait la flamme d'une bougie…

Mais quelqu'un est venu qui m'a enlevé à tous ces plaisirs d'enfant paisible. Quelqu'un a soufflé la bougie qui éclairait pour moi le doux visage maternel penché sur le repas du soir. Quelqu'un a éteint la lampe autour de laquelle nous étions une famille heureuse, à la nuit, lorsque mon père avait accroché les volets de bois aux portes vitrées. Et celui-là, ce fut Augustin Meaulnes, que les autres élèves appelèrent bientôt le grand Meaulnes.

Dès qu'il fut pensionnaire chez nous, c'est-à-dire dès les premiers jours de décembre, l'école cessa d'être désertée le soir, après quatre heures. Malgré le froid de la porte battante, les cris des balayeurs et leurs seaux d'eau, il y avait toujours, après le cours, dans la classe, une vingtaine de grands élèves, tant de la campagne que du bourg, serrés autour de Meaulnes. Et c'étaient de longues discussions, des disputes interminables, au milieu desquelles je me glissais avec inquiétude et plaisir.

Meaulnes ne disait rien ; mais c'était pour lui qu'à chaque instant l'un des plus bavards s'avançait au milieu du groupe, et, prenant à témoin tour à tour chacun de ses

---

1. Le souvenir est autobiographique. L'école et la mairie étaient dans le même bâtiment – l'instituteur rural avait la plupart du temps la fonction de secrétaire de mairie – et Henri s'enfermait tantôt seul, tantôt avec sa sœur, dans la pièce où étaient conservées les archives municipales, pour lire.

compagnons, qui l'approuvaient bruyamment, racontait quelque longue histoire de maraude [1], que tous les autres suivaient, le bec ouvert, en riant silencieusement.

Assis sur un pupitre, en balançant les jambes, Meaulnes réfléchissait. Aux bons moments, il riait aussi, mais doucement, comme s'il eût réservé ses éclats de rire pour quelque meilleure histoire, connue de lui seul. Puis, à la nuit tombante, lorsque la lueur des carreaux de la classe n'éclairait plus le groupe confus des jeunes gens, Meaulnes se levait soudain et, traversant le cercle pressé :

« Allons, en route ! » criait-il.

Alors tous le suivaient et l'on entendait leurs cris jusqu'à la nuit noire, dans le haut du bourg...

Il m'arrivait maintenant de les accompagner. Avec Meaulnes, j'allais à la porte des écuries des faubourgs, à l'heure où l'on trait les vaches... Nous entrions dans les boutiques, et, du fond de l'obscurité, entre deux craquements de son métier, le tisserand disait :

« Voilà les étudiants ! »

Généralement, à l'heure du dîner, nous nous trouvions tout près du Cours [2], chez Desnoues, le charron [3], qui était aussi maréchal. Sa boutique était une ancienne auberge, avec de grandes portes à deux battants qu'on laissait ouvertes. De la rue on entendait grincer le soufflet de la forge et l'on apercevait à la lueur du brasier, dans ce lieu obscur et tintant, parfois des gens de campagne qui avaient arrêté leur voiture pour causer un instant,

---

1. Nom donné au chapardage rural, au vol dans les champs, dans les fermes, de produits alimentaires (fruits, œufs, petites volailles...). Par métonymie, le terme en est venu à désigner l'action de rôder la nuit en vue de commettre des vols, puis, par extension encore, l'action de rôder.

2. Il ne s'agit pas ici de la classe, mais d'une large avenue, parfois appelée « cours » dans certaines villes.

3. Le charron était un artisan qui construisait ou réparait les trains des véhicules tirés par des animaux (charrettes, chariots), et en particulier leurs roues.

parfois un écolier comme nous, adossé à une porte, qui regardait sans rien dire.

Et c'est là que tout commença, environ huit jours avant Noël.

CHAPITRE III

« JE FRÉQUENTAIS LA BOUTIQUE D'UN VANNIER [1] »

La pluie était tombée tout le jour, pour ne cesser qu'au soir. La journée avait été mortellement ennuyeuse. Aux récréations, personne ne sortait. Et l'on entendait mon père, M. Seurel, crier à chaque minute, dans la classe :

« Ne sabotez [2] donc pas comme ça, les gamins ! »

Après la dernière récréation de la journée, ou comme nous disions, après le dernier « quart d'heure », M. Seurel, qui depuis un instant marchait de long en large pensivement, s'arrêta, frappa un grand coup de règle sur la table, pour faire cesser le bourdonnement confus des fins de classe où l'on s'ennuie, et, dans le silence attentif, demanda :

« Qui est-ce qui ira demain en voiture à la gare avec François, pour chercher M. et Mme Charpentier ? »

C'étaient mes grands-parents : grand-père Charpentier, l'homme au grand burnous [3] de laine grise, le vieux garde forestier en retraite, avec son bonnet de poil de lapin qu'il

---

1. Le vannier travaille l'osier et le rotin pour en faire des paniers, des chaises, des petites tables, etc.

2. « Saboter » est un verbe vieilli qui signifie « faire du bruit avec des sabots ». En emploi transitif, saboter quelque chose signifie le faire vite et mal.

3. Il s'agit d'un grand manteau de laine à capuche, porté dans les pays arabes. À certaines époques, le mot a aussi désigné un grand manteau à capuche porté en France.

appelait son képi… Les petits gamins le connaissaient bien. Les matins, pour se débarbouiller, il tirait un seau d'eau, dans lequel il barbotait, à la façon des vieux soldats, en se frottant vaguement la barbiche. Un cercle d'enfants, les mains derrière le dos, l'observaient avec une curiosité respectueuse… Et ils connaissaient aussi grand-mère Charpentier, la petite paysanne, avec sa capote tricotée, parce que Millie l'amenait, au moins une fois, dans la classe des plus petits.

Tous les ans, nous allions les chercher, quelques jours avant Noël, à la gare, au train de 4 h 2. Ils avaient, pour nous voir, traversé tout le département, chargés de ballots de châtaignes et de victuailles pour Noël enveloppées dans des serviettes. Dès qu'ils avaient passé, tous les deux, emmitouflés, souriants et un peu interdits, le seuil de la maison, nous fermions sur eux toutes les portes, et c'était une grande semaine de plaisir qui commençait…

Il fallait, pour conduire avec moi la voiture qui devait les ramener, il fallait quelqu'un de sérieux qui ne nous versât pas dans un fossé, et d'assez débonnaire [1] aussi, car le grand-père Charpentier jurait facilement et la grand-mère était un peu bavarde.

À la question de M. Seurel, une dizaine de voix répondirent, criant ensemble :

« Le grand Meaulnes ! le grand Meaulnes ! »

Mais M. Seurel fit semblant de ne pas entendre.

Alors ils crièrent :

« Fromentin ! »

D'autres :

« Jasmin Delouche ! »

Le plus jeune des Roy, qui allait aux champs monté sur sa truie lancée au triple galop, criait : « Moi ! Moi ! », d'une voix perçante.

---

1. Une personne débonnaire présente un air avenant, est bon dans ses rapports avec les autres, facile à vivre. Cette facilité peut présenter un aspect négatif de complaisance et de bêtise.

Dutremblay et Mouchebœuf se contentaient de lever timidement la main.

J'aurais voulu que ce fût Meaulnes. Ce petit voyage en voiture à âne serait devenu un événement plus important. Il le désirait aussi, mais il affectait de se taire dédaigneusement. Tous les grands élèves s'étaient assis comme lui sur la table, à revers, les pieds sur le banc, ainsi que nous faisions dans les moments de grand répit et de réjouissance. Coffin, sa blouse relevée et roulée autour de la ceinture, embrassait la colonne de fer qui soutenait la poutre de la classe et commençait de grimper en signe d'allégresse. Mais M. Seurel refroidit tout le monde en disant :

« Allons ! Ce sera Mouchebœuf. »

Et chacun regagna sa place en silence.

À quatre heures, dans la grande cour glacée, ravinée par la pluie, je me trouvai seul avec Meaulnes. Tous deux, sans rien dire, nous regardions le bourg luisant que séchait la bourrasque. Bientôt, le petit Coffin, en capuchon, un morceau de pain à la main, sortit de chez lui et, rasant les murs, se présenta en sifflant à la porte du charron. Meaulnes ouvrit le portail, le héla et, tous les trois, un instant après, nous étions installés au fond de la boutique rouge et chaude, brusquement traversée par de glacials coups de vent : Coffin et moi, assis auprès de la forge, nos pieds boueux dans les copeaux blancs ; Meaulnes, les mains aux poches, silencieux, adossé au battant de la porte d'entrée. De temps à autre, dans la rue, passait une dame du village, la tête baissée à cause du vent, qui revenait de chez le boucher, et nous levions le nez pour regarder qui c'était.

Personne ne disait rien. Le maréchal et son ouvrier, l'un soufflant la forge, l'autre battant le fer, jetaient sur le mur de grandes ombres brusques… Je me rappelle ce soir-là comme un des grands soirs de mon adolescence. C'était en moi un mélange de plaisir et d'anxiété : je craignais que mon compagnon ne m'enlevât cette pauvre joie d'aller à la gare en voiture ; et pourtant j'attendais de lui, sans oser me l'avouer, quelque entreprise extraordinaire qui vînt tout bouleverser.

De temps à autre, le travail paisible et régulier de la boutique s'interrompait pour un instant. Le maréchal laissait à petits coups pesants et clairs retomber son marteau sur l'enclume. Il regardait, en l'approchant de son tablier de cuir, le morceau de fer qu'il avait travaillé. Et, redressant la tête, il nous disait, histoire de souffler un peu :

« Eh bien, ça va, la jeunesse ? »

L'ouvrier restait la main en l'air à la chaîne du soufflet, mettait son poing gauche sur la hanche et nous regardait en riant.

Puis le travail sourd et bruyant reprenait.

Durant une de ces pauses, on aperçut, par la porte battante, Millie dans le grand vent, serrée dans un fichu, qui passait chargée de petits paquets.

Le maréchal demanda :

« C'est-il que M. Charpentier va bientôt venir ?

– Demain, répondis-je, avec ma grand-mère, j'irai les chercher en voiture au train de 4 h 2.

– Dans la voiture à Fromentin, peut-être ? »

Je répondis bien vite :

« Non, dans celle du père Martin.

– Oh ! alors, vous n'êtes pas revenus. »

Et tous les deux, son ouvrier et lui, se prirent à rire.

L'ouvrier fit remarquer, lentement, pour dire quelque chose :

« Avec la jument de Fromentin on aurait pu aller les chercher à Vierzon. Il y a une heure d'arrêt. C'est à quinze kilomètres. On aurait été de retour avant même que l'âne à Martin fût attelé.

– Ça, dit l'autre, c'est une jument qui marche !...

– Et je crois bien que Fromentin la prêterait facilement. »

La conversation finit là. De nouveau la boutique fut un endroit plein d'étincelles et de bruit, où chacun ne pensa que pour soi.

Mais lorsque l'heure fut venue de partir et que je me levai pour faire signe au grand Meaulnes, il ne m'aperçut pas d'abord. Adossé à la porte et la tête penchée, il semblait profondément absorbé par ce qui venait d'être dit. En le voyant ainsi, perdu dans ses réflexions, regardant, comme à travers des lieues de brouillard, ces gens paisibles qui travaillaient, je pensai soudain à cette image de *Robinson Crusoé* [1], où l'on voit l'adolescent anglais, avant son grand départ, « fréquentant la boutique d'un vannier »…

Et j'y ai souvent repensé depuis.

---

1. *Robinson Crusoé* est un roman de Daniel Defoe écrit en 1719 où le personnage éponyme quitte une destinée toute tracée d'avocat pour embarquer sur un navire. À la suite de diverses aventures (rencontre de pirates, etc.), il devient planteur au Brésil. Lors d'une expédition, il fait naufrage et se retrouve seul sur une île déserte.

Il faut souligner l'importance du modèle romanesque anglais, et notamment celui du roman d'aventures, pour l'écriture du *Grand Meaulnes.* Alain-Fournier, qui a lu Dickens dès 1905 et appris l'anglais à sa sœur dans *David Copperfield*, séjourna à Londres à l'été 1905. « Dans sa situation d'étudiant étranger, il perçoit l'Angleterre comme une immense représentation théâtrale qui lui permet d'être un autre, comme Meaulnes le sera dans la fête étrange. Privé de sa langue qui rendait son existence naturelle, il fait l'expérience de l'exotisme qui l'amène à découvrir l'étrangeté du monde et les questions qui en résultent suscitent l'écriture. Il est dans cette position d'extériorité qui le fait s'émerveiller devant l'extraordinaire présence de l'indéchiffrable et conduit à la création » (Jean-Paul Rogues, « Alain-Fournier et le modèle romanesque anglo-saxon », dans *Mystères d'Alain-Fournier*, colloque de Cerisy, Saint-Genouph, Nizet, 1999, p. 165-180).

CHAPITRE IV

L'ÉVASION

À une heure de l'après-midi, le lendemain, la classe du Cours supérieur est claire, au milieu du paysage gelé, comme une barque sur l'océan. On n'y sent pas la saumure [1] ni le cambouis, comme sur un bateau de pêche, mais les harengs grillés sur le poêle et la laine roussie de ceux qui, en rentrant, se sont chauffés trop près.

On a distribué, car la fin de l'année approche, les cahiers de compositions. Et, pendant que M. Seurel écrit au tableau l'énoncé des problèmes, un silence imparfait s'établit, mêlé de conversations à voix basse, coupé de petits cris étouffés et de phrases dont on ne dit que les premiers mots pour effrayer son voisin :

« Monsieur ! Un tel me… »

M. Seurel, en copiant ses problèmes, pense à autre chose. Il se retourne de temps à autre, en regardant tout le monde d'un air à la fois sévère et absent. Et ce remue-ménage sournois cesse complètement, une seconde, pour reprendre ensuite, tout doucement d'abord, comme un ronronnement.

Seul, au milieu de cette agitation, je me tais. Assis au bout d'une des tables de la division des plus jeunes, près des grandes vitres, je n'ai qu'à me redresser un peu pour apercevoir le jardin, le ruisseau dans le bas, puis les champs.

De temps à autre, je me soulève sur la pointe des pieds et je regarde anxieusement du côté de la ferme de la Belle-Étoile. Dès le début de la classe, je me suis aperçu que Meaulnes n'était pas rentré après la récréation de midi. Son voisin de table a bien dû s'en apercevoir aussi. Il n'a rien dit encore, préoccupé par sa composition.

---

1. Préparation alimentaire liquide et fortement salée, parfois aromatisée, destinée à la conservation des aliments.

Mais, dès qu'il aura levé la tête, la nouvelle courra par toute la classe, et quelqu'un, comme c'est l'usage, ne manquera pas de crier à haute voix les premiers mots de la phrase :

« Monsieur ! Meaulnes… »

Je sais que Meaulnes est parti. Plus exactement, je le soupçonne de s'être échappé. Sitôt le déjeuner terminé, il a dû sauter le petit mur et filer à travers champs, en passant le ruisseau à la vieille-planche [1], jusqu'à la Belle-Étoile. Il aura demandé la jument pour aller chercher M. et Mme Charpentier. Il fait atteler en ce moment.

La Belle-Étoile est, là-bas, de l'autre côté du ruisseau, sur le versant de la côte, une grande ferme, que les ormes, les chênes de la cour et les haies vives cachent en été. Elle est placée sur un petit chemin qui rejoint d'un côté la route de la gare, de l'autre un faubourg du pays. Entourée de hauts murs soutenus par des contreforts dont le pied baigne dans le fumier, la grande bâtisse féodale est au mois de juin enfouie sous les feuilles, et, de l'école, on entend seulement, à la tombée de la nuit, le roulement des charrois [2] et les cris des vachers. Mais aujourd'hui, j'aperçois par la vitre, entre les arbres dépouillés, le haut mur grisâtre de la cour, la porte d'entrée, puis, entre les tronçons de haie, une bande du chemin blanchi de givre, parallèle au ruisseau, qui mène à la route de la gare.

Rien ne bouge encore dans ce clair paysage d'hiver. Rien n'est changé encore.

Ici, M. Seurel achève de copier le deuxième problème. Il en donne trois d'habitude. Si aujourd'hui, par hasard, il n'en donnait que deux… Il remonterait aussitôt dans sa chaire et s'apercevrait de l'absence de Meaulnes. Il enverrait pour le chercher à travers le bourg deux gamins

---

1. Lieu-dit qui correspond à un lieu réel : petit pont sur la rivière Queugne.

2. Le charroi peut désigner un véhicule ; le terme est alors, comme dans cette occurrence, un synonyme de « chariot ». Il peut renvoyer aussi à l'action de transporter et correspond dans ce cas au transport effectué par la charrette ou le chariot.

qui parviendraient certainement à le découvrir avant que la jument ne soit attelée…

M. Seurel, le deuxième problème copié, laisse un instant retomber son bras fatigué… Puis, à mon grand soulagement, il va à la ligne et recommence à écrire en disant :

« Ceci, maintenant, n'est plus qu'un jeu d'enfant ! »

… Deux petits traits noirs, qui dépassaient le mur de la Belle-Étoile et qui devaient être les deux brancards dressés d'une voiture, ont disparu. Je suis sûr maintenant qu'on fait là-bas les préparatifs du départ de Meaulnes. Voici la jument qui passe la tête et le poitrail entre les deux pilastres de l'entrée, puis s'arrête tandis qu'on fixe sans doute, à l'arrière de la voiture, un second siège pour les voyageurs que Meaulnes prétend ramener. Enfin tout l'équipage sort lentement de la cour, disparaît un instant derrière la haie, et repasse avec la même lenteur sur le bout de chemin blanc qu'on aperçoit entre deux tronçons de la clôture. Je reconnais alors, dans cette forme noire qui tient les guides, un coude nonchalamment appuyé sur le côté de la voiture, à la façon paysanne, mon compagnon Augustin Meaulnes.

Un instant encore tout disparaît derrière la haie. Deux hommes qui sont restés au portail de la Belle-Étoile, à regarder partir la voiture, se concertent maintenant avec une animation croissante. L'un d'eux se décide enfin à mettre sa main en porte-voix près de sa bouche et à appeler Meaulnes, puis à courir quelques pas, dans sa direction, sur le chemin… Mais alors, dans la voiture qui est lentement arrivée sur la route de la gare et que du petit chemin on ne doit plus apercevoir, Meaulnes change soudain d'attitude. Un pied sur le devant, dressé comme un conducteur de char romain, secouant à deux mains les guides, il lance sa bête à fond de train et disparaît en un instant de l'autre côté de la montée. Sur le chemin, l'homme qui appelait s'est repris à courir ; l'autre s'est lancé au galop à travers champs et semble venir vers nous.

En quelques minutes, et au moment même où M. Seurel, quittant le tableau, se frotte les mains pour en enlever la craie, au moment où trois voix à la fois crient du fond de la classe :

« Monsieur ! Le grand Meaulnes est parti ! »

L'homme en blouse bleue est à la porte, qu'il ouvre soudain toute grande, et, levant son chapeau, il demande sur le seuil :

« Excusez-moi, monsieur, c'est-il vous qui avez autorisé cet élève à demander la voiture pour aller à Vierzon chercher vos parents ? Il nous est venu des soupçons...

– Mais pas du tout ! » répond M. Seurel.

Et aussitôt c'est dans la classe un désarroi effroyable. Les trois premiers, près de la sortie, ordinairement chargés de pourchasser à coups de pierres les chèvres ou les porcs qui viennent brouter dans la cour les *corbeilles d'argent* [1], se sont précipités à la porte. Au violent piétinement de leurs sabots ferrés sur les dalles de l'école a succédé, dehors, le bruit étouffé de leurs pas précipités qui mâchent le sable de la cour et dérapent au virage de la petite grille ouverte sur la route. Tout le reste de la classe s'entasse aux fenêtres du jardin. Certains ont grimpé sur les tables pour mieux voir...

Mais il est trop tard. Le grand Meaulnes s'est évadé.

« Tu iras tout de même à la gare avec Mouchebœuf, me dit M. Seurel. Meaulnes ne connaît pas le chemin de Vierzon. Il se perdra aux carrefours. Il ne sera pas au train pour trois heures. »

Sur le seuil de la petite classe, Millie tend le cou pour demander :

« Mais qu'y a-t-il donc ? »

Dans la rue du bourg, les gens commencent à s'attrouper. Le paysan est toujours là, immobile, entêté, son chapeau à la main, comme quelqu'un qui demande justice.

---

1. Espace de terre rond, planté de fleurs.

CHAPITRE V

LA VOITURE QUI REVIENT

Lorsque j'eus ramené de la gare les grands-parents, lorsque après le dîner, assis devant la haute cheminée, ils commencèrent à raconter par le menu détail tout ce qui leur était arrivé depuis les dernières vacances, je m'aperçus bientôt que je ne les écoutais pas.

La petite grille de la cour était tout près de la porte de la salle à manger. Elle grinçait en s'ouvrant. D'ordinaire, au début de la nuit, pendant nos veillées de campagne, j'attendais secrètement ce grincement de la grille. Il était suivi d'un bruit de sabots claquant ou s'essuyant sur le seuil, parfois d'un chuchotement comme de personnes qui se concertent avant d'entrer. Et l'on frappait. C'était un voisin, les institutrices... quelqu'un enfin qui venait nous distraire de la longue veillée.

Or, ce soir-là, je n'avais plus rien à espérer du dehors, puisque tous ceux que j'aimais étaient réunis dans notre maison ; et pourtant je ne cessais d'épier tous les bruits de la nuit et d'attendre qu'on ouvrît notre porte.

Le vieux grand-père, avec son air broussailleux de grand berger gascon, ses deux pieds lourdement posés devant lui, son bâton entre les jambes, inclinant l'épaule pour cogner sa pipe contre son soulier, était là. Il approuvait de ses yeux mouillés et bons ce que disait la grand-mère, de son voyage et de ses poules et de ses voisins et des paysans qui n'avaient pas encore payé leur fermage [1]. Mais je n'étais plus avec eux.

J'imaginais le roulement de voiture qui s'arrêterait soudain devant la porte. Meaulnes sauterait de la carriole et entrerait comme si rien ne s'était passé... Ou

1. Loyer annuel versé par un fermier locataire au propriétaire de son exploitation.

peut-être irait-il d'abord reconduire la jument à la Belle-Étoile ; et j'entendrais bientôt son pas sonner sur la route et la grille s'ouvrir…

Mais rien. Le grand-père regardait fixement devant lui et ses paupières en battant s'arrêtaient longuement sur ses yeux comme à l'approche du sommeil. La grand-mère répétait avec embarras sa dernière phrase, que personne n'écoutait.

« C'est de ce garçon que vous êtes en peine ? » dit-elle enfin.

À la gare, en effet, je l'avais questionnée vainement. Elle n'avait vu personne, à l'arrêt de Vierzon, qui ressemblât au grand Meaulnes. Mon compagnon avait dû s'attarder en chemin. Sa tentative était manquée. Pendant le retour, en voiture, j'avais ruminé ma déception, tandis que ma grand-mère causait avec Moucheboeuf. Sur la route blanchie de givre, les petits oiseaux tourbillonnaient autour des pieds de l'âne trottinant. De temps à autre, sur le grand calme de l'après-midi gelé, montait l'appel lointain d'une bergère ou d'un gamin hélant son compagnon d'un bosquet de sapins à l'autre. Et chaque fois, ce long cri sur les coteaux déserts me faisait tressaillir, comme si c'eût été la voix de Meaulnes me conviant à le suivre au loin…

Tandis que je repassais tout cela dans mon esprit, l'heure arriva de se coucher. Déjà le grand-père était entré dans la chambre rouge, la chambre-salon, tout humide et glacée d'être close depuis l'autre hiver. On avait enlevé, pour qu'il s'y installât, les têtières [1] en dentelle des fauteuils, relevé les tapis et mis de côté les objets fragiles. Il avait posé son bâton sur une chaise, ses gros souliers sous un fauteuil ; il venait de souffler sa bougie, et nous étions debout, nous disant bonsoir, prêts à nous

1. Garniture en dentelle, au crochet, ou en mousseline brodée recouvrant le haut d'un siège à l'endroit où repose la tête.

séparer pour la nuit, lorsqu'un bruit de voitures nous fit taire.

On eût dit deux équipages se suivant lentement au très petit trot. Cela ralentit le pas et finalement vint s'arrêter sous la fenêtre de la salle à manger qui donnait sur la route, mais qui était condamnée.

Mon père avait pris la lampe et, sans attendre, il ouvrait la porte qu'on avait déjà fermée à clef. Puis, poussant la grille, s'avançant sur le bord des marches, il leva la lumière au-dessus de sa tête pour voir ce qui se passait.

C'étaient bien deux voitures arrêtées, le cheval de l'une attaché derrière l'autre. Un homme avait sauté à terre et hésitait…

« C'est ici la mairie ? dit-il en s'approchant. Pourriez-vous m'indiquer M. Fromentin, métayer à la Belle-Étoile ? J'ai trouvé sa voiture et sa jument qui s'en allaient sans conducteur, le long d'un chemin près de la route de Saint-Loup-des-Bois. Avec mon falot [1], j'ai pu voir son nom et son adresse sur la plaque. Comme c'était sur mon chemin, j'ai ramené son attelage par ici, afin d'éviter des accidents, mais ça m'a rudement retardé quand même. »

Nous étions là, stupéfaits. Mon père s'approcha. Il éclaira la carriole avec sa lampe.

« Il n'y a aucune trace de voyageur, poursuivit l'homme. Pas même une couverture. La bête est fatiguée ; elle boitille un peu. »

Je m'étais approché jusqu'au premier rang et je regardais avec les autres cet attelage perdu qui nous revenait, telle une épave qu'eût ramenée la haute mer – la première épave et la dernière, peut-être, de l'aventure de Meaulnes.

« Si c'est trop loin, chez Fromentin, dit l'homme, je vais vous laisser la voiture. J'ai déjà perdu beaucoup de temps et l'on doit s'inquiéter, chez moi. »

---

1. Lanterne portative, plantée sur un bâton ou portée à la main.

Mon père accepta. De cette façon nous pourrions dès ce soir reconduire l'attelage à la Belle-Étoile sans dire ce qui s'était passé. Ensuite, on déciderait de ce qu'il faudrait raconter aux gens du pays et écrire à la mère de Meaulnes… Et l'homme fouetta sa bête, en refusant le verre de vin que nous lui offrions.

Du fond de sa chambre où il avait rallumé la bougie, tandis que nous rentrions sans rien dire et que mon père conduisait la voiture à la ferme, mon grand-père appelait :

« Alors ? Est-il rentré, ce voyageur ? »

Les femmes se concertèrent du regard, une seconde :

« Mais oui, il a été chez sa mère. Allons, dors. Ne t'inquiète pas !

– Eh bien, tant mieux. C'est bien ce que je pensais », dit-il.

Et, satisfait, il éteignit sa lumière et se tourna dans son lit pour dormir.

Ce fut la même explication que nous donnâmes aux gens du bourg. Quant à la mère du fugitif ; il fut décidé qu'on attendrait pour lui écrire. Et nous gardâmes pour nous seuls notre inquiétude qui dura trois grands jours. Je vois encore mon père rentrant de la ferme vers 11 heures, sa moustache mouillée par la nuit, discutant avec Millie d'une voix très basse, angoissée et colère…

CHAPITRE VI

ON FRAPPE AU CARREAU

Le quatrième jour fut un des plus froids de cet hiver-là. De grand matin, les premiers arrivés dans la cour se réchauffaient en glissant autour du puits. Ils attendaient que le poêle fût allumé dans l'école pour s'y précipiter.

Derrière le portail, nous étions plusieurs à guetter la venue des gars de la campagne. Ils arrivaient tout éblouis encore d'avoir traversé des paysages de givre, d'avoir vu les étangs glacés, les taillis où les lièvres détalent... Il y avait dans leurs blouses un goût de foin et d'écurie qui alourdissait l'air de la classe, quand ils se pressaient autour du poêle rouge. Et, ce matin-là, l'un d'eux avait apporté dans un panier un écureuil gelé qu'il avait découvert en route. Il essayait, je me souviens, d'accrocher par ses griffes, au poteau du préau, la longue bête raidie...

Puis la pesante classe d'hiver commença...

Un coup brusque au carreau nous fit lever la tête. Dressé contre la porte, nous aperçûmes le grand Meaulnes secouant avant d'entrer le givre de sa blouse, la tête haute et comme ébloui !

Les deux élèves du banc le plus rapproché de la porte se précipitèrent pour l'ouvrir : il y eut à l'entrée comme un vague conciliabule, que nous n'entendîmes pas, et le fugitif se décida enfin à pénétrer dans l'école.

Cette bouffée d'air frais venue de la cour déserte, les brindilles de paille qu'on voyait accrochées aux habits du grand Meaulnes, et surtout son air de voyageur fatigué, affamé, mais émerveillé, tout cela fit passer en nous un étrange sentiment de plaisir et de curiosité.

M. Seurel était descendu du petit bureau à deux marches où il était en train de nous faire la dictée, et Meaulnes marchait vers lui d'un air agressif. Je me rappelle combien je le trouvai beau, à cet instant, le grand compagnon, malgré son air épuisé et ses yeux rougis par les nuits passées au-dehors, sans doute.

Il s'avança jusqu'à la chaire et dit, du ton très assuré de quelqu'un qui rapporte un renseignement :

« Je suis rentré, monsieur.

– Je le vois bien, répondit M. Seurel, en le considérant avec curiosité... Allez vous asseoir à votre place. »

Le gars se retourna vers nous, le dos un peu courbé, souriant d'un air moqueur, comme font les grands élèves indisciplinés lorsqu'ils sont punis, et, saisissant d'une main le bout de la table, il se laissa glisser sur son banc.

« Vous allez prendre un livre que je vais vous indiquer, dit le maître – toutes les têtes étaient alors tournées vers Meaulnes – pendant que vos camarades finiront la dictée. »

Et la classe reprit comme auparavant. De temps à autre le grand Meaulnes se tournait de mon côté, puis il regardait par les fenêtres, d'où l'on apercevait le jardin blanc, cotonneux, immobile, et les champs déserts, où parfois descendait un corbeau. Dans la classe, la chaleur était lourde, auprès du poêle rougi. Mon camarade, la tête dans les mains, s'accouda pour lire : à deux reprises je vis ses paupières se fermer et je crus qu'il allait s'endormir.

« Je voudrais aller me coucher, monsieur, dit-il enfin, en levant le bras à demi. Voici trois nuits que je ne dors pas.

– Allez ! » dit M. Seurel, désireux surtout d'éviter un incident.

Toutes les têtes levées, toutes les plumes en l'air, à regret nous le regardâmes partir, avec sa blouse fripée dans le dos et ses souliers terreux.

Que la matinée fut lente à traverser ! Aux approches de midi, nous entendîmes là-haut, dans la mansarde, le voyageur s'apprêter pour descendre. Au déjeuner, je le retrouvai assis devant le feu, près des grands-parents interdits, pendant qu'aux douze coups de l'horloge, les grands élèves et les gamins éparpillés dans la cour neigeuse filaient comme des ombres devant la porte de la salle à manger.

De ce déjeuner je ne me rappelle qu'un grand silence et une grande gêne. Tout était glacé : la toile cirée sans nappe, le vin froid dans les verres, le carreau rougi sur lequel nous posions les pieds… On avait décidé, pour ne pas le pousser à la révolte, de ne rien demander au fugitif. Et il profita de cette trêve pour ne pas dire un mot.

Enfin, le dessert terminé, nous pûmes tous les deux bondir dans la cour. Cour d'école, après midi, où les sabots avaient enlevé la neige... cour noircie où le dégel faisait dégoutter les toits du préau... cour pleine de jeux et de cris perçants ! Meaulnes et moi, nous longeâmes en courant les bâtiments. Déjà deux ou trois de nos amis du bourg laissaient la partie et accouraient vers nous en criant de joie, faisant gicler la boue sous leurs sabots, les mains aux poches, le cache-nez déroulé. Mais mon compagnon se précipita dans la grande classe, où je le suivis, et referma la porte vitrée juste à temps pour supporter l'assaut de ceux qui nous poursuivaient. Il y eut un fracas clair et violent de vitres secouées, de sabots claquant sur le seuil ; une poussée qui fit plier la tige de fer maintenant les deux battants de la porte ; mais déjà Meaulnes, au risque de se blesser à son anneau brisé, avait tourné la petite clef qui fermait la serrure.

Nous avions accoutumé de juger très vexante une pareille conduite. En été, ceux qu'on laissait ainsi à la porte couraient au galop dans le jardin et parvenaient souvent à grimper par une fenêtre avant qu'on eût pu les fermer toutes. Mais nous étions en décembre et tout était clos. Un instant on fit au-dehors des pesées sur la porte ; on nous cria des injures ; puis, un à un, ils tournèrent le dos et s'en allèrent, la tête basse, en rajustant leurs cache-nez.

Dans la classe qui sentait les châtaignes et la piquette [1], il n'y avait que deux balayeurs, qui déplaçaient les tables. Je m'approchai du poêle pour m'y chauffer paresseusement en attendant la rentrée, tandis qu'Augustin Meaulnes cherchait dans le bureau du maître et dans les pupitres. Il découvrit bientôt un petit atlas, qu'il se mit à étudier avec passion, debout sur l'estrade, les coudes sur le bureau, la tête entre les mains.

---

1. Vin de mauvaise qualité, obtenu par addition d'eau à du marc de raisin ou d'autres fruits, avant fermentation.

Je me disposais à aller près de lui ; je lui aurais mis la main sur l'épaule et nous aurions sans doute suivi ensemble sur la carte le trajet qu'il avait fait, lorsque soudain la porte de communication avec la petite classe s'ouvrit toute battante sous une violente poussée, et Jasmin Delouche, suivi d'un gars du bourg et de trois autres de la campagne, surgit avec un cri de triomphe. Une des fenêtres de la petite classe était sans doute mal fermée, ils avaient dû la pousser et sauter par là.

Jasmin Delouche, encore qu'assez petit, était l'un des plus âgés du Cours supérieur. Il était fort jaloux du grand Meaulnes, bien qu'il se donnât comme son ami. Avant l'arrivée de notre pensionnaire, c'était lui, Jasmin, le coq de la classe. Il avait une figure pâle, assez fade, et les cheveux pommadés. Fils unique de la veuve Delouche, aubergiste, il faisait l'homme ; il répétait avec vanité ce qu'il entendait dire aux joueurs de billard, aux buveurs de vermouth [1].

À son entrée, Meaulnes leva la tête et, les sourcils froncés, cria aux gars qui se précipitaient sur le poêle, en se bousculant :

« On ne peut donc pas être tranquille une minute, ici !

– Si tu n'es pas content, il fallait rester où tu étais », répondit, sans lever la tête, Jasmin Delouche qui se sentait appuyé par ses compagnons.

Je pense qu'Augustin était dans cet état de fatigue où la colère monte et vous surprend sans qu'on puisse la contenir.

« Toi, dit-il, en se redressant et en fermant son livre, un peu pâle, tu vas commencer par sortir d'ici ! » L'autre ricana :

« Oh ! cria-t-il. Parce que tu es resté trois jours échappé, tu crois que tu vas être le maître maintenant ? »

Et, associant les autres à sa querelle :

---

1. Le vermouth, apéritif à base de vin blanc dans lequel on a fait macérer des plantes aromatiques, est une boisson proche de ce qu'on connaît aujourd'hui sous le nom de Martini.

« Ce n'est pas toi qui nous feras sortir, tu sais ! »

Mais déjà Meaulnes était sur lui. Il y eut d'abord une bousculade ; les manches des blouses craquèrent et se décousirent. Seul, Martin, un des gars de la campagne entrés avec Jasmin, s'interposa :

« Tu vas le laisser ! » dit-il, les narines gonflées, secouant la tête comme un bélier.

D'une poussée violente, Meaulnes le jeta, titubant, les bras ouverts, au milieu de la classe ; puis, saisissant d'une main Delouche par le cou, de l'autre ouvrant la porte, il tenta de le jeter dehors. Jasmin s'agrippait aux tables et traînait les pieds sur les dalles, faisant crisser ses souliers ferrés, tandis que Martin, ayant repris son équilibre, revenait à pas comptés, la tête en avant, furieux. Meaulnes lâcha Delouche pour se colleter avec cet imbécile, et il allait peut-être se trouver en mauvaise posture, lorsque la porte des appartements s'ouvrit à demi. M. Seurel parut la tête tournée vers la cuisine, terminant, avant d'entrer, une conversation avec quelqu'un…

Aussitôt la bataille s'arrêta. Les uns se rangèrent autour du poêle, la tête basse, ayant évité jusqu'au bout de prendre parti. Meaulnes s'assit à sa place, le haut de ses manches décousu et défroncé. Quant à Jasmin, tout congestionné, on l'entendit crier durant les quelques secondes qui précédèrent le coup de règle du début de la classe :

« Il ne peut plus rien supporter maintenant. Il fait le malin. Il s'imagine peut-être qu'on ne sait pas où il a été !

– Imbécile ! Je ne le sais pas moi-même », répondit Meaulnes, dans le silence déjà grand.

Puis, haussant les épaules, la tête dans les mains, il se mit à apprendre ses leçons.

CHAPITRE VII

LE GILET DE SOIE

Notre chambre était, comme je l'ai dit, une grande mansarde. À moitié mansarde, à moitié chambre. Il y avait des fenêtres aux autres logis d'adjoints ; on ne sait pas pourquoi celui-ci était éclairé par une lucarne. Il était impossible de fermer complètement la porte, qui frottait sur le plancher. Lorsque nous y montions, le soir, abritant de la main notre bougie que menaçaient tous les courants d'air de la grande demeure, chaque fois nous essayions de fermer cette porte, chaque fois nous étions obligés d'y renoncer. Et, toute la nuit, nous sentions autour de nous, pénétrant jusque dans notre chambre, le silence des trois greniers.

C'est là que nous nous retrouvâmes, Augustin et moi, le soir de ce même jour d'hiver.

Tandis qu'en un tour de main j'avais quitté tous mes vêtements et les avais jetés en tas sur une chaise au chevet de mon lit, mon compagnon, sans rien dire, commençait lentement à se déshabiller. Du lit de fer aux rideaux de cretonne décorés de pampres [1], où j'étais monté déjà, je le regardais faire. Tantôt il s'asseyait sur son lit bas et sans rideaux. Tantôt il se levait et marchait de long en large, tout en se dévêtant. La bougie, qu'il avait posée sur une petite table d'osier tressée par des bohémiens, jetait sur le mur son ombre errante et gigantesque.

Tout au contraire de moi, il pliait et rangeait, d'un air distrait et amer, mais avec soin, ses habits d'écolier. Je le revois plaquant sur une chaise sa lourde ceinture ; pliant sur le dossier sa blouse noire extraordinairement fripée

---

1. La cretonne est une forte toile de coton ou de lin. Elle est ici décorée de pampres, c'est-à-dire de rameaux de vigne portant feuilles, vrilles et grappes.

et salie ; retirant une espèce de paletot [1] gros bleu qu'il avait sous sa blouse, et se penchant en me tournant le dos, pour l'étaler sur le pied de son lit… Mais lorsqu'il se redressa et se retourna vers moi, je vis qu'il portait, au lieu du petit gilet à boutons de cuivre, qui était d'uniforme sous le paletot, un étrange gilet de soie, très ouvert, que fermait dans le bas un rang serré de petits boutons de nacre.

C'était un vêtement d'une fantaisie charmante, comme devaient en porter les jeunes gens qui dansaient avec nos grands-mères, dans les bals de 1830 [2].

Je me rappelle, en cet instant, le grand écolier paysan, nu-tête, car il avait soigneusement posé sa casquette sur ses autres habits – visage si jeune, si vaillant et si durci déjà. Il avait repris sa marche à travers la chambre lorsqu'il se mit à déboutonner cette pièce mystérieuse d'un costume qui n'était pas le sien. Et il était étrange de le voir, en bras de chemise, avec son pantalon trop court, ses souliers boueux, mettant la main sur ce gilet de marquis.

Dès qu'il l'eut touché, sortant brusquement de sa rêverie, il tourna la tête vers moi et me regarda d'un œil inquiet. J'avais un peu envie de rire. Il sourit en même temps que moi et son visage s'éclaira.

« Oh ! dis-moi ce que c'est, fis-je, enhardi, à voix basse. Où l'as-tu pris ? »

Mais son sourire s'éteignit aussitôt. Il passa deux fois sur ses cheveux ras sa main lourde, et tout soudain, comme quelqu'un qui ne peut plus résister à son désir, il réendossa sur le fin jabot sa vareuse qu'il boutonna solidement et sa blouse fripée ; puis il hésita un instant,

1. Gilet d'homme ou d'enfant, boutonné sur le devant et à poches plaquées, que l'on portait, dans le monde rural, au-dessus d'autres vêtements.

2. Cette référence aux bals de 1830 inscrit la fête dans un temps qui correspond à la Restauration. C'est une façon de placer l'événement dans un temps antérieur à toute mémoire directe et à l'éloigner du temps de l'histoire.

en me regardant de côté… Finalement, il s'assit sur le bord de son lit, quitta ses souliers qui tombèrent bruyamment sur le plancher ; et, tout habillé comme un soldat au cantonnement d'alerte, il s'étendit sur son lit et souffla la bougie.

Vers le milieu de la nuit je m'éveillai soudain. Meaulnes était au milieu de la chambre, debout, sa casquette sur la tête, et il cherchait au portemanteau quelque chose – une pèlerine qu'il se mit sur le dos… La chambre était très obscure. Pas même la clarté que donne parfois le reflet de la neige. Un vent noir et glacé soufflait dans le jardin mort et sur le toit.

Je me dressai un peu et je lui criai tout bas :

« Meaulnes ! tu repars ? »

Il ne répondit pas. Alors, tout à fait affolé, je dis :

« Eh bien, je pars avec toi. Il faut que tu m'emmènes. »

Et je sautai à bas.

Il s'approcha, me saisit par le bras, me forçant à m'asseoir sur le rebord du lit, et il me dit :

« Je ne puis pas t'emmener, François. Si je connaissais bien mon chemin, tu m'accompagnerais. Mais il faut d'abord que je le retrouve sur le plan, et je n'y parviens pas.

– Alors, tu ne peux pas repartir non plus ?

– C'est vrai, c'est bien inutile… fit-il avec découragement. Allons, recouche-toi. Je te promets de ne pas repartir sans toi. »

Et il reprit sa promenade de long en large dans la chambre. Je n'osais plus rien lui dire. Il marchait, s'arrêtait, repartait plus vite, comme quelqu'un qui, dans sa tête, recherche ou repasse des souvenirs, les confronte, les compare, calcule, et soudain pense avoir trouvé ; puis de nouveau lâche le fil et recommence à chercher.

Ce ne fut pas la seule nuit où, réveillé par le bruit de ses pas, je le trouvai ainsi, vers une heure du matin, déambulant à travers la chambre et les greniers – comme ces marins qui n'ont pu se déshabituer de faire le quart et qui, au fond de leurs propriétés bretonnes, se lèvent et s'habillent à l'heure réglementaire pour surveiller la nuit terrienne.

À deux ou trois reprises, durant le mois de janvier et la première quinzaine de février, je fus ainsi tiré de mon sommeil. Le grand Meaulnes était là, dressé, tout équipé, sa pèlerine sur le dos, prêt à partir, et chaque fois, au bord de ce pays mystérieux [1], où une fois déjà il s'était évadé, il s'arrêtait, hésitait. Au moment de lever le loquet de la porte de l'escalier et de filer par la porte de la cuisine qu'il eût facilement ouverte sans que personne l'entendît, il reculait une fois encore... Puis, durant les longues heures du milieu de la nuit, fiévreusement, il arpentait, en réfléchissant, les greniers abandonnés.

Enfin une nuit, vers le 15 février, ce fut lui-même qui m'éveilla en me posant doucement la main sur l'épaule.

La journée avait été fort agitée. Meaulnes, qui délaissait complètement tous les jeux de ses anciens camarades, était resté, durant la dernière récréation du soir, assis sur son banc, tout occupé à établir un mystérieux petit plan, en suivant du doigt, et en calculant longuement, sur l'atlas du Cher. Un va-et-vient incessant se produisait entre la cour et la salle de classe. Les sabots claquaient. On se pourchassait de table en table, franchissant les bancs et l'estrade d'un saut... On savait qu'il ne faisait pas bon s'approcher de Meaulnes lorsqu'il travaillait ainsi ; cependant, comme la récréation se prolongeait, deux ou trois gamins du bourg, par manière de jeu, s'approchèrent à pas de loup et regardèrent par-dessus son épaule. L'un d'eux s'enhardit jusqu'à pousser les autres sur Meaulnes... Il ferma brusquement son atlas, cacha sa feuille et empoigna le dernier des trois gars, tandis que les deux autres avaient pu s'échapper.

---

1. Le premier titre qu'Alain-Fournier avait donné à son roman était *Le Pays sans nom* (voir le dossier, p. 280 : « Genèse et suites du *Grand Meaulnes* »).

… C'était ce hargneux Giraudat, qui prit un ton pleurard, essaya de donner des coups de pied, et, en fin de compte, fut mis dehors par le grand Meaulnes, à qui il cria rageusement :

« Grand lâche ! ça ne m'étonne pas qu'ils sont tous contre toi, qu'ils veulent te faire la guerre !… » et une foule d'injures, auxquelles nous répondîmes, sans avoir bien compris ce qu'il avait voulu dire. C'est moi qui criais le plus fort, car j'avais pris le parti du grand Meaulnes. Il y avait maintenant comme un pacte entre nous. La promesse qu'il m'avait faite de m'emmener avec lui, sans me dire, comme tout le monde, « que je ne pourrais pas marcher », m'avait lié à lui pour toujours. Et je ne cessais de penser à son mystérieux voyage. Je m'étais persuadé qu'il avait dû rencontrer une jeune fille. Elle était sans doute infiniment plus belle que toutes celles du pays, plus belle que Jeanne, qu'on apercevait dans le jardin des religieuses par le trou de la serrure ; et que Madeleine, la fille du boulanger, toute rose et toute blonde ; et que Jenny, la fille de la châtelaine, qui était admirable, mais folle et toujours enfermée. C'est à une jeune fille certainement qu'il pensait la nuit, comme un héros de roman. Et j'avais décidé de lui en parler, bravement, la première fois qu'il m'éveillerait…

Le soir de cette nouvelle bataille, après 4 heures, nous étions tous les deux occupés à rentrer des outils du jardin, des pics et des pelles qui avaient servi à creuser des trous, lorsque nous entendîmes des cris sur la route. C'était une bande de jeunes gens et de gamins, en colonne par quatre, au pas gymnastique, évoluant comme une compagnie parfaitement organisée, conduits par Delouche, Daniel, Giraudat, et un autre que nous ne connûmes point. Ils nous avaient aperçus et ils nous huaient de la belle façon. Ainsi tout le bourg était contre nous, et l'on préparait je ne sais quel jeu guerrier dont nous étions exclus.

Meaulnes, sans mot dire, remisa sous le hangar la bêche et la pioche qu'il avait sur l'épaule… Mais, à minuit, je sentais sa main sur mon bras, et je m'éveillais en sursaut.

« Lève-toi, dit-il, nous partons.

– Connais-tu maintenant le chemin jusqu'au bout ?

– J'en connais une bonne partie. Et il faudra bien que nous trouvions le reste ! répondit-il, les dents serrées.

– Écoute, Meaulnes, fis-je en me mettant sur mon séant. Écoute-moi : nous n'avons qu'une chose à faire ; c'est de chercher tous les deux en plein jour, en nous servant de ton plan, la partie du chemin qui nous manque.

– Mais cette portion-là est très loin d'ici.

– Eh bien, nous irons en voiture, cet été, dès que les journées seront longues. »

Il y eut un silence prolongé qui voulait dire qu'il acceptait.

« Puisque nous tâcherons ensemble de retrouver la jeune fille que tu aimes, Meaulnes, ajoutai-je enfin, dis-moi qui elle est, parle-moi d'elle. »

Il s'assit sur le pied de mon lit. Je voyais dans l'ombre sa tête penchée, ses bras croisés et ses genoux. Puis il aspira l'air fortement, comme quelqu'un qui a eu gros cœur longtemps et qui va enfin confier son secret…

CHAPITRE VIII

L'AVENTURE

Mon compagnon ne me conta pas cette nuit-là tout ce qui lui était arrivé sur la route. Et même lorsqu'il se fut décidé à me tout confier, durant des jours de détresse dont je reparlerai, ce resta longtemps le grand secret de nos adolescences. Mais aujourd'hui que tout est fini, maintenant qu'il ne reste plus que poussière *de tant de mal, de tant de bien*[1],

je puis raconter son étrange aventure.

....[2]

À une heure et demie de l'après-midi, sur la route de Vierzon, par ce temps glacial, Meaulnes fit marcher sa bête bon train, car il savait n'être pas en avance. Il ne songea d'abord, pour s'en amuser, qu'à notre surprise à tous, lorsqu'il ramènerait dans la carriole, à 4 heures, le grand-père et la grand-mère Charpentier. Car, à ce moment-là, certes, il n'avait pas d'autre intention.

Peu à peu, le froid le pénétrant, il s'enveloppa les jambes dans une couverture qu'il avait d'abord refusée et que les gens de la Belle-Étoile avaient mise de force dans la voiture.

À 2 heures, il traversa le bourg de La Motte. Il n'était jamais passé dans un petit pays aux heures de classe et s'amusa de voir celui-là aussi désert, aussi endormi. C'est à peine si, de loin en loin, un rideau se leva, montrant une tête curieuse de bonne femme.

À la sortie de La Motte, aussitôt après la maison d'école, il hésita entre deux routes et crut se rappeler qu'il fallait tourner à gauche pour aller à Vierzon. Personne n'était là pour le renseigner. Il remit sa jument au trot sur la route désormais plus étroite et mal empierrée. Il longea quelque temps un bois de sapins et rencontra enfin un roulier[3] à qui il demanda, mettant sa main en porte-voix, s'il était bien là sur la route de Vierzon. La jument, tirant sur les guides, continuait à trotter ;

1. Vers d'un poème de Marceline Desbordes-Valmore (1786-1859) intitulé « Dernière entrevue » (*Poésies inédites*, 1860).

2. Cette ligne de points de suspension marque le début du récit rapporté. Mais le narrateur, François Seurel, reprend à son compte le récit, ainsi fait à la troisième personne. Il ne s'agit donc pas d'un récit enchâssé de Meaulnes.

3. Le roulier était autrefois un voiturier qui assurait le transport public des paquets et de diverses marchandises.

l'homme ne dut pas comprendre ce qu'on lui demandait ; il cria quelque chose en faisant un geste vague, et, à tout hasard, Meaulnes poursuivit sa route.

De nouveau ce fut la vaste campagne gelée, sans accident ni distraction aucune ; parfois seulement une pie s'envolait, effrayée par la voiture, pour aller se percher plus loin sur un orme sans tête. Le voyageur avait enroulé autour de ses épaules, comme une cape, sa grande couverture. Les jambes allongées, accoudé sur un côté de la carriole, il dut somnoler un assez long moment...

... Lorsque, grâce au froid, qui traversait maintenant la couverture, Meaulnes eut repris ses esprits, il s'aperçut que le paysage avait changé. Ce n'était plus ces horizons lointains, ce grand ciel blanc où se perdait le regard, mais de petits prés encore verts avec de hautes clôtures. À droite et à gauche, l'eau des fossés coulait sous la glace. Tout faisait pressentir l'approche d'une rivière. Et, entre les hautes haies, la route n'était plus qu'un étroit chemin défoncé.

La jument, depuis un instant, avait cessé de trotter. D'un coup de fouet, Meaulnes voulut lui faire reprendre sa vive allure, mais elle continua à marcher au pas avec une extrême lenteur, et le grand écolier [1], regardant de côté, les mains appuyées sur le devant de la voiture, s'aperçut qu'elle boitait d'une jambe de derrière. Aussitôt il sauta par terre, très inquiet.

« Jamais nous n'arriverons à Vierzon pour le train », dit-il à mi-voix.

Et il n'osait pas s'avouer sa pensée la plus inquiétante, à savoir que peut-être il s'était trompé de chemin et qu'il n'était plus là sur la route de Vierzon.

---

1. Le terme, qui renvoie aujourd'hui à des enfants plus jeunes, pouvait être utilisé à l'époque pour parler de tous ceux qui allaient à l'école. Et comme l'école pouvait être prolongée jusqu'à la fin de l'adolescence, Meaulnes pourrait être un écolier de dix-sept ans. On notera toutefois le flottement de la désignation – adolescent, enfant, écolier, jeune homme, « étudiant », ainsi que le personnage se présente lui-même au chapitre XV –, qui participe de l'indétermination générale caractérisant à la fois l'atmosphère et le sujet du *Grand Meaulnes*.

Il examina longuement le pied de la bête et n'y découvrit aucune trace de blessure. Très craintive, la jument levait la patte dès que Meaulnes voulait la toucher et grattait le sol de son sabot lourd et maladroit. Il comprit enfin qu'elle avait tout simplement un caillou dans le sabot. En gars expert au maniement du bétail, il s'accroupit, tenta de lui saisir le pied droit avec sa main gauche et de le placer entre ses genoux, mais il fut gêné par la voiture. À deux reprises, la jument se déroba et avança de quelques mètres. Le marchepied vint le frapper à la tête et la roue le blessa au genou. Il s'obstina et finit par triompher de la bête peureuse ; mais le caillou se trouvait si bien enfoncé que Meaulnes dut sortir son couteau de paysan pour en venir à bout.

Lorsqu'il eut terminé sa besogne, et qu'il releva enfin la tête, à demi étourdi et les yeux troubles, il s'aperçut avec stupeur que la nuit tombait…

Tout autre que Meaulnes eût immédiatement rebroussé chemin. C'était le seul moyen de ne pas s'égarer davantage. Mais il réfléchit qu'il devait être maintenant fort loin de La Motte. En outre la jument pouvait avoir pris un chemin transversal pendant qu'il dormait. Enfin, ce chemin-là devait bien à la longue mener vers quelque village… Ajoutez à toutes ces raisons que le grand gars, en remontant sur le marchepied, tandis que la bête impatiente tirait déjà sur les guides, sentait grandir en lui le désir exaspéré d'aboutir à quelque chose et d'arriver quelque part, en dépit de tous les obstacles !

Il fouetta la jument qui fit un écart et se remit au grand trot. L'obscurité croissait. Dans le sentier raviné, il y avait maintenant tout juste passage pour la voiture. Parfois une branche morte de la haie se prenait dans la roue et se cassait avec un bruit sec. Lorsqu'il fit tout à fait noir, Meaulnes songea soudain, avec un serrement de cœur, à la salle à manger de Sainte-Agathe, où nous devions, à cette heure, être tous réunis. Puis la colère le prit ; puis l'orgueil, et la joie profonde de s'être ainsi évadé sans l'avoir voulu…

CHAPITRE IX

UNE HALTE

Soudain, la jument ralentit son allure, comme si son pied avait buté dans l'ombre ; Meaulnes vit sa tête plonger et se relever par deux fois ; puis elle s'arrêta net, les naseaux bas, semblant humer quelque chose. Autour des pieds de la bête, on entendait comme un clapotis d'eau. Un ruisseau coupait le chemin. En été, ce devait être un gué. Mais à cette époque le courant était si fort que la glace n'avait pas pris et qu'il eût été dangereux de pousser plus avant.

Meaulnes tira doucement sur les guides, pour reculer de quelques pas et, très perplexe, se dressa dans la voiture. C'est alors qu'il aperçut, entre les branches, une lumière. Deux ou trois prés seulement devaient la séparer du chemin…

L'écolier descendit de voiture et ramena la jument en arrière, en lui parlant pour la calmer, pour arrêter ses brusques coups de tête effrayés :

« Allons, ma vieille ! Allons ! Maintenant nous n'irons pas plus loin. Nous saurons bientôt où nous sommes arrivés. »

Et, poussant la barrière entrouverte d'un petit pré qui donnait sur le chemin, il fit entrer là son équipage. Ses pieds enfonçaient dans l'herbe molle. La voiture cahotait silencieusement. Sa tête contre celle de la bête, il sentait sa chaleur et le souffle dur de son haleine… Il la conduisit tout au bout du pré, lui mit sur le dos la couverture ; puis, écartant les branches de la clôture du fond, il aperçut de nouveau la lumière, qui était celle d'une maison isolée.

Il lui fallut bien, tout de même, traverser trois prés, sauter un traître petit ruisseau, où il faillit plonger les deux pieds à la fois… Enfin, après un dernier saut du haut d'un talus, il se trouva dans la cour d'une maison campagnarde. Un cochon grognait dans son têt[1]. Au bruit des pas sur la terre gelée, un chien se mit à aboyer avec fureur.

Le volet de la porte était ouvert, et la lueur que Meaulnes avait aperçue était celle d'un feu de fagots allumé dans la cheminée. Il n'y avait pas d'autre lumière que celle du feu. Une bonne femme, dans la maison, se leva et s'approcha de la porte, sans paraître autrement effrayée. L'horloge à poids[2], juste à cet instant, sonna la demie de sept heures.

« Excusez-moi, ma pauvre dame, dit le grand garçon, je crois bien que j'ai mis le pied dans vos chrysanthèmes. »

Arrêtée, un bol à la main, elle le regardait.

« Il est vrai, dit-elle, qu'il fait noir dans la cour à ne pas s'y conduire. »

Il y eut un silence, pendant lequel Meaulnes, debout, regarda les murs de la pièce tapissée de journaux illustrés comme une auberge, et la table, sur laquelle un chapeau d'homme était posé.

« Il n'est pas là, le patron ? dit-il en s'asseyant.

– Il va revenir, répondit la femme, mise en confiance. Il est allé chercher un fagot.

– Ce n'est pas que j'aie besoin de lui, poursuivit le jeune homme en rapprochant sa chaise du feu. Mais nous sommes là plusieurs chasseurs à l'affût. Je suis venu vous demander de nous céder un peu de pain. »

Il savait, le grand Meaulnes, que chez les gens de campagne, et surtout dans une ferme isolée, il faut parler avec beaucoup de discrétion, de politique même, et surtout ne jamais montrer qu'on n'est pas du pays.

---

1. Le têt, dans la langue du centre de la France, est un local servant à loger les animaux domestiques. Le mot se prononce « tèt' ».

2. Les horloges à poids furent les premières horloges mécaniques qui tirèrent leur énergie de la chute d'un poids. Cette chute met en rotation un cylindre qui, par un système de roues dentées, fait tourner les aiguilles.

« Du pain ? dit-elle. Nous ne pourrons guère vous en donner. Le boulanger qui passe pourtant tous les mardis n'est pas venu aujourd'hui. »

Augustin, qui avait espéré un instant se trouver à proximité d'un village, s'effraya.

« Le boulanger de quel pays ? demanda-t-il.

– Eh bien ! le boulanger du Vieux-Nançay [1], répondit la femme avec étonnement.

– C'est à quelle distance d'ici, au juste, Le Vieux-Nançay ? poursuivit Meaulnes très inquiet.

– Par la route, je ne saurais pas vous dire au juste ; mais par la traverse il y a trois lieues et demie [2]. »

Et elle se mit à raconter qu'elle y avait sa fille en place, qu'elle venait à pied pour la voir tous les premiers dimanches du mois et que ses patrons…

Mais Meaulnes, complètement dérouté, l'interrompit pour dire :

« Le Vieux-Nançay serait-il le bourg le plus rapproché d'ici ?

– Non, c'est Les Landes, à cinq kilomètres. Mais il n'y a pas de marchands ni de boulanger. Il y a tout juste une petite assemblée, chaque année, à la Saint-Martin. »

Meaulnes n'avait jamais entendu parler des Landes. Il se vit à tel point égaré qu'il en fut presque amusé. Mais la femme, qui était occupée à laver son bol sur l'évier, se retourna, curieuse à son tour, et elle dit lentement, en le regardant bien droit :

« C'est-il que vous n'êtes pas du pays ?… »

À ce moment, un paysan âgé se présenta à la porte, avec une brassée de bois, qu'il jeta sur le carreau. La

1. Nançay, dans le Cher, est le village natal du père d'Alain-Fournier. Ce dernier fait souvent mention des vacances qu'il passait là au début de septembre et ce petit bourg est resté, avec Épineuil-le-Fleuriel, comme un de ses paradis d'enfance.

2. Lieue : mesure de la distance, antérieure au système métrique, équivalant approximativement à quatre kilomètres. Elle est restée en vigueur assez longtemps dans certaines campagnes.

femme lui expliqua, très fort, comme s'il eût été sourd, ce que demandait le jeune homme.

« Eh bien, c'est facile, dit-il simplement. Mais approchez-vous, monsieur. Vous ne vous chauffez pas. »

Tous les deux, un instant plus tard, ils étaient installés près des chenets : le vieux cassant son bois pour le mettre dans le feu, Meaulnes mangeant un bol de lait avec du pain qu'on lui avait offert. Notre voyageur, ravi de se trouver dans cette humble maison après tant d'inquiétudes, pensant que sa bizarre aventure était terminée, faisait déjà le projet de revenir plus tard avec des camarades revoir ces braves gens. Il ne savait pas que c'était là seulement une halte, et qu'il allait tout à l'heure reprendre son chemin.

Il demanda bientôt qu'on le remît sur la route de La Motte. Et, revenant peu à peu à la vérité, il raconta qu'avec sa voiture il s'était séparé des autres chasseurs et se trouvait maintenant complètement égaré.

Alors l'homme et la femme insistèrent si longtemps pour qu'il restât coucher et repartît seulement au grand jour, que Meaulnes finit par accepter et sortit chercher sa jument pour la rentrer à l'écurie.

« Vous prendrez garde aux trous de la sente [1] », lui dit l'homme.

Meaulnes n'osa pas avouer qu'il n'était pas venu par la « sente ». Il fut sur le point de demander au brave homme de l'accompagner. Il hésita une seconde sur le seuil et si grande était son indécision qu'il faillit chanceler. Puis il sortit dans la cour obscure.

1. Petit chemin, sentier.

CHAPITRE X

LA BERGERIE

Pour s'y reconnaître, il grimpa sur le talus d'où il avait sauté.

Lentement et difficilement, comme à l'aller, il se guida entre les herbes et les eaux, à travers les clôtures de saules, et s'en fut chercher sa voiture dans le fond du pré où il l'avait laissée. La voiture n'y était plus... Immobile, la tête battante, il s'efforça d'écouter tous les bruits de la nuit, croyant à chaque seconde entendre sonner tout près le collier de la bête. Rien... Il fit le tour du pré ; la barrière était à demi ouverte, à demi renversée, comme si une roue de voiture avait passé dessus. La jument avait dû, par là, s'échapper toute seule.

Remontant le chemin, il fit quelques pas et s'embarrassa les pieds dans la couverture qui sans doute avait glissé de la jument par terre. Il en conclut que la bête s'était enfuie dans cette direction. Il se prit à courir.

Sans autre idée que la volonté tenace et folle de rattraper sa voiture, tout le sang au visage, en proie à ce désir panique qui ressemblait à la peur, il courait... Parfois son pied butait dans les ornières. Aux tournants, dans l'obscurité totale, il se jetait contre les clôtures, et, déjà trop fatigué pour s'arrêter à temps, s'abattait sur les épines, les bras en avant, se déchirant les mains pour se protéger le visage. Parfois, il s'arrêtait, écoutait – et repartait. Un instant, il crut entendre un bruit de voiture ; mais ce n'était qu'un tombereau [1] cahotant qui passait très loin, sur une route, à gauche...

Vint un moment où son genou, blessé au marchepied, lui fit si mal qu'il dut s'arrêter, la jambe raidie. Alors il

1. Le tombereau est un véhicule tiré par des chevaux ou par des bœufs et destiné à porter des chargements.

.éfléchit que si la jument ne s'était pas sauvée au grand galop, il l'aurait depuis longtemps rejointe. Il se dit aussi qu'une voiture ne se perdait pas ainsi et que quelqu'un la retrouverait bien. Enfin il revint sur ses pas, épuisé, colère, se traînant à peine.

À la longue, il crut se retrouver dans les parages qu'il avait quittés et bientôt il aperçut la lumière de la maison qu'il cherchait. Un sentier profond s'ouvrait dans la haie :

« Voilà la sente dont le vieux m'a parlé », se dit Augustin.

Et il s'engagea dans ce passage, heureux de n'avoir plus à franchir les haies et les talus. Au bout d'un instant, le sentier déviant à gauche, la lumière parut glisser à droite, et parvenu à un croisement de chemins, Meaulnes, dans sa hâte à regagner le pauvre logis, suivit sans réfléchir un sentier qui paraissait directement y conduire. Mais à peine avait-il fait dix pas dans cette direction que la lumière disparut, soit qu'elle fût cachée par une haie, soit que les paysans, fatigués d'attendre, eussent fermé leurs volets. Courageusement, l'écolier sauta à travers champs, marcha tout droit dans la direction où la lumière avait brillé tout à l'heure. Puis, franchissant encore une clôture, il retomba dans un nouveau sentier…

Ainsi peu à peu, s'embrouillait la piste du grand Meaulnes et se brisait le lien qui l'attachait à ceux qu'il avait quittés.

Découragé, presque à bout de forces, il résolut, dans son désespoir, de suivre ce sentier jusqu'au bout. À cent pas de là, il débouchait dans une grande prairie grise, où l'on distinguait de loin en loin des ombres qui devaient être des genévriers, et une bâtisse obscure dans un repli de terrain. Meaulnes s'en approcha. Ce n'était là qu'une sorte de grand parc à bétail ou de bergerie abandonnée. La porte céda avec un gémissement. La lueur de la lune, quand le grand vent chassait les nuages, passait à travers les fentes des cloisons. Une odeur de moisi régnait.

Sans chercher plus avant, Meaulnes s'étendit sur la paille humide, le coude à terre, la tête dans la main. Ayant retiré sa ceinture, il se recroquevilla dans sa blouse, les genoux au ventre. Il songea alors à la couverture de la jument qu'il avait laissée dans le chemin, et il se sentit si malheureux, si fâché contre lui-même qu'il lui prit une forte envie de pleurer…

Aussi s'efforça-t-il de penser à autre chose. Glacé jusqu'aux moelles, il se rappela un rêve – une vision plutôt, qu'il avait eue tout enfant, et dont il n'avait jamais parlé à personne : un matin, au lieu de s'éveiller dans sa chambre, où pendaient ses culottes et ses paletots, il s'était trouvé dans une longue pièce verte, aux tentures pareilles à des feuillages. En ce lieu coulait une lumière si douce qu'on eût cru pouvoir la goûter. Près de la première fenêtre, une jeune fille cousait, le dos tourné, semblant attendre son réveil… Il n'avait pas eu la force de se glisser hors de son lit pour marcher dans cette demeure enchantée. Il s'était rendormi… Mais la prochaine fois, il jurait bien de se lever. Demain matin, peut-être !…

CHAPITRE XI

LE DOMAINE MYSTÉRIEUX

Dès le petit jour, il se reprit à marcher. Mais son genou enflé lui faisait mal ; il lui fallait s'arrêter et s'asseoir à chaque moment tant la douleur était vive. L'endroit où il se trouvait était d'ailleurs le plus désolé de la Sologne. De toute la matinée, il ne vit qu'une bergère, à l'horizon, qui ramenait son troupeau. Il eut beau la héler, essayer de courir, elle disparut sans l'entendre.

Il continua cependant de marcher dans sa direction, avec une désolante lenteur... Pas un toit, pas une âme. Pas même le cri d'un courlis[1] dans les roseaux des marais. Et, sur cette solitude parfaite, brillait un soleil de décembre, clair et glacial.

Il pouvait être 3 heures de l'après-midi lorsqu'il aperçut enfin, au-dessus d'un bois de sapins, la flèche d'une tourelle grise.

« Quelque vieux manoir abandonné, se dit-il, quelque pigeonnier désert !... »

Et, sans presser le pas, il continua son chemin. Au coin du bois débouchait, entre deux poteaux blancs, une allée où Meaulnes s'engagea. Il y fit quelques pas et s'arrêta, plein de surprise, troublé d'une émotion inexplicable. Il marchait pourtant du même pas fatigué, le vent glacé lui gerçait les lèvres, le suffoquait par instants ; et pourtant un contentement extraordinaire le soulevait, une tranquillité parfaite et presque enivrante, la certitude que son but était atteint et qu'il n'y avait plus maintenant que du bonheur à espérer. C'est ainsi que, jadis, la veille des grandes fêtes d'été, il se sentait défaillir, lorsqu'à la tombée de la nuit on plantait des sapins dans les rues du bourg et que la fenêtre de sa chambre était obstruée par les branches.

« Tant de joie, se dit-il, parce que j'arrive à ce vieux pigeonnier, plein de hiboux et de courants d'air !... »

Et, fâché contre lui-même, il s'arrêta, se demandant s'il ne valait pas mieux rebrousser chemin et continuer jusqu'au prochain village. Il réfléchissait depuis un instant, la tête basse, lorsqu'il s'aperçut soudain que l'allée était balayée à grands ronds réguliers comme on faisait chez lui pour les fêtes. Il se trouvait dans un chemin pareil à la grand'rue de La Ferté, le matin de l'Assomption !... Il eût aperçu au détour de l'allée une

1. Le courlis est un oiseau aquatique migrateur, un échassier de taille moyenne au long bec arqué (on trouve par exemple, dans la région de Sologne, le courlis cendré).

troupe de gens en fête soulevant la poussière, comme au mois de juin, qu'il n'eût pas été surpris davantage.

« Y aurait-il une fête dans cette solitude ? » se demanda-t-il.

Avançant jusqu'au premier détour, il entendit un bruit de voix qui s'approchaient. Il se jeta de côté dans les jeunes sapins touffus, s'accroupit et écouta en retenant son souffle. C'étaient des voix enfantines. Une troupe d'enfants passa tout près de lui. L'un d'eux, probablement une petite fille, parlait d'un ton si sage et si entendu que Meaulnes, bien qu'il ne comprît guère le sens de ses paroles, ne put s'empêcher de sourire.

« Une seule chose m'inquiète, disait-elle, c'est la question des chevaux. On n'empêchera jamais Daniel, par exemple, de monter sur le grand poney jaune !

– Jamais on ne m'en empêchera, répondit une voix moqueuse de jeune garçon. Est-ce que nous n'avons pas toutes les permissions ?... Même celle de nous faire mal, s'il nous plaît... »

Et les voix s'éloignèrent, au moment où s'approchait déjà un autre groupe d'enfants.

« Si la glace est fondue, dit une fillette, demain matin, nous irons en bateau.

– Mais nous le permettra-t-on ? dit une autre.

– Vous savez bien que nous organisons la fête à notre guise.

– Et si Frantz rentrait dès ce soir, avec sa fiancée ?

– Eh bien, il ferait ce que nous voudrions !... »

« Il s'agit d'une noce, sans doute, se dit Augustin. Mais ce sont les enfants qui font la loi, ici ?... Étrange domaine ! »

Il voulut sortir de sa cachette pour leur demander où l'on trouverait à boire et à manger. Il se dressa et vit le dernier groupe qui s'éloignait. C'étaient trois fillettes avec des robes droites qui s'arrêtaient aux genoux. Elles avaient de jolis chapeaux à brides. Une plume blanche leur traînait dans le cou, à toutes les trois. L'une d'elles, à demi retournée, un peu penchée, écoutait sa compagne qui lui donnait des grandes explications, le doigt levé.

« Je leur ferais peur », se dit Meaulnes, en regardant sa blouse paysanne déchirée et son ceinturon baroque de collégien de Sainte-Agathe.

Craignant que les enfants ne le rencontrassent en revenant par l'allée, il continua son chemin à travers les sapins dans la direction du « pigeonnier », sans trop réfléchir à ce qu'il pourrait demander là-bas. Il fut bientôt arrêté à la lisière du bois par un petit mur moussu. De l'autre côté, entre le mur et les annexes du Domaine [1], c'était une longue cour étroite toute remplie de voitures, comme une cour d'auberge un jour de foire. Il y en avait de tous les genres et de toutes les formes : de fines petites voitures à quatre places, les brancards en l'air ; des chars à bancs ; des bourbonnaises démodées avec des galeries à moulures, et même de vieilles berlines dont les glaces étaient levées [2].

Meaulnes, caché derrière les sapins, de crainte qu'on ne l'aperçût, examinait le désordre du lieu, lorsqu'il avisa, de l'autre côté de la cour, juste au-dessus du siège d'un haut char à bancs, une fenêtre des annexes à demi ouverte. Deux barreaux de fer, comme on en voit derrière les domaines aux volets toujours fermés des écuries, avaient dû clore cette ouverture. Mais le temps les avait descellés.

« Je vais entrer là, se dit l'écolier, je dormirai dans le foin et je partirai au petit jour, sans avoir fait peur à ces belles petites filles. »

Il franchit le mur, péniblement, à cause de son genou blessé, et, passant d'une voiture sur l'autre, du siège d'un

1. La majuscule confère au domaine, jusque-là nom commun (« étrange domaine »), valeur de nom propre, de toponyme.

2. Bourbonnaise : dans l'Allier, ce terme désigne une voiture publique à cheval. Berline : voiture à cheval fermée.

char à bancs sur le toit d'une berline, il arriva à la hauteur de la fenêtre, qu'il poussa sans bruit comme une porte.

Il se trouvait non pas dans un grenier à foin, mais dans une vaste pièce au plafond bas qui devait être une chambre à coucher. On distinguait, dans la demi-obscurité du soir d'hiver, que la table, la cheminée et même les fauteuils étaient chargés de grands vases, d'objets de prix, d'armes anciennes. Au fond de la pièce, des rideaux tombaient, qui devaient cacher une alcôve.

Meaulnes avait fermé la fenêtre, tant à cause du froid que par crainte d'être aperçu du dehors. Il alla soulever le rideau du fond et découvrir un grand lit bas, couvert de vieux livres dorés, de luths aux cordes cassées et de candélabres jetés pêle-mêle. Il repoussa toutes ces choses dans le fond de l'alcôve, puis s'étendit sur cette couche pour s'y reposer et réfléchir un peu à l'étrange aventure dans laquelle il s'était jeté.

Un silence profond régnait sur ce domaine. Par instants seulement on entendait gémir le grand vent de décembre.

Et Meaulnes, étendu, en venait à se demander si, malgré ces étranges rencontres, malgré la voix des enfants dans l'allée, malgré les voitures entassées, ce n'était pas là simplement, comme il l'avait pensé d'abord, une vieille bâtisse abandonnée dans la solitude de l'hiver.

Il lui sembla bientôt que le vent lui portait le son d'une musique perdue. C'était comme un souvenir plein de charme et de regret. Il se rappela le temps où sa mère, jeune encore, se mettait au piano l'après-midi dans le salon, et lui, sans rien dire, derrière la porte qui donnait sur le jardin, il l'écoutait jusqu'à la nuit…

« On dirait que quelqu'un joue du piano quelque part ? » pensa-t-il.

Mais laissant sa question sans réponse, harassé de fatigue, il ne tarda pas à s'endormir…

CHAPITRE XII

LA CHAMBRE DE WELLINGTON [1]

Il faisait nuit lorsqu'il s'éveilla. Transi de froid, il se tourna et se retourna sur sa couche, fripant et roulant sous lui sa blouse noire. Une faible clarté glauque baignait les rideaux de l'alcôve.

S'asseyant sur le lit, il glissa sa tête entre les rideaux. Quelqu'un avait ouvert la fenêtre et l'on avait attaché dans l'embrasure deux lanternes vénitiennes vertes.

Mais à peine Meaulnes avait-il pu jeter un coup d'œil, qu'il entendit sur le palier un bruit de pas étouffé et de conversation à voix basse. Il se rejeta dans l'alcôve et ses souliers ferrés firent sonner un des objets de bronze qu'il avait repoussé contre le mur. Un instant, très inquiet, il retint son souffle. Les pas se rapprochèrent et deux ombres glissèrent dans la chambre.

« Ne fais pas de bruit, disait l'un.

– Ah ! répondait l'autre, il est toujours bien temps qu'il s'éveille !

– As-tu garni sa chambre ?

– Mais oui, comme celle des autres. »

Le vent fit battre la fenêtre ouverte.

« Tiens, dit le premier, tu n'as pas même fermé la fenêtre. Le vent a déjà éteint une des lanternes. Il va falloir la rallumer.

– Bah ! répondit l'autre, pris d'une paresse et d'un découragement soudains. À quoi bon ces illuminations du côté de la campagne, du côté du désert, autant dire ? Il n'y a personne pour les voir.

– Personne ? Mais il arrivera encore des gens pendant une partie de la nuit. Là-bas, sur la route, dans leurs

1. Arthur Wellesley, duc de Wellington (1769-1852), fut un militaire et un homme politique anglais ; il est surtout célèbre pour avoir vaincu Napoléon à la bataille de Waterloo.

voitures, ils seront bien contents d'apercevoir nos lumières ! »

Meaulnes entendit craquer une allumette. Celui qui avait parlé le dernier, et qui paraissait être le chef, reprit d'une voix traînante, à la façon d'un fossoyeur de Shakespeare [1] :

« Tu mets des lanternes vertes à la chambre de Wellington. T'en mettrais aussi bien des rouges... Tu ne t'y connais pas plus que moi ! »

Un silence.

« ... Wellington, c'était un Américain ? Eh bien, c'est-il une couleur américaine, le vert ? Toi, le comédien qui as voyagé, tu devrais savoir ça.

– Oh ! là ! là ! répondit le "comédien", voyagé ? Oui, j'ai voyagé ! Mais je n'ai rien vu ! Que veux-tu voir dans une roulotte ? »

Meaulnes avec précaution regarda entre les rideaux.

Celui qui commandait la manœuvre était un gros homme nu-tête, enfoncé dans un énorme paletot. Il tenait à la main une longue perche de lanternes multicolores, et il regardait paisiblement, une jambe croisée sur l'autre, travailler son compagnon.

Quant au comédien, c'était le corps le plus lamentable qu'on puisse imaginer. Grand, maigre, grelottant, ses yeux glauques et louches, sa moustache retombant sur sa bouche édentée faisaient songer à la face d'un noyé qui ruisselle sur une dalle. Il était en manches de chemise, et ses dents claquaient. Il montrait dans ses paroles et ses gestes le mépris le plus parfait pour sa propre personne.

Après un moment de réflexion amère et risible à la fois, il s'approcha de son partenaire et lui confia, les deux bras écartés :

---

1. Le « fossoyeur de Shakespeare » est une référence à la première scène du Ve acte de *Hamlet*, où deux paysans creusent la terre pour y ensevelir Ophélie, la fiancée de Hamlet. La scène est l'occasion d'une réflexion à la fois forte et sinistre sur la mort et la décomposition des corps.

« Veux-tu que je te dise ?... Je ne peux pas comprendre qu'on soit allé chercher des dégoûtants comme nous, pour servir dans une fête pareille ! Voilà, mon gars !... »

Mais sans prendre garde à ce grand élan du cœur, le gros homme continua de regarder son travail, les jambes croisées, bâilla, renifla tranquillement et puis, tournant le dos, s'en fut, sa perche sur l'épaule, en disant :

« Allons, en route ! Il est temps de s'habiller pour le dîner. »

Le bohémien le suivit, mais, en passant devant l'alcôve :

« Monsieur l'Endormi, fit-il avec des révérences et des inflexions de voix gouailleuses [1], vous n'avez plus qu'à vous éveiller, à vous habiller en marquis, même si vous êtes un marmiteux comme je suis ; et vous descendrez à la fête costumée, puisque c'est le bon plaisir de ces petits messieurs et de ces petites demoiselles. »

Il ajouta sur le ton d'un boniment forain, avec une dernière révérence :

« Notre camarade Maloyau, attaché aux cuisines, vous présentera le personnage d'Arlequin, et votre serviteur, celui du grand Pierrot [2]. »

---

1. Expression un peu stéréotypée désignant une voix moqueuse, un peu vulgaire. Le manuscrit porte à la place l'adjectif « comique ».

2. Personnages de la *commedia dell'arte*, théâtre populaire italien apparu au XVIe siècle, fondé sur le port de masques et sur l'improvisation. Les personnages s'inscrivent dans quatre types : les valets (parmi lesquels le plus célèbre est Arlequin), les vieillards, les soldats, les amoureux. Le Pierrot, personnage mis en valeur par le théâtre français et qui reprend aussi la figure d'Arlequin, est hérité du Pedrolino italien.

CHAPITRE XIII

LA FÊTE ÉTRANGE [1]

Dès qu'ils eurent disparu, l'écolier sortit de sa cachette. Il avait les pieds glacés, les articulations raides ; mais il était reposé et son genou paraissait guéri.

« Descendre au dîner, pensa-t-il, je ne manquerai pas de le faire. Je serai simplement un invité dont tout le monde a oublié le nom. D'ailleurs, je ne suis pas un intrus ici. Il est hors de doute que M. Maloyau et son compagnon m'attendaient... »

Au sortir de l'obscurité totale de l'alcôve, il put y voir assez distinctement dans la chambre éclairée par les lanternes vertes.

Le bohémien l'avait « garnie ». Des manteaux étaient accrochés aux patères. Sur une lourde table à toilette, au marbre brisé, on avait disposé de quoi transformer en muscadin [2] tel garçon qui eût passé la nuit précédente dans une bergerie abandonnée. Il y avait, sur la cheminée, des allumettes auprès d'un grand flambeau. Mais on avait omis de cirer le parquet ; et Meaulnes sentit rouler sous ses souliers du sable et des gravats. De nouveau il eut l'impression d'être dans une maison depuis longtemps abandonnée... En allant vers la cheminée, il faillit buter contre une pile de grands cartons et de petites boîtes : il étendit le bras, alluma la bougie, puis souleva les couvercles et se pencha pour regarder.

---

1. Le titre de ce chapitre peut faire référence à un poème des *Fleurs du Mal* (« À une martyre »), dans lequel Baudelaire évoque « Une coupable joie et des fêtes étranges ».

2. Un muscadin est un homme élégant, à l'habillement très recherché. Le terme fait référence aux tenues des jeunes royalistes pendant la période du Directoire.

C'étaient des costumes de jeunes gens d'il y a longtemps[1], des redingotes[2] à hauts cols de velours, de fins gilets très ouverts, d'interminables cravates blanches et des souliers vernis du début de ce siècle. Il n'osait rien toucher du bout du doigt, mais après s'être nettoyé en frissonnant, il endossa sur sa blouse d'écolier un des grands manteaux dont il releva le collet plissé, remplaça ses souliers ferrés par de fins escarpins vernis et se prépara à descendre nu-tête.

Il arriva, sans rencontrer personne, au bas d'un escalier de bois, dans un recoin de cour obscur. L'haleine glacée de la nuit vint lui souffler au visage et soulever un pan de son manteau.

Il fit quelques pas et, grâce à la vague clarté du ciel, il put se rendre compte aussitôt de la configuration des lieux. Il était dans une petite cour formée par des bâtiments des dépendances. Tout y paraissait vieux et ruiné. Les ouvertures au bas des escaliers étaient béantes, car les portes depuis longtemps avaient été enlevées ; on n'avait pas non plus remplacé les carreaux des fenêtres qui faisaient des trous noirs dans les murs. Et pourtant toutes ces bâtisses avaient un mystérieux air de fête. Une sorte de reflet coloré flottait dans les chambres basses où l'on avait dû allumer aussi, du côté de la campagne, des lanternes. La terre était balayée ; on avait arraché l'herbe envahissante. Enfin, en prêtant l'oreille, Meaulnes crut entendre comme un chant, comme des voix d'enfants et de jeunes filles, là-bas, vers les bâtiments confus où le vent secouait les branches devant les ouvertures roses, vertes et bleues des fenêtres.

Il était là, dans son grand manteau, comme un chasseur, à demi penché, prêtant l'oreille, lorsqu'un extraordinaire petit jeune homme sortit du bâtiment voisin, qu'on aurait cru désert.

---

1. Motif récurrent de la fête étrange : voir la mention des « bals de 1830 » (p. 39), les voitures et les costumes d'autrefois.
2. Vêtement d'homme : veste longue qui se boutonne de haut en bas et qui est en général ajustée à la taille.

Il avait un chapeau haut de forme très cintré qui brillait dans la nuit comme s'il eût été d'argent ; un habit dont le col lui montait dans les cheveux, un gilet très ouvert, un pantalon à sous-pieds… Cet élégant, qui pouvait avoir quinze ans, marchait sur la pointe des pieds comme s'il eût été soulevé par les élastiques de son pantalon, mais avec une rapidité extraordinaire. Il salua Meaulnes au passage sans s'arrêter, profondément, automatiquement, et disparut dans l'obscurité, vers le bâtiment central, ferme, château ou abbaye, dont la tourelle avait guidé l'écolier au début de l'après-midi.

Après un instant d'hésitation, notre héros emboîta le pas au curieux petit personnage. Ils traversèrent une sorte de grande cour-jardin, passèrent entre des massifs, contournèrent un vivier enclos de palissades, un puits, et se trouvèrent enfin au seuil de la demeure centrale.

Une lourde porte de bois, arrondie dans le haut et cloutée comme une porte de presbytère, était à demi ouverte. L'élégant s'y engouffra. Meaulnes le suivit, et, dès ses premiers pas dans le corridor, il se trouva, sans voir personne, entouré de rires, de chants, d'appels et de poursuites.

Tout au bout de celui-ci passait un couloir transversal. Meaulnes hésitait s'il allait pousser jusqu'au fond ou bien ouvrir une des portes derrière lesquelles il entendait un bruit de voix, lorsqu'il vit passer dans le fond deux fillettes qui se poursuivaient. Il courut pour les voir et les rattraper, à pas de loup, sur ses escarpins. Un bruit de portes qui s'ouvrent, deux visages de quinze ans que la fraîcheur du soir et la poursuite ont rendus tout roses, sous de grands cabriolets à brides, et tout va disparaître dans un brusque éclat de lumière.

Une seconde, elles tournent sur elles-mêmes, par jeu ; leurs amples jupes légères se soulèvent et se gonflent ; on aperçoit la dentelle de leurs longs, amusants pantalons ; puis, ensemble, après cette pirouette, elles bondissent dans la pièce et referment la porte.

Meaulnes reste un moment ébloui et titubant dans ce corridor noir. Il craint maintenant d'être surpris. Son allure hésitante et gauche le ferait, sans doute, prendre pour un voleur. Il va s'en retourner délibérément vers la sortie, lorsque de nouveau il entend dans le fond du corridor un bruit de pas et des voix d'enfants. Ce sont deux petits garçons qui s'approchent en parlant.

« Est-ce qu'on va bientôt dîner ? leur demande Meaulnes avec aplomb.

– Viens avec nous, répond le plus grand, on va t'y conduire. »

Et avec cette confiance et ce besoin d'amitié qu'ont les enfants, la veille d'une grande fête, ils le prennent chacun par la main. Ce sont probablement deux petits garçons de paysans. On leur a mis leurs plus beaux habits : de petites culottes coupées à mi-jambe qui laissent voir leurs gros bas de laine et leurs galoches, un petit justaucorps de velours bleu, une casquette de même couleur et un nœud de cravate blanc.

« La connais-tu, toi ? demande l'un des enfants.

– Moi, fait le plus petit, qui a une tête ronde et des yeux naïfs, maman m'a dit qu'elle avait une robe noire et une collerette [1] et qu'elle ressemblait à un joli pierrot.

– Qui donc ? demanda Meaulnes.

– Eh bien ! la fiancée que Frantz est allé chercher… »

Avant que le jeune homme ait rien pu dire, ils sont tous les trois arrivés à la porte d'une grande salle où flambe un beau feu. Des planches, en guise de table, ont été posées sur des tréteaux ; on a étendu des nappes blanches, et des gens de toutes sortes dînent avec cérémonie.

1. Tour de cou plissé qui est une référence au costume de Pierrot.

CHAPITRE XIV

LA FÊTE ÉTRANGE *(suite)*

C'était, dans une grande salle au plafond bas, un repas comme ceux que l'on offre, la veille des noces de campagne, aux parents qui sont venus de très loin.

Les deux enfants avaient lâché les mains de l'écolier et s'étaient précipités dans une chambre attenante où l'on entendait des voix puériles et des bruits de cuillers battant les assiettes. Meaulnes, avec audace et sans s'émouvoir, enjamba un banc et se trouva assis auprès de deux vieilles paysannes. Il se mit aussitôt à manger avec un appétit féroce ; et c'est au bout d'un instant seulement qu'il leva la tête pour regarder les convives et les écouter.

On parlait peu, d'ailleurs. Ces gens semblaient à peine se connaître. Ils devaient venir, les uns, du fond de la campagne, les autres, de villes lointaines. Il y avait, épars le long des tables, quelques vieillards avec des favoris, et d'autres complètement rasés qui pouvaient être d'anciens marins. Près d'eux dînaient d'autres vieux qui leur ressemblaient : même face tannée, mêmes yeux vifs sous des sourcils en broussaille, mêmes cravates étroites comme des cordons de souliers… Mais il était aisé de voir que ceux-ci n'avaient jamais navigué plus loin que le bout du canton ; et s'ils avaient tangué, roulé plus de mille fois sous les averses et dans le vent, c'était pour ce dur voyage sans péril qui consiste à creuser le sillon jusqu'au bout de son champ et à retourner ensuite la charrue… On voyait peu de femmes ; quelques vieilles paysannes avec de rondes figures ridées comme des pommes, sous des bonnets tuyautés.

Il n'y avait pas un seul de ces convives avec qui Meaulnes ne se sentît à l'aise et en confiance. Il expliquait ainsi plus tard cette impression : quand on a, disait-il, commis quelque lourde faute impardonnable, on songe parfois, au milieu d'une grande amertume : « Il y a pourtant par le monde des gens qui me pardonneraient. » On imagine de vieilles gens, des grands-parents pleins d'indulgence, qui sont persuadés à l'avance que tout ce que vous faites est bien fait. Certainement parmi ces bonnes gens-là les convives de cette salle avaient été choisis. Quant aux autres, c'étaient des adolescents et des enfants...

Cependant, auprès de Meaulnes, les deux vieilles femmes causaient :

« En mettant tout pour le mieux, disait la plus âgée, d'une voix cocasse et suraiguë qu'elle cherchait vainement à adoucir, les fiancés ne seront pas là, demain, avant 3 heures.

– Tais-toi, tu me ferais mettre en colère », répondait l'autre du ton le plus tranquille.

Celle-ci portait sur le front une capeline [1] tricotée.

« Comptons ! reprit la première sans s'émouvoir. Une heure et demie de chemin de fer de Bourges à Vierzon, et sept lieues de voiture, de Vierzon jusqu'ici... »

La discussion continua. Meaulnes n'en perdait pas une parole. Grâce à cette paisible prise de bec, la situation s'éclairait faiblement : Frantz de Galais, le fils du château – qui était étudiant ou marin ou peut-être aspirant de marine [2], on ne savait pas... – était allé à Bourges pour y chercher une jeune fille et l'épouser. Chose étrange, ce garçon, qui devait être très jeune et très fantasque, réglait tout à sa guise dans le Domaine. Il avait voulu que la maison où sa fiancée entrerait ressemblât à un palais en fête. Et pour célébrer la venue de la jeune fille, il avait invité lui-même ces enfants et ces vieilles gens débonnaires. Tels étaient les points que la discussion des deux femmes précisait. Elles laissaient tout le reste dans le mystère, et reprenaient sans cesse la question du retour

1. Capuche couvrant la tête et les épaules.
2. L'aspirant est le nom donné à l'élève d'une école militaire.

des fiancés. L'une tenait pour le matin du lendemain. L'autre pour l'après-midi.

« Ma pauvre Moinelle, tu es toujours aussi folle, disait la plus jeune avec calme.

– Et toi, ma pauvre Adèle, toujours aussi entêtée. Il y a quatre ans que je ne t'avais vue, tu n'as pas changé », répondait l'autre en haussant les épaules, mais de sa voix la plus paisible.

Et elles continuaient ainsi à se tenir tête sans la moindre humeur. Meaulnes intervint dans l'espoir d'en apprendre davantage :

« Est-elle aussi jolie qu'on le dit, la fiancée de Frantz ? »

Elles le regardèrent, interloquées. Personne d'autre que Frantz n'avait vu la jeune fille. Lui-même, en revenant de Toulon, l'avait rencontrée un soir, désolée, dans un de ces jardins de Bourges qu'on appelle « Les Marais ». Son père, un tisserand, l'avait chassée de chez lui. Elle était fort jolie et Frantz avait décidé aussitôt de l'épouser. C'était une étrange histoire ; mais son père, M. de Galais, et sa sœur Yvonne ne lui avaient-ils pas toujours tout accordé !...

Meaulnes, avec précaution, allait poser d'autres questions, lorsque parut à la porte un couple charmant : une enfant de seize ans avec corsage de velours et jupe à grands volants ; un jeune personnage en habit à haut col et pantalon à élastiques. Ils traversèrent la salle, esquissant un pas de deux ; d'autres les suivirent ; puis d'autres passèrent en courant, poussant des cris, poursuivis par un grand pierrot blafard, aux manches trop longues, coiffé d'un bonnet noir et riant d'une bouche édentée. Il courait à grandes enjambées maladroites, comme si, à chaque pas, il eût dû faire un saut, et il agitait ses longues manches vides. Les jeunes filles en avaient un peu peur, les jeunes gens lui serraient la main et il paraissait faire la joie des enfants qui le poursuivaient avec des cris perçants. Au passage il regarda Meaulnes de ses yeux vitreux, et l'écolier crut reconnaître, complètement rasé, le compagnon de M. Maloyau, le bohémien qui tout à l'heure accrochait les lanternes.

Le repas était terminé. Chacun se levait.

Dans les couloirs s'organisaient des rondes et des farandoles. Une musique, quelque part, jouait un pas de menuet... [1]. Meaulnes, la tête à demi cachée dans le collet de son manteau, comme dans une fraise [2], se sentait un autre personnage. Lui aussi, gagné par le plaisir, il se mit à poursuivre le grand pierrot à travers les couloirs du Domaine, comme dans les coulisses d'un théâtre où la pantomime, de la scène, se fût partout répandue. Il se trouva ainsi mêlé jusqu'à la fin de la nuit à une foule joyeuse aux costumes extravagants. Parfois il ouvrait une porte, et se trouvait dans une chambre où l'on montrait la lanterne magique. Des enfants applaudissaient à grand bruit... Parfois, dans un coin de salon où l'on dansait, il engageait conversation avec quelque dandy et se renseignait hâtivement sur les costumes que l'on porterait les jours suivants...

Un peu angoissé à la longue par tout ce plaisir qui s'offrait à lui, craignant à chaque instant que son manteau entrouvert ne laissât voir sa blouse de collégien, il alla se réfugier un instant dans la partie la plus paisible et la plus obscure de la demeure. On n'y entendait que le bruit étouffé d'un piano.

Il entra dans une pièce silencieuse qui était une salle à manger éclairée par une lampe à suspension. Là aussi c'était fête, mais fête pour les petits enfants.

Les uns, assis sur des poufs, feuilletaient des albums ouverts sur leurs genoux ; d'autres étaient accroupis par terre devant une chaise et, gravement, ils faisaient sur le siège un étalage d'images ; d'autres, auprès du feu, ne

1. Danse à trois temps, en vogue en France aux XVIIe et XVIIIe siècles.
2. Collerette tuyautée, souvent importante et sur plusieurs rangs, portée par les hommes et les femmes du XVIe siècle et faisant partie du costume de certains personnages de la *commedia dell'arte*.

disaient rien, ne faisaient rien mais ils écoutaient au loin, dans l'immense demeure, la rumeur de la fête.

Une porte de cette salle à manger était grande ouverte. On entendait dans la pièce attenante jouer du piano. Meaulnes avança curieusement la tête. C'était une sorte de petit salon-parloir ; une femme ou une jeune fille, un grand manteau marron jeté sur ses épaules, tournait le dos, jouant très doucement des airs de rondes ou de chansonnettes. Sur le divan, tout à côté, six ou sept petits garçons et petites filles rangés comme sur une image, sages comme le sont les enfants lorsqu'il se fait tard, écoutaient. De temps en temps seulement, l'un d'eux, arc-bouté sur les poignets, se soulevait, glissait par terre et passait dans la salle à manger : un de ceux qui avaient fini de regarder les images venait prendre sa place…

Après cette fête où tout était charmant, mais fiévreux et fou, où lui-même avait si follement poursuivi le grand pierrot, Meaulnes se trouvait là plongé dans le bonheur le plus calme du monde.

Sans bruit, tandis que la jeune fille continuait à jouer, il retourna s'asseoir dans la salle à manger, et, ouvrant un des gros livres rouges épars sur la table, il commença distraitement à lire.

Presque aussitôt un des petits qui étaient par terre s'approcha, se pendit à son bras et grimpa sur son genou pour regarder en même temps que lui ; un autre en fit autant de l'autre côté. Alors ce fut un rêve comme son rêve de jadis. Il put imaginer longuement qu'il était dans sa propre maison, marié, un beau soir, et que cet être charmant et inconnu qui jouait du piano, près de lui, c'était sa femme…

CHAPITRE XV

LA RENCONTRE

Le lendemain matin, Meaulnes fut prêt un des premiers. Comme on le lui avait conseillé, il revêtit un simple costume noir, de mode passée, une jaquette [1] serrée à la taille avec des manches bouffant aux épaules, un gilet croisé, un pantalon élargi du bas jusqu'à cacher ses fines chaussures, et un chapeau haut de forme.

La cour était déserte encore lorsqu'il descendit. Il fit quelques pas et se trouva comme transporté dans une journée de printemps. Ce fut en effet le matin le plus doux de cet hiver-là. Il faisait du soleil comme aux premiers jours d'avril. Le givre fondait et l'herbe mouillée brillait comme humectée de rosée. Dans les arbres, plusieurs petits oiseaux chantaient et de temps à autre une brise tiédie coulait sur le visage du promeneur.

Il fit comme les invités qui se sont éveillés avant le maître de la maison. Il sortit dans la cour du Domaine, pensant à chaque instant qu'une voix cordiale et joyeuse allait crier derrière lui :

« Déjà réveillé, Augustin ?... »

Mais il se promena longtemps seul à travers le jardin et la cour. Là-bas, dans le bâtiment principal, rien ne remuait, ni aux fenêtres, ni à la tourelle. On avait ouvert déjà, cependant, les deux battants de la ronde porte de bois. Et, dans une des fenêtres du haut, un rayon de soleil donnait, comme en été, aux premières heures du matin.

Meaulnes, pour la première fois, regardait en plein jour l'intérieur de la propriété. Les vestiges d'un mur séparaient le jardin délabré de la cour, où l'on avait, depuis peu, versé du sable et passé le râteau. À l'extrémité des

---

1. La jaquette est, comme la redingote, un vêtement d'homme long et ajusté à la taille, mais à longs pans arrondis ouverts sur le devant, ce qui le différencie de la redingote.

dépendances qu'il habitait, c'étaient des écuries bâties dans un amusant désordre, qui multipliait les recoins garnis d'arbrisseaux fous et de vigne vierge. Jusque sur le Domaine déferlaient des bois de sapins qui le cachaient à tout le pays plat, sauf vers l'est, où l'on apercevait des collines bleues couvertes de rochers et de sapins encore.

Un instant, dans le jardin, Meaulnes se pencha sur la branlante barrière de bois qui entourait le vivier [1] ; vers les bords il restait un peu de glace mince et plissée comme une écume. Il s'aperçut lui-même reflété dans l'eau, comme incliné sur le ciel, dans son costume d'étudiant romantique. Et il crut voir un autre Meaulnes ; non plus l'écolier qui s'était évadé dans une carriole de paysan, mais un être charmant et romanesque, au milieu d'un beau livre de prix...

Il se hâta vers le bâtiment principal, car il avait faim. Dans la grande salle où il avait dîné la veille, une paysanne mettait le couvert. Dès que Meaulnes se fut assis devant un des bols alignés sur la nappe, elle lui versa le café en disant :

« Vous êtes le premier, monsieur. »

Il ne voulut rien répondre, tant il craignait d'être soudain reconnu comme un étranger. Il demanda seulement à quelle heure partirait le bateau pour la promenade matinale qu'on avait annoncée.

« Pas avant une demi-heure, monsieur : personne n'est descendu encore », fut la réponse.

Il continua donc d'errer en cherchant le lieu de l'embarcadère, autour de la longue maison châtelaine aux ailes inégales, comme une église. Lorsqu'il eut contourné l'aile sud, il aperçut soudain les roseaux, à perte de vue, qui formaient tout le paysage. L'eau des étangs venait de ce côté mouiller le pied des murs, et il y

---

1. Le plus souvent le vivier désigne un bassin d'eau, renouvelée constamment pour la conservation des poissons. Mais dans la langue rurale, le vivier peut aussi être une pièce d'eau poissonneuse, alimentée par des sources de fond.

avait, devant plusieurs portes, de petits balcons de bois qui surplombaient les vagues clapotantes.

Désœuvré, le promeneur erra un long moment sur la rive sablée comme un chemin de halage [1]. Il examinait curieusement les grandes portes aux vitres poussiéreuses qui donnaient sur des pièces délabrées ou abandonnées, sur des débarras encombrés de brouettes, d'outils rouillés et de pots de fleurs brisés, lorsque soudain, à l'autre bout des bâtiments, il entendit des pas grincer sur le sable.

C'étaient deux femmes, l'une très vieille et courbée ; l'autre, une jeune fille, blonde, élancée, dont le charmant costume, après tous les déguisements de la veille, parut d'abord à Meaulnes extraordinaire.

Elles s'arrêtèrent un instant pour regarder le paysage, tandis que Meaulnes se disait, avec un étonnement qui lui parut plus tard bien grossier :

« Voilà sans doute ce qu'on appelle une jeune fille excentrique – peut-être une actrice qu'on a mandée pour la fête. »

Cependant, les deux femmes passaient près de lui et Meaulnes, immobile, regarda la jeune fille. Souvent, plus tard, lorsqu'il s'endormait après avoir désespérément essayé de se rappeler le beau visage effacé, il voyait en rêve passer des rangées de jeunes femmes qui ressemblaient à celle-ci. L'une avait un chapeau comme elle et l'autre son air un peu penché ; l'autre son regard si pur ; l'autre encore sa taille fine, et l'autre avait aussi ses yeux bleus ; mais aucune de ces femmes n'était jamais la grande jeune fille.

Meaulnes eut le temps d'apercevoir, sous une lourde chevelure blonde, un visage aux traits un peu courts, mais dessinés avec une finesse presque douloureuse. Et comme déjà elle était passée devant lui, il regarda sa toilette, qui était bien la plus simple et la plus sage des toilettes…

---

1. Étroite bande de terrain ménagée le long d'un cours d'eau navigable et permettant de conduire, de tirer les bateaux depuis la rive.

Perplexe, il se demandait s'il allait les accompagner, lorsque la jeune fille, se tournant imperceptiblement vers lui, dit à sa compagne :

« Le bateau ne va pas tarder, maintenant, je pense ?... »

Et Meaulnes les suivit. La vieille dame, cassée, tremblante, ne cessait de causer gaiement et de rire. La jeune fille répondait doucement. Et lorsqu'elles descendirent sur l'embarcadère, elle eut ce même regard innocent et grave, qui semblait dire :

« Qui êtes-vous ? Que faites-vous ici ? Je ne vous connais pas. Et pourtant il me semble que je vous connais. »

D'autres invités étaient maintenant épars entre les arbres, attendant. Et trois bateaux de plaisance accostaient, prêts à recevoir les promeneurs. Un à un, sur le passage des dames, qui paraissaient être la châtelaine et sa fille, les jeunes gens saluaient profondément, et les demoiselles s'inclinaient. Étrange matinée ! Étrange partie de plaisir ! Il faisait froid malgré le soleil d'hiver, et les femmes enroulaient autour de leur cou ces boas de plumes qui étaient alors à la mode...

La vieille dame resta sur la rive, et, sans savoir comment, Meaulnes se trouva dans le même yacht que la jeune châtelaine. Il s'accouda sur le pont, tenant d'une main son chapeau battu par le grand vent, et il put regarder à l'aise la jeune fille, qui s'était assise à l'abri. Elle aussi le regardait. Elle répondait à ses compagnes, souriait, puis posait doucement ses yeux bleus sur lui, en tenant sa lèvre un peu mordue.

Un grand silence régnait sur les berges prochaines [1]. Le bateau filait avec un bruit calme de machine et d'eau. On eût pu se croire au cœur de l'été. On allait aborder, semblait-il, dans le beau jardin de quelque maison de

1. Emploi vieilli mais poétique de l'adjectif « prochaine », à prendre au sens spatial (synonyme de « proche ») et non temporel.

campagne. La jeune fille s'y promènerait sous une ombrelle blanche. Jusqu'au soir on entendrait les tourterelles gémir... Mais soudain une rafale glacée venait rappeler décembre aux invités de cette étrange fête.

On aborda devant un bois de sapins. Sur le débarcadère, les passagers durent attendre un instant, serrés les uns contre les autres, qu'un des bateliers eût ouvert le cadenas de la barrière... Avec quel émoi, Meaulnes se rappelait, dans la suite, cette minute où, sur le bord de l'étang, il avait eu très près du sien le visage désormais perdu de la jeune fille ! Il avait regardé ce profil si pur, de tous ses yeux, jusqu'à ce qu'ils fussent près de s'emplir de larmes. Et il se rappelait avoir vu, comme un secret délicat qu'elle lui eût confié, un peu de poudre restée sur sa joue...

À terre, tout s'arrangea comme dans un rêve. Tandis que les enfants couraient avec des cris de joie, que des groupes se formaient et s'éparpillaient à travers bois, Meaulnes s'avança dans une allée, où, dix pas devant lui, marchait la jeune fille. Il se trouva près d'elle sans avoir eu le temps de réfléchir :

« Vous êtes belle », dit-il simplement.

Mais elle hâta le pas et, sans répondre, prit une allée transversale. D'autres promeneurs couraient, jouaient à travers les avenues, chacun errant à sa guise, conduit seulement par sa libre fantaisie. Le jeune homme se reprocha vivement ce qu'il appelait sa balourdise, sa grossièreté, sa sottise. Il errait au hasard, persuadé qu'il ne reverrait plus cette gracieuse créature, lorsqu'il l'aperçut soudain venant à sa rencontre et forcée de passer près de lui dans l'étroit sentier. Elle écartait de ses deux mains nues les plis de son grand manteau. Elle avait des souliers noirs très découverts. Ses chevilles étaient si fines qu'elles pliaient par instants et qu'on craignait de les voir se briser.

Cette fois, le jeune homme salua, en disant très bas :

« Voulez-vous me pardonner ?

– Je vous pardonne, dit-elle gravement. Mais il faut que je rejoigne les enfants, puisqu'ils sont les maîtres aujourd'hui. Adieu. »

Augustin la supplia de rester un instant encore. Il lui parlait avec gaucherie, mais d'un ton si troublé, si plein de désarroi, qu'elle marcha plus lentement et l'écouta.

« Je ne sais même pas qui vous êtes », dit-elle enfin.

Elle prononçait chaque mot d'un ton uniforme, en appuyant de la même façon sur chacun, mais en disant plus doucement le dernier... Ensuite elle reprenait son visage immobile, sa bouche un peu mordue, et ses yeux bleus regardaient fixement au loin.

« Je ne sais pas non plus votre nom », répondit Meaulnes.

Ils suivaient maintenant un chemin découvert, et l'on voyait à quelque distance les invités se presser autour d'une maison isolée dans la pleine campagne.

« Voilà la "maison de Frantz", dit la jeune fille ; il faut que je vous quitte... »

Elle hésita, le regarda un instant en souriant et dit :

« Mon nom ?... Je suis mademoiselle Yvonne de Galais... [1]. »

---

1. Yvonne est le prénom des deux premières femmes dont Alain-Fournier est tombé amoureux, et notamment d'Yvonne de Quiévrecourt, rencontrée le jeudi de l'Ascension 1905 et qui resta pendant longtemps le grand amour sublimé et impossible de l'écrivain. La jeune femme fut en effet fiancée par sa famille à un jeune homme de son milieu, qu'elle épousa. L'histoire de la rencontre est rapportée maintes fois par Alain-Fournier, dans des lettres à Jacques Rivière et à son ami René Bichet (le « Petit B. »). Si Yvonne de Quiévrecourt fournit concrètement la trame du personnage d'Yvonne de Galais ainsi que le ressort dramatique de sa relation à Meaulnes, le roman apparaît aussi comme une réponse sublimée d'Alain-Fournier à cet amour impossible. Dans une lettre à Jacques Rivière du 26 juin 1907, Alain-Fournier déclare : « Je voudrais parler de mon amour [...]. Mon ami, je voudrais te dire sa lointaine, sa fuyante beauté. Chaque jour je trouve une explication de sa beauté et chaque fois c'est une idée que j'exprime, et toutes sont vraies. Mon ami, à quelle hauteur étais-je donc arrivé lorsque je l'ai atteinte ? » Le 7 mai 1909, il écrit à René Bichet : « Jacques [Rivière] m'a reproché l'autre jour "ma pureté", ce culte trop pur rendu aux femmes. Il ne s'agit pas de cela. J'ai eu pour elles le regard de l'Idiot

Et elle s'échappa.

La « maison de Frantz » était alors inhabitée. Mais Meaulnes la trouva envahie jusqu'aux greniers par la foule des invités. Il n'eut guère le loisir d'ailleurs d'examiner le lieu où il se trouvait : on déjeuna en hâte d'un repas froid emporté dans les bateaux, ce qui était fort peu de saison, mais les enfants en avaient décidé ainsi, sans doute ; et l'on repartit. Meaulnes s'approcha de Mlle de Galais dès qu'il la vit sortir et, répondant à ce qu'elle avait dit tout à l'heure :

« Le nom que je vous donnais était plus beau, dit-il.

– Comment ? Quel était ce nom ? » fit-elle, toujours avec la même gravité.

Mais il eut peur d'avoir dit une sottise et ne répondit rien.

« Mon nom à moi est Augustin Meaulnes, continua-t-il, et je suis étudiant [1].

– Oh ! vous étudiez ? » dit-elle. Et ils parlèrent un instant encore. Ils parlèrent lentement, avec bonheur – avec amitié. Puis l'attitude de la jeune fille changea. Moins hautaine et moins grave, maintenant, elle parut

---

qui va d'abord à l'âme. C'est chez elles que j'ai trouvé le plus à nu, comme écorchée – chose qui n'est pas de ce monde et qui fait trembler de délice et de répulsion à la regarder d'aussi près –, l'âme. »

Dans *Images d'Alain-Fournier par sa sœur Isabelle* (Fayard, 1989, p. 252), Isabelle Rivière, sa sœur, raconte la scène réelle en la croisant avec celle du roman :

« – Mon nom ? Je suis Mademoiselle Yvonne de Galais.

J'ai reçu ce nom dans mon cœur, mais je ne sais pourquoi j'ai repris :

– Le nom que je vous donnais était plus beau…

Surprise, elle a levé des yeux interrogateur :

– Comment ? Quel nom ? »

Je n'ai pas répondu. Elle n'a pas compris.

C'est Mélisande que je voulais dire. Mais peut-être ne connaissait-elle pas Mélisande… »

Pour le détail de cette rencontre et son influence sur la construction du personnage d'Yvonne de Galais, voir le livre très documenté de Michèle Maitron-Jodogne, *Alain-Fournier et Yvonne de Quiévrecourt. Fécondité d'un renoncement*, Peter Lang, 2000.

1. Voir p. 45, note 1.

aussi plus inquiète. On eût dit qu'elle redoutait ce que Meaulnes allait dire et s'en effarouchait à l'avance. Elle était auprès de lui toute frémissante, comme une hirondelle un instant posée à terre et qui déjà tremble du désir de reprendre son vol.

« À quoi bon ? À quoi bon ? » répondait-elle doucement aux projets que faisait Meaulnes.

Mais lorsqu'enfin il osa lui demander la permission de revenir un jour vers ce beau domaine :

« Je vous attendrai », répondit-elle simplement.

Ils arrivaient en vue de l'embarcadère [1]. Elle s'arrêta soudain et dit pensivement :

« Nous sommes deux enfants ; nous avons fait une folie. Il ne faut pas que nous montions cette fois dans le même bateau. Adieu, ne me suivez pas. »

Meaulnes resta un instant interdit, la regardant partir. Puis il se reprit à marcher. Et alors la jeune fille, dans le lointain, au moment de se perdre à nouveau dans la foule des invités, s'arrêta et, se tournant vers lui, pour la première fois le regarda longuement. Était-ce un dernier signe d'adieu ? Était-ce pour lui défendre de l'accompagner ? Ou peut-être avait-elle quelque chose encore à lui dire ?...

Dès qu'on fut rentré au Domaine, commença, derrière la ferme, dans une grande prairie en pente, la course des poneys. C'était la dernière partie de la fête. D'après toutes les prévisions, les fiancés devaient arriver à temps pour y assister et ce serait Frantz qui dirigerait tout.

---

1. Là encore, le détail transpose un épisode autobiographique : la première rencontre avec Yvonne de Quiévrecourt, si elle eut lieu au Grand Palais, se poursuivit sur le bateau-mouche qui conduisait la jeune femme et celle qui l'accompagnait jusqu'à chez elles, au boulevard Saint-Germain (le bateau-mouche sur la Seine était un moyen de transport courant à l'époque). Alain-Fournier était encore là lorsqu'elles débarquèrent sur le boulevard Saint-Germain et il les suivit jusqu'à l'entrée de leur immeuble.

On dut pourtant commencer sans lui. Les garçons en costumes de jockeys, les fillettes en écuyères, amenaient, les uns, de fringants poneys enrubannés, les autres, de très vieux chevaux dociles, au milieu des cris, des rires enfantins, des paris et des longs coups de cloches. On se fût cru transporté sur la pelouse verte et taillée de quelque champ de courses en miniature.

Meaulnes reconnut Daniel et les petites filles aux chapeaux à plumes, qu'il avait entendus la veille dans l'allée du bois… Le reste du spectacle lui échappa, tant il était anxieux de retrouver dans la foule le gracieux chapeau de roses et le grand manteau marron. Mais Mlle de Galais ne parut pas. Il la cherchait encore lorsqu'une volée de coups de cloche et des cris de joie annoncèrent la fin des courses. Une petite fille sur une vieille jument blanche avait remporté la victoire. Elle passait triomphalement sur sa monture et le panache de son chapeau flottait au vent.

Puis soudain tout se tut. Les jeux étaient finis et Frantz n'était pas de retour. On hésita un instant ; on se concerta avec embarras. Enfin, par groupes, on regagna les appartements, pour attendre, dans l'inquiétude et le silence, le retour des fiancés.

CHAPITRE XVI

FRANTZ DE GALAIS

La course avait fini trop tôt. Il était quatre heures et demie et il faisait jour encore, lorsque Meaulnes se retrouva dans sa chambre, la tête pleine des événements de son extraordinaire journée. Il s'assit devant la table, désœuvré, attendant le dîner et la fête qui devait suivre.

De nouveau soufflait le grand vent du premier soir. On l'entendait gronder comme un torrent ou passer avec le sifflement appuyé d'une chute d'eau. Le tablier de la cheminée [1] battait de temps à autre.

Pour la première fois, Meaulnes sentit en lui cette légère angoisse qui vous saisit à la fin des trop belles journées. Un instant il pensa à allumer du feu ; mais il essaya vainement de lever le tablier rouillé de la cheminée. Alors il se prit à ranger dans la chambre ; il accrocha ses beaux habits aux portemanteaux, disposa le long des murs les chaises bouleversées, comme s'il eût voulu tout préparer là pour un long séjour.

Cependant, songeant qu'il devait se tenir toujours prêt à partir, il plia soigneusement sur le dossier d'une chaise, comme un costume de voyage, sa blouse et ses autres vêtements de collégien ; sous la chaise, il mit ses souliers ferrés pleins de terre encore.

Puis il revint s'asseoir et regarda autour de lui, plus tranquille, sa demeure qu'il avait mise en ordre.

De temps à autre une goutte de pluie venait rayer la vitre qui donnait sur la cour aux voitures et sur le bois de sapins. Apaisé, depuis qu'il avait rangé son appartement, le grand garçon se sentit parfaitement heureux. Il était là, mystérieux, étranger, au milieu de ce monde inconnu, dans la chambre qu'il avait choisie. Ce qu'il avait obtenu dépassait toutes ses espérances. Et il suffisait maintenant à sa joie de se rappeler ce visage de jeune fille, dans le grand vent, qui se tournait vers lui…

Durant cette rêverie, la nuit était tombée sans qu'il songeât même à allumer les flambeaux. Un coup de vent fit battre la porte de l'arrière-chambre qui communiquait avec la sienne et dont la fenêtre donnait aussi sur la cour

1. Un tablier, qu'il soit en tissu ou en matériau dur, est toujours une pièce destinée à protéger. Un tablier de cheminée est plus spécialement un rideau de tôle fait de plusieurs plaques qui se déplacent verticalement devant le foyer d'une cheminée pour en rétrécir ou en fermer l'ouverture.

aux voitures. Meaulnes allait la refermer, lorsqu'il aperçut dans cette pièce une lueur, comme celle d'une bougie allumée sur la table. Il avança la tête dans l'entrebâillement de la porte. Quelqu'un était entré par là, par la fenêtre sans doute, et se promenait de long en large, à pas silencieux. Autant qu'on pouvait voir, c'était un très jeune homme. Nu-tête, une pèlerine de voyage sur les épaules, il marchait sans arrêt, comme affolé par une douleur insupportable. Le vent de la fenêtre qu'il avait laissée grande ouverte faisait flotter sa pèlerine et, chaque fois qu'il passait près de la lumière, on voyait luire des boutons dorés sur sa fine redingote.

Il sifflait quelque chose entre ses dents, une espèce d'air marin, comme en chantent, pour s'égayer le cœur, les matelots et les filles dans les cabarets des ports…

Un instant, au milieu de sa promenade agitée, il s'arrêta et se pencha sur la table, chercha dans une boîte, en sortit plusieurs feuilles de papier… Meaulnes vit, de profil, dans la lueur de la bougie, un très fin, très aquilin [1] visage sans moustache sous une abondante chevelure que partageait une raie de côté. Il avait cessé de siffler. Très pâle, les lèvres entrouvertes, il paraissait à bout de souffle, comme s'il avait reçu au cœur un coup violent.

Meaulnes hésitait s'il allait, par discrétion, se retirer, ou s'avancer, lui mettre doucement, en camarade, la main sur l'épaule, et lui parler. Mais l'autre leva la tête et l'aperçut. Il le considéra une seconde, puis, sans s'étonner, s'approcha et dit, affermissant sa voix :

« Monsieur, je ne vous connais pas. Mais je suis content de vous voir. Puisque vous voici, c'est à vous que je vais expliquer… Voilà !… »

Il paraissait complètement désemparé. Lorsqu'il eut dit : « Voilà », il prit Meaulnes par le revers de sa

1. L'adjectif « aquilin », qui signifie « en forme de bec d'aigle », est le plus souvent employé pour désigner la forme du nez, fin et busqué. Par extension, il peut renvoyer aux traits du visage où il est synonyme de « fin », d'« aiguisé ».

jaquette, comme pour fixer son attention. Puis il tourna la tête vers la fenêtre, comme pour réfléchir à ce qu'il allait dire, cligna des yeux – et Meaulnes comprit qu'il avait une forte envie de pleurer.

Il ravala d'un coup cette peine d'enfant, puis, regardant toujours fixement la fenêtre, il reprit d'une voix altérée :

« Eh bien ! voilà : c'est fini ; la fête est finie. Vous pouvez descendre le leur dire. Je suis rentré tout seul. Ma fiancée ne viendra pas. Par scrupule, par crainte, par manque de foi… d'ailleurs, monsieur, je vais vous expliquer… »

Mais il ne put continuer ; tout son visage se plissa. Il n'expliqua rien. Se détournant soudain, il s'en alla dans l'ombre ouvrir et refermer des tiroirs pleins de vêtements et de livres.

« Je vais m'apprêter pour repartir, dit-il. Qu'on ne me dérange pas. »

Il plaça sur la table divers objets, un nécessaire de toilette, un pistolet…

Et Meaulnes, plein de désarroi, sortit sans oser lui dire un mot ni lui serrer la main.

En bas, déjà, tout le monde semblait avoir pressenti quelque chose. Presque toutes les jeunes filles avaient changé de robe. Dans le bâtiment principal le dîner avait commencé, mais hâtivement, dans le désordre, comme à l'instant d'un départ.

Il se faisait un continuel va-et-vient de cette grande cuisine-salle à manger aux chambres du haut et aux écuries. Ceux qui avaient fini formaient des groupes où l'on se disait au revoir.

« Que se passe-t-il ? demanda Meaulnes à un garçon de campagne, qui se hâtait de terminer son repas, son chapeau de feutre sur la tête et sa serviette fixée à son gilet.

– Nous partons, répondit-il. Cela s'est décidé tout d'un coup. À cinq heures, nous nous sommes trouvés seuls, tous les invités ensemble. Nous avions attendu jusqu'à la dernière limite. Les fiancés ne pouvaient plus venir. Quelqu'un a dit : "Si nous partions..." Et tout le monde s'est apprêté pour le départ. »

Meaulnes ne répondit pas. Il lui était égal de s'en aller maintenant. N'avait-il pas été jusqu'au bout de son aventure ?... N'avait-il pas obtenu cette fois tout ce qu'il désirait ? C'est à peine s'il avait eu le temps de repasser à l'aise dans sa mémoire toute la belle conversation du matin. Pour l'instant, il ne s'agissait que de partir. Et bientôt, il reviendrait – sans tricherie, cette fois...

« Si vous voulez venir avec nous, continua l'autre, qui était un garçon de son âge, hâtez-vous d'aller vous mettre en tenue. Nous attelons dans un instant. »

Il partit au galop, laissant là son repas commencé et négligeant de dire aux invités ce qu'il savait. Le parc, le jardin et la cour étaient plongés dans une obscurité profonde. Il n'y avait pas, ce soir-là, de lanternes aux fenêtres. Mais comme, après tout, ce dîner ressemblait au dernier repas des fins de noces, les moins bons des invités, qui peut-être avaient bu, s'étaient mis à chanter. À mesure qu'il s'éloignait, Meaulnes entendait monter leurs airs de cabaret [1], dans ce parc qui depuis deux jours avait

---

1. Les deux chansons qui suivent sont des chansons folkloriques, de tradition rurale, dont il existe des versions dans plusieurs régions de langue française et notamment dans le Berry. La première est une chanson satirique, qui commence ainsi : « À Verneuil en vérité, Y a-t-une fille qui veut s'marier / A porte la dentelle, comme une demoiselle, / et des p'tits souliers mignons pour plaire à ceux garçons. / Son cher amant vint la chercher / Pour la m'ner au bal et pour la faire danser / A viens donc ma tendresse, ma charmante maîtresse / Viens, j'allons nous amuser, rire, bouère et sauter. / La mère en la voyant revenir / Jure après sa fille qui vient d'se divertir : / "T'où donc que tu reviens petite libertine ?"... » La seconde est une chanson de marche, ou chanson à énumération, dont le texte exact est : « Mes souliers sont rouges, / Adieu ma mignonne, / Mes souliers sont rouges, / Adieu mes amours. » La formule « Adieu, sans retour » paraît être une invention de Fournier. Sur ce point, voir l'article très documenté de Simone Wallon, « Les chansons du *Grand Meaulnes* », *Cahier de l'Association internationale des études françaises*, n° 28, 1976, p. 213-226.

tenu tant de grâce et de merveilles. Et c'était le commencement du désarroi et de la dévastation. Il passa près du vivier où le matin même il s'était miré. Comme tout paraissait changé déjà… – avec cette chanson, reprise en chœur, qui arrivait par bribes :

D'où donc que tu reviens, petite libertine ?
Ton bonnet est déchiré
Tu es bien mal coiffée…

et cette autre encore :

Mes souliers sont rouges…
Adieu, mes amours…
Mes souliers sont rouges…
Adieu, sans retour !

Comme il arrivait au pied de l'escalier de sa demeure isolée, quelqu'un en descendait qui le heurta dans l'ombre et lui dit :

« Adieu monsieur ! » et, s'enveloppant dans sa pèlerine comme s'il avait très froid, disparut. C'était Frantz de Galais.

La bougie que Frantz avait laissée dans sa chambre brûlait encore. Rien n'avait été dérangé. Il y avait seulement, écrits sur une feuille de papier à lettres placée en évidence, ces mots :

Ma fiancée a disparu, me faisant dire qu'elle ne pouvait pas être ma femme ; qu'elle était une couturière et non pas une princesse. Je ne sais que devenir. Je m'en vais. Je n'ai plus envie de vivre. Qu'Yvonne me pardonne si je ne lui dis pas adieu, mais elle ne pourrait rien pour moi…

C'était la fin de la bougie, dont la flamme vacilla, rampa une seconde et s'éteignit. Meaulnes rentra dans sa propre chambre et ferma la porte. Malgré l'obscurité, il reconnut chacune des choses qu'il avait rangées en plein jour, en plein bonheur, quelques heures auparavant. Pièce par pièce, fidèle, il retrouva tout son vieux vêtement misérable, depuis ses godillots jusqu'à sa grossière ceinture à boucle de cuivre. Il se déshabilla et se rhabilla vivement, mais, distraitement, déposa sur une chaise ses habits d'emprunt, se trompant de gilet…

Sous les fenêtres, dans la cour aux voitures, un remue-ménage avait commencé. On tirait, on appelait, on poussait, chacun voulant défaire sa voiture de l'inextricable fouillis où elle était prise. De temps en temps un homme grimpait sur le siège d'une charrette, sur la bâche d'une grande carriole et faisait tourner sa lanterne. La lueur du falot venait frapper la fenêtre : un instant, autour de Meaulnes, la chambre maintenant familière, où toutes choses avaient été pour lui si amicales, palpitait, revivait… Et c'est ainsi qu'il quitta, refermant soigneusement la porte, ce mystérieux endroit qu'il ne devait sans doute jamais revoir.

CHAPITRE XVII

LA FÊTE ÉTRANGE *(fin)*

Déjà, dans la nuit, une file de voitures roulait lentement vers la grille du bois. En tête, un homme revêtu d'une peau de chèvre, une lanterne à la main, conduisait par la bride le cheval du premier attelage.

Meaulnes avait hâte de trouver quelqu'un qui voulût bien se charger de lui. Il avait hâte de partir. Il appréhendait, au fond de son cœur, de se trouver soudain seul dans le Domaine, et que sa supercherie fût découverte.

Lorsqu'il arriva devant le bâtiment principal les conducteurs équilibraient la charge des dernières voitures. On faisait lever tous les voyageurs pour rapprocher ou reculer les sièges, et les jeunes filles enveloppées dans des fichus se levaient avec embarras, les couvertures tombaient à leurs pieds et l'on voyait les figures inquiètes de celles qui baissaient leur tête du côté des falots.

Dans un de ces voituriers [1], Meaulnes reconnut le jeune paysan qui tout à l'heure avait offert de l'emmener :

« Puis-je monter ? lui cria-t-il.

– Où vas-tu, mon garçon ? répondit l'autre qui ne le reconnaissait plus.

– Du côté de Sainte-Agathe.

– Alors il faut demander une place à Maritain. »

Et voilà le grand écolier cherchant parmi les voyageurs attardés ce Maritain inconnu. On le lui indiqua parmi les buveurs qui chantaient dans la cuisine.

« C'est un "amusard [2]", lui dit-on. Il sera encore là à 3 heures du matin. »

Meaulnes songea un instant à la jeune fille inquiète, pleine de fièvre et de chagrin, qui entendrait chanter dans le Domaine, jusqu'au milieu de la nuit, ces paysans avinés. Dans quelle chambre était-elle ? Où était sa fenêtre, parmi ces bâtiments mystérieux ? Mais rien ne servirait à l'écolier de s'attarder. Il fallait partir. Une fois rentré à Sainte-Agathe, tout deviendrait plus clair ; il cesserait d'être un écolier évadé ; de nouveau il pourrait songer à la jeune châtelaine.

Une à une, les voitures s'en allaient ; les roues grinçaient sur le sable de la grande allée. Et, dans la nuit, on les voyait tourner et disparaître, chargées de femmes emmitouflées, d'enfants dans des fichus, qui déjà s'endormaient. Une grande carriole encore ; un char à bancs, où les femmes étaient serrées épaule contre épaule, passa, laissant Meaulnes interdit, sur le seuil de la

---

1. Celui qui conduit une voiture à cheval (synonyme de « cocher »).

2. Terme régional signifiant que quelqu'un mène une vie dissolue, étant occupé à faire la fête et à entraîner les autres dans cette voie. On en trouve une autre occurrence dans la correspondance entre Alain-Fournier et Jacques Rivière : « Je me disais, quand est-ce qu'il va rentrer ? Je connais l'autre comme il est amusard ! Il est capable de l'amuser » (lettre à Jacques Rivière de janvier 1911).

demeure. Il n'allait plus rester bientôt qu'une vieille berline que conduisait un paysan en blouse.

« Vous pouvez monter, répondit-il aux explications d'Augustin, nous allons dans cette direction. »

Péniblement Meaulnes ouvrit la portière de la vieille guimbarde, dont la vitre trembla et les gonds crièrent. Sur la banquette, dans un coin de la voiture, deux tout petits enfants, un garçon et une fille, dormaient. Ils s'éveillèrent au bruit et au froid, se détendirent, regardèrent vaguement, puis en frissonnant se renfoncèrent dans leur coin et se rendormirent…

Déjà la vieille voiture partait. Meaulnes referma plus doucement la portière et s'installa avec précaution dans l'autre coin, puis, avidement, s'efforça de distinguer à travers la vitre les lieux qu'il allait quitter et la route par où il était venu : il devina, malgré la nuit, que la voiture traversait la cour et le jardin, passait devant l'escalier de sa chambre, franchissait la grille et sortait du Domaine pour entrer dans les bois. Fuyant le long de la vitre, on distinguait vaguement les troncs des vieux sapins.

« Peut-être rencontrerons-nous Frantz de Galais », se disait Meaulnes, le cœur battant.

Brusquement, dans le chemin étroit, la voiture fit un écart pour ne pas heurter un obstacle. C'était, autant qu'on pouvait deviner dans la nuit à ses formes massives, une roulotte arrêtée presque au milieu du chemin et qui avait dû rester là, à proximité de la fête, durant ces derniers jours.

Cet obstacle franchi, les chevaux repartis au trot, Meaulnes commençait à se fatiguer de regarder à la vitre, s'efforçant vainement de percer l'obscurité environnante, lorsque soudain, dans la profondeur du bois, il y eut un éclair, suivi d'une détonation. Les chevaux partirent au galop et Meaulnes ne sut pas d'abord si le cocher en blouse s'efforçait de les retenir ou, au contraire, les excitait à fuir. Il voulut ouvrir la portière. Comme la poignée se trouvait à l'extérieur, il essaya vainement de baisser la glace, la secoua… les enfants, réveillés en peur, se serraient l'un contre l'autre, sans rien dire. Et tandis qu'il secouait la vitre, le visage collé au carreau, il aperçut, grâce à un coude du chemin, une forme blanche qui courait. C'était, hagard et affolé, le grand pierrot de la fête, le bohémien en tenue de mascarade, qui portait dans ses bras un corps humain serré contre sa poitrine. Puis tout disparut.

Dans la voiture qui fuyait au grand galop à travers la nuit, les deux enfants s'étaient rendormis. Personne à qui parler des événements mystérieux de ces deux jours. Après avoir longtemps repassé dans son esprit tout ce qu'il avait vu et entendu, plein de fatigue et le cœur gros, le jeune homme lui aussi s'abandonna au sommeil, comme un enfant triste…

Ce n'était pas encore le petit jour lorsque, la voiture s'étant arrêtée sur la route, Meaulnes fut réveillé par quelqu'un qui cognait à la vitre. Le conducteur ouvrit péniblement la portière et cria, tandis que le vent froid de la nuit glaçait l'écolier jusqu'aux os :

« Il va falloir descendre ici. Le jour se lève. Nous allons prendre la traverse [1]. Vous êtes tout près de Sainte-Agathe. »

À demi replié, Meaulnes obéit, chercha vaguement, d'un geste inconscient, sa casquette, qui avait roulé sous les pieds des deux enfants endormis, dans le coin le plus sombre de la voiture, puis il sortit en se baissant.

« Allons, au revoir, dit l'homme en remontant sur son siège. Vous n'avez plus que six kilomètres à faire. Tenez, la borne est là, au bord du chemin. »

Meaulnes, qui ne s'était pas encore arraché de son sommeil, marcha courbé en avant, d'un pas lourd, jusqu'à la borne et s'y assit, les bras croisés, la tête inclinée, comme pour se rendormir.

---

1. Pour « chemin de traverse », chemin qui est plus court que la route habituelle.

« Ah ! non, cria le voiturier. Il ne faut pas vous endormir là. Il fait trop froid. Allons, debout, marchez un peu... »

Vacillant comme un homme ivre, le grand garçon, les mains dans ses poches, les épaules rentrées, s'en alla lentement sur le chemin de Sainte-Agathe ; tandis que, dernier vestige de la fête mystérieuse, la vieille berline quittait le gravier de la route et s'éloignait, cahotant en silence, sur l'herbe de la traverse. On ne voyait plus que le chapeau du conducteur, dansant au-dessus des clôtures...

Deuxième partie

CHAPITRE PREMIER

LE GRAND JEU [1]

Le grand vent et le froid, la pluie ou la neige, l'impossibilité où nous étions de mener à bien de longues recherches nous empêchèrent, Meaulnes et moi, de reparler du Pays perdu [2] avant la fin de l'hiver. Nous ne pouvions rien commencer de sérieux, durant ces brèves journées de février, ces jeudis sillonnés de bourrasques, qui finissaient régulièrement vers 5 heures par une morne pluie glacée.

Rien ne nous rappelait l'aventure de Meaulnes sinon ce fait étrange que depuis l'après-midi de son retour nous n'avions plus d'amis. Aux récréations, les mêmes jeux qu'autrefois s'organisaient, mais Jasmin ne parlait jamais plus au grand Meaulnes. Les soirs, aussitôt la classe balayée, la cour se vidait comme au temps où j'étais seul,

---

1. Dans une lettre à André Lhote du 1er novembre 1911, Alain-Fournier raconte à son ami ce qu'il est en train d'écrire et il s'agit de ce chapitre : « Dans mon livre, le personnage le plus tragique de la première partie disparaît. On le retrouve déguisé, défiguré dans la seconde et, dans la nuit, avec les autres gars du village, il organise contre la maison du Grand Meaulnes un assaut (ou plutôt comme un abordage car il est aspirant de marine) follement dangereux et follement amusant. C'est une nuit de décembre, une nuit de neige dont vous me reparlerez. Il s'agit de voler un document au Grand Meaulnes. Vous verrez si ce sera épatant. »

2. Là encore, la majuscule crée un effet de toponymie.

et je voyais errer mon compagnon, du jardin au hangar et de la cour à la salle à manger.

Les jeudis matin, chacun de nous installé sur le bureau d'une des deux salles de classe, nous lisions Rousseau et Paul-Louis Courier [1] que nous avions dénichés dans les placards, entre des méthodes d'anglais et des cahiers de musique finement recopiés. L'après-midi, c'était quelque visite qui nous faisait fuir l'appartement ; et nous regagnions l'école... Nous entendions parfois des groupes de grands élèves qui s'arrêtaient un instant, comme par hasard, devant le grand portail, le heurtaient en jouant à des jeux militaires incompréhensibles et puis s'en allaient... Cette triste vie se poursuivit jusqu'à la fin de février. Je commençais à croire que Meaulnes avait tout oublié, lorsqu'une aventure, plus étrange que les autres, vint me prouver que je m'étais trompé et qu'une crise violente se préparait sous la surface morne de cette vie d'hiver.

Ce fut justement un jeudi soir, vers la fin du mois, que la première nouvelle du Domaine étrange, la première vague de cette aventure dont nous ne reparlions pas arriva jusqu'à nous. Nous étions en pleine veillée. Mes grands-parents repartis, restaient seulement avec nous Millie et mon père, qui ne se doutaient nullement de la sourde fâcherie par quoi toute la classe était divisée en deux clans.

À 8 heures, Millie qui avait ouvert la porte pour jeter dehors les miettes du repas fit :

---

1. Paul-Louis Courier : écrivain et pamphlétaire français, né en 1772 et mort assassiné d'un coup de fusil en Indre-et-Loire en 1825. Sous la Restauration, il reprit l'exploitation agricole de ses parents. Sa pensée libérale et anticléricale s'accommodait mal du régime en place ; il publia des pamphlets inspirés des *Provinciales* de Pascal : *Pétition à la Chambre des Députés pour les villageois que l'on empêche de danser* (1820), *Simple Discours* (1821), etc. ; s'y ajoutèrent les lettres qu'il fit publier par des journaux. Ces écrits brillants et drôles lui valurent une gloire que les condamnations à des peines de prison ne firent qu'augmenter.

« Ah ! » d'une voix si claire que nous nous approchâmes pour regarder. Il y avait sur le seuil une couche de neige... Comme il faisait très sombre, je m'avançai de quelques pas dans la cour pour voir si la couche était profonde. Je sentis des flocons légers qui me glissaient sur la figure et fondaient aussitôt. On me fit rentrer très vite et Millie ferma la porte frileusement.

À 9 heures, nous nous disposions à monter nous coucher ; ma mère avait déjà la lampe à la main, lorsque nous entendîmes très nettement deux grands coups lancés à toute volée dans le portail, à l'autre bout de la cour. Elle replaça la lampe sur la table et nous restâmes tous debout, aux aguets, l'oreille tendue.

Il ne fallait pas songer à aller voir ce qui se passait. Avant d'avoir traversé seulement la moitié de la cour, la lampe eût été éteinte et le verre brisé. Il y eut un court silence et mon père commençait à dire que « c'était sans doute... », lorsque, tout juste sous la fenêtre de la salle à manger, qui donnait, je l'ai dit, sur la route de la gare, un coup de sifflet partit, strident et très prolongé, qui dut s'entendre jusque dans la rue de l'église. Et, immédiatement, derrière la fenêtre, à peine voilés par les carreaux, poussés par des gens qui devaient être montés à la force des poignets sur l'appui extérieur, éclatèrent des cris perçants.

« Amenez-le ! Amenez-le ! »

À l'autre extrémité du bâtiment, les mêmes cris répondirent. Ceux-là avaient dû passer par le champ du père Martin ; ils devaient être grimpés sur le mur bas qui séparait le champ de notre cour.

Puis, vociférés à chaque endroit par huit ou dix inconnus aux voix déguisées, les cris de : « Amenez-le ! » éclatèrent successivement – sur le toit du cellier qu'ils avaient dû atteindre en escaladant un tas de fagots adossé au mur extérieur – sur un petit mur qui joignait le hangar au portail et dont la crête arrondie permettait de se mettre commodément à cheval – sur le mur grillé de la route de la gare où l'on pouvait facilement monter... Enfin, par-derrière, dans le jardin, une troupe retardataire arriva, qui fit la même sarabande, criant cette fois :

« À l'abordage ! »

Et nous entendions l'écho de leurs cris résonner dans les salles de classe vides, dont ils avaient ouvert les fenêtres.

Nous connaissions si bien, Meaulnes et moi, les détours et les passages de la grande demeure, que nous voyions très nettement, comme sur un plan, tous les points où ces gens inconnus étaient en train de l'attaquer.

À vrai dire, ce fut seulement au tout premier instant que nous eûmes de l'effroi. Le coup de sifflet nous fit penser tous les quatre à une attaque de rôdeurs et de bohémiens. Justement il y avait depuis une quinzaine, sur la place, derrière l'église, un grand malandrin[1] et un jeune garçon à la tête serrée dans des bandages. Il y avait aussi, chez les charrons et les maréchaux, des ouvriers qui n'étaient pas du pays.

Mais, dès que nous eûmes entendu les assaillants crier, nous fûmes persuadés que nous avions affaire à des gens – et probablement à des jeunes gens – du bourg. Il y avait même certainement des gamins – on reconnaissait leurs voix suraiguës – dans la troupe qui se jetait à l'assaut de notre demeure comme à l'abordage d'un navire.

« Ah ! bien, par exemple… » s'écria mon père.

Et Millie demanda à mi-voix :

« Mais qu'est-ce que cela veut dire ? » lorsque soudain les voix du portail et du mur grillé – puis celles de la fenêtre – s'arrêtèrent. Deux coups de sifflets partirent derrière la croisée. Les cris des gens grimpés sur le cellier, comme ceux des assaillants du jardin, décrurent progressivement, puis cessèrent ; nous entendîmes, le long du mur de la salle à manger, le frôlement de toute la troupe qui se retirait en hâte et dont les pas étaient amortis par la neige.

1. Voleur de grand chemin, brigand, par référence à des bandes de pillards qui sévissaient en France au XIVe siècle.

Quelqu'un évidemment les dérangeait. À cette heure où tout dormait, ils avaient pensé mener en paix leur assaut contre cette maison isolée à la sortie du bourg. Mais voici qu'on troublait leur plan de campagne.

À peine avions-nous eu le temps de nous ressaisir – car l'attaque avait été soudaine comme un abordage bien conduit – et nous disposions-nous à sortir, que nous entendîmes une voix connue appeler à la petite grille :

« Monsieur Seurel ! Monsieur Seurel ! »

C'était M. Pasquier, le boucher. Le gros petit homme racla ses sabots sur le seuil, secoua sa courte blouse saupoudrée de neige et entra. Il se donnait l'air finaud et effaré de quelqu'un qui a surpris tout le secret d'une mystérieuse affaire :

« J'étais dans ma cour, qui donne sur la place des Quatre-Routes. J'allais fermer l'étable des chevreaux. Tout d'un coup, dressés sur la neige, qu'est-ce que je vois : deux grands gars qui semblaient faire sentinelle ou guetter quelque chose. Ils étaient vers la croix. Je m'avance : je fais deux pas – Hip ! les voilà partis au grand galop du côté de chez vous. Ah ! je n'ai pas hésité, j'ai pris mon falot et j'ai dit : je vas aller raconter ça à M. Seurel… »

Et le voilà qui recommence son histoire :

« J'étais dans la cour derrière chez moi… » Sur ce, on lui offre une liqueur, qu'il accepte, et on lui demande des détails qu'il est incapable de fournir.

Il n'avait rien vu en arrivant à la maison. Toutes les troupes mises en éveil par les deux sentinelles qu'il avait dérangées s'étaient éclipsées aussitôt. Quant à dire qui ces estafettes pouvaient être…

« Ça pourrait bien être des bohémiens, avançait-il. Depuis bientôt un mois qu'ils sont sur la place, à attendre le beau temps pour jouer la comédie, ils ne sont pas sans avoir organisé quelque mauvais coup. »

Tout cela ne nous avançait guère et nous restions debout, fort perplexes, tandis que l'homme sirotait la liqueur et de nouveau mimait son histoire, lorsque

Meaulnes, qui avait écouté jusque-là fort attentivement, prit par terre le falot du boucher et décida :

« Il faut aller voir ! »

Il ouvrit la porte et nous le suivîmes, M. Seurel, M. Pasquier et moi.

Millie, déjà rassurée, puisque les assaillants étaient partis, et, comme tous les gens ordonnés et méticuleux, fort peu curieuse de sa nature, déclara :

« Allez-y si vous voulez. Mais fermez la porte et prenez la clef. Moi, je vais me coucher. Je laisserai la lampe allumée. »

CHAPITRE II

NOUS TOMBONS DANS UNE EMBUSCADE

Nous partîmes sur la neige, dans un silence absolu. Meaulnes marchait en avant, projetant la lueur en éventail de sa lanterne grillagée… À peine sortions-nous par le grand portail que, derrière la bascule municipale [1], qui s'adossait au mur de notre préau, partirent d'un seul coup, comme perdreaux surpris, deux individus encapuchonnés. Soit moquerie, soit plaisir causé par l'étrange jeu qu'ils jouaient là, soit excitation nerveuse et peur d'être rejoints, ils dirent en courant deux ou trois paroles coupées de rires.

Meaulnes laissa tomber sa lanterne dans la neige, en me criant :

« Suis-moi, François !… »

1. Appareil à plateau servant à peser les objets lourds.

Et laissant là les deux hommes âgés incapables de soutenir une pareille course, nous nous lançâmes à la poursuite des deux ombres, qui, après avoir un instant contourné le bas du bourg, en suivant le chemin de la Vieille-Planche, remontèrent délibérément vers l'église. Ils couraient régulièrement sans trop de hâte et nous n'avions pas de peine à les suivre. Ils traversèrent la rue de l'église où tout était endormi et silencieux, et s'engagèrent derrière le cimetière dans un dédale de petites ruelles et d'impasses.

C'était là un quartier de journaliers [1], de couturières et de tisserands, qu'on nommait les Petits-Coins. Nous le connaissions assez mal et nous n'y étions jamais venus la nuit. L'endroit était désert le jour : les journaliers absents, les tisserands enfermés ; et durant cette nuit de grand silence il paraissait plus abandonné, plus endormi encore que les autres quartiers du bourg. Il n'y avait donc aucune chance pour que quelqu'un survînt et nous prêtât main-forte.

Je ne connaissais qu'un chemin, entre ces petites maisons, posées au hasard comme des boîtes en carton, c'était celui qui menait chez la couturière qu'on surnommait « la Muette [2] ». On descendait d'abord une pente assez raide, dallée de place en place, puis après avoir tourné deux ou trois fois, entre des petites cours de tisserands ou des écuries vides, on arrivait dans une large impasse fermée par une cour de ferme depuis longtemps abandonnée. Chez la Muette, tandis qu'elle engageait avec ma mère une conversation silencieuse, les doigts frétillants, coupée seulement de petits cris d'infirme, je pouvais voir par la croisée le grand mur de la ferme, qui était

1. Un journalier est un personnage occupé à des travaux, le plus souvent agricoles, engagé et payé à la journée.

2. Dans *Les Mauvaises Pensées du Grand Meaulnes* (PUF, 1992, p. 28), Alain Buisine note que ce ghetto ressemble à un quartier de prostitution, qui prélude à l'apparition de Valentine : « Dans tout le roman d'Alain-Fournier, la couturière est bien la dépositaire de la sexualité et de ses inavouables passions. »

la dernière maison de ce côté du faubourg, et la barrière toujours fermée de la cour sèche, sans paille, où jamais rien ne passait plus…

C'est exactement ce chemin que les deux inconnus suivirent. À chaque tournant, nous craignions de les perdre, mais, à ma surprise, nous arrivions toujours au détour de la ruelle suivante avant qu'ils l'eussent quittée. Je dis : à ma surprise, car le fait n'eût pas été possible, tant ces ruelles étaient courtes, s'ils n'avaient pas, chaque fois, tandis que nous les avions perdus de vue, ralenti leur allure.

Enfin, sans hésiter, ils s'engagèrent dans la rue qui menait chez la Muette, et je criai à Meaulnes :

« Nous les tenons, c'est une impasse ! »

À vrai dire, c'étaient eux qui nous tenaient… Ils nous avaient conduits là où ils avaient voulu. Arrivés au mur, ils se retournèrent vers nous résolument et l'un des deux lança le même coup de sifflet que nous avions déjà par deux fois entendu, ce soir-là.

Aussitôt une dizaine de gars sortirent de la cour de la ferme abandonnée où ils semblaient avoir été postés pour nous attendre. Ils étaient tous encapuchonnés, le visage enfoncé dans leurs cache-nez…

Qui c'était, nous le savions d'avance, mais nous étions bien résolus à n'en rien dire à M. Seurel, que nos affaires ne regardaient pas. Il y avait Delouche, Denis, Giraudat et tous les autres. Nous reconnûmes dans la lutte leur façon de se battre et leurs voix entrecoupées. Mais un point demeurait inquiétant et semblait presque effrayer Meaulnes : il y avait là quelqu'un que nous ne connaissions pas et qui paraissait être le chef…

Il ne touchait pas Meaulnes : il regardait manœuvrer ses soldats qui avaient fort à faire et qui, traînés dans la neige, déguenillés du haut en bas, s'acharnaient contre le grand gars essoufflé. Deux d'entre eux s'étaient occupés de moi, m'avaient immobilisé avec peine, car je me débattais comme un diable. J'étais par terre, les genoux pliés, assis sur les talons ; on me tenait les bras joints par-derrière, et je regardais la scène avec une intense curiosité mêlée d'effroi.

Meaulnes s'était débarrassé de quatre garçons du Cours qu'il avait dégrafés de sa blouse en tournant vivement sur lui-même et en les jetant à toute volée dans la neige... Bien droit sur ses deux jambes, le personnage inconnu suivait avec intérêt, mais très calme, la bataille, répétant de temps à autre d'une voix nette :

« Allez... Courage... Revenez-y... *Go on, my boys...* [1]. »

C'était évidemment lui qui commandait... D'où venait-il ? Où et comment les avait-il entraînés à la bataille ? Voilà qui restait un mystère pour nous. Il avait, comme les autres, le visage enveloppé dans un cache-nez, mais lorsque Meaulnes, débarrassé de ses adversaires, s'avança vers lui, menaçant, le mouvement qu'il fit pour y voir bien clair et faire face à la situation découvrit un morceau de linge blanc qui lui enveloppait la tête à la façon d'un bandage.

C'est à ce moment que je criai à Meaulnes :

« Prends garde par-derrière ! Il y en a un autre. »

Il n'eut pas le temps de se retourner que, de la barrière à laquelle il tournait le dos, un grand diable avait surgi et, passant habilement son cache-nez autour du cou de mon ami, le renversait en arrière. Aussitôt les quatre adversaires de Meaulnes qui avaient piqué le nez dans la neige revenaient à la charge pour lui immobiliser bras et jambes, lui liaient les bras avec une corde, les jambes avec un cache-nez, et le jeune personnage à la tête bandée fouillait dans ses poches... Le dernier venu, l'homme au lasso, avait allumé une petite bougie qu'il protégeait de la main, et chaque fois qu'il découvrait un papier nouveau, le chef allait auprès de ce lumignon examiner ce

1. « Allez-y les gars... »

qu'il contenait. Il déplia enfin cette espèce de carte couverte d'inscriptions à laquelle Meaulnes travaillait depuis son retour et s'écria avec joie :

« Cette fois nous l'avons. Voilà le plan ! Voilà le guide ! Nous allons voir si ce monsieur est bien allé où je l'imagine… »

Son acolyte éteignit la bougie. Chacun ramassa sa casquette ou sa ceinture. Et tous disparurent silencieusement comme ils étaient venus, me laissant libre de délier en hâte mon compagnon.

« Il n'ira pas très loin avec ce plan-là », dit Meaulnes en se levant.

Et nous repartîmes lentement, car il boitait un peu. Nous retrouvâmes sur le chemin de l'église M. Seurel et le père Pasquier.

« Vous n'avez rien vu ? dirent-ils… Nous non plus ! »

Grâce à la nuit profonde ils ne s'aperçurent de rien. Le boucher nous quitta et M. Seurel rentra bien vite se coucher.

Mais nous deux, dans notre chambre, là-haut, à la lueur de la lampe que Millie nous avait laissée, nous restâmes longtemps à rafistoler nos blouses décousues, discutant à voix basse sur ce qui nous était arrivé, comme deux compagnons d'armes le soir d'une bataille perdue…

CHAPITRE III

LE BOHÉMIEN À L'ÉCOLE

Le réveil du lendemain fut pénible. À huit heures et demie, à l'instant où M. Seurel allait donner le signal d'entrer, nous arrivâmes tout essoufflés pour nous mettre sur les rangs. Comme nous étions en retard, nous nous glissâmes n'importe où, mais d'ordinaire le grand

Meaulnes était le premier de la longue file d'élèves, coude à coude, chargés de livres, de cahiers et de porte-plume, que M. Seurel inspectait.

Je fus surpris de l'empressement silencieux que l'on mit à nous faire place vers le milieu de la file ; et tandis que M. Seurel, retardant de quelques secondes l'entrée au cours, inspectait le grand Meaulnes, j'avançai curieusement la tête, regardant à droite et à gauche pour voir les visages de nos ennemis de la veille.

Le premier que j'aperçus était celui-là même auquel je ne cessais de penser, mais le dernier que j'eusse pu m'attendre à voir en ce lieu. Il était à la place habituelle de Meaulnes, le premier de tous, un pied sur la marche de pierre, une épaule et le coin du sac qu'il avait sur le dos accotés au chambranle de la porte. Son visage fin, très pâle, un peu piqué de rousseur, était penché et tourné vers nous avec une sorte de curiosité méprisante et amusée. Il avait la tête et tout un côté de la figure bandés de linge blanc. Je reconnaissais le chef de la bande, le jeune bohémien qui nous avait volés la nuit précédente.

Mais déjà nous entrions dans la classe et chacun prenait sa place. Le nouvel élève s'assit près du poteau, à la gauche du long banc dont Meaulnes occupait, à droite, la première place. Giraudat, Delouche et les trois autres du premier banc s'étaient serrés les uns contre les autres pour lui faire place, comme si tout eût été convenu d'avance...

Souvent, l'hiver, passaient ainsi parmi nous des élèves de hasard, mariniers pris par les glaces dans le canal, apprentis, voyageurs immobilisés par la neige. Ils restaient au cours deux jours, un mois, rarement plus... Objets de curiosité durant la première heure, ils étaient aussitôt négligés et disparaissaient bien vite dans la foule des élèves ordinaires.

Mais celui-ci ne devait pas se faire aussitôt oublier. Je me rappelle encore cet être singulier et tous les trésors étranges apportés dans ce cartable qu'il s'accrochait au dos. Ce furent d'abord les porte-plume « à vue » qu'il tira pour écrire sa dictée. Dans un œillet du manche, en fermant un œil, on voyait apparaître, trouble et grossie, la basilique de Lourdes ou quelque monument inconnu. Il en choisit un et les autres aussitôt passèrent de main en main. Puis ce fut un plumier chinois rempli de compas et d'instruments amusants qui s'en allèrent par le banc de gauche, glissant silencieusement, sournoisement, de main en main, sous les cahiers, pour que M. Seurel ne pût rien voir.

Passèrent aussi des livres tout neufs, dont j'avais, avec convoitise, lu les titres derrière la couverture des rares bouquins de notre bibliothèque : *La Teppe aux merles*, *La Roche aux mouettes*, *Mon ami Benoist*... [1]. Les uns feuilletaient d'une main sur leurs genoux ces volumes, venus on ne savait d'où, volés peut-être, et écrivaient la dictée de l'autre main. D'autres faisaient tourner les compas au fond de leurs casiers. D'autres, brusquement, tandis que M. Seurel tournant le dos continuait la dictée en marchant du bureau à la fenêtre, fermaient un œil et se collaient sur l'autre la vue glauque et trouée de Notre-Dame-de-Paris. Et l'élève étranger, la plume à la main, son fin profil contre le poteau gris, clignait des yeux, content de tout ce jeu furtif qui s'organisait autour de lui.

Peu à peu cependant toute la classe s'inquiéta : les objets, qu'on « faisait passer » à mesure, arrivaient l'un après l'autre dans les mains du grand Meaulnes qui, négligemment, sans les regarder, les posait auprès de lui. Il y en eut bientôt un tas, mathématique et diversement

1. *La Roche aux mouettes* est un roman d'aventures de Jules Sandeau qui se passe en Bretagne au XIXe siècle. Livre pour enfants très populaire, il fut souvent réédité, puis adapté au XXe siècle. Contemporain d'Alain-Fournier, *La Teppe aux merles* de S. Blandy était paru au *Petit Français illustré* en 1893 (le mot « teppe » est attesté dans le français du XIXe siècle par translittération du mot indien *tepee*, et désigne une tente ou une petite maison). Le titre *Mon ami Benoist* semble en revanche être une invention de l'auteur : aucun livre portant ce titre n'est répertorié au catalogue de la Bibliothèque nationale de France.

coloré, comme aux pieds de la femme qui représente la Science, dans les compositions allégoriques. Fatalement M. Seurel allait découvrir ce déballage insolite et s'apercevoir du manège. Il devait songer, d'ailleurs, à faire une enquête sur les événements de la nuit. La présence du bohémien allait faciliter sa besogne…

Bientôt, en effet, il s'arrêtait, surpris, devant le grand Meaulnes.

« À qui appartient tout cela ? demanda-t-il en désignant "tout cela" du dos de son livre refermé sur son index.

– Je n'en sais rien », répondait Meaulnes d'un ton bourru, sans lever la tête.

Mais l'écolier inconnu intervint :

« C'est à moi », dit-il.

Et il ajouta aussitôt avec un geste large et élégant de jeune seigneur auquel le vieil instituteur ne sut pas résister :

« Mais je les mets à votre disposition, monsieur, si vous voulez regarder. »

Alors, en quelques secondes, sans bruit, comme pour ne pas troubler le nouvel état de choses qui venait de se créer, toute la classe se glissa curieusement autour du maître qui penchait sur ce trésor sa tête demi-chauve, demi-frisée, et du jeune personnage blême qui donnait avec un air de triomphe tranquille les explications nécessaires. Cependant, silencieux à son banc, complètement délaissé, le grand Meaulnes avait ouvert son cahier de brouillons et, fronçant le sourcil, s'absorbait dans un problème difficile…

Le « quart d'heure [1] » nous surprit dans ces occupations. La dictée n'était pas finie et le désordre régnait dans la classe. À vrai dire, depuis le matin la récréation durait.

---

1. Comme l'explique le narrateur (*supra*, p. 20), le « quart d'heure » désigne, par métonymie, la récréation.

À dix heures et demie, donc, lorsque la cour sombre et boueuse fut envahie par les élèves, on s'aperçut bien vite qu'un nouveau maître régnait sur les jeux.

De tous les plaisirs nouveaux que le bohémien, dès ce matin-là, introduisit chez nous, je ne me rappelle que le plus sanglant : c'était une espèce de tournoi où les chevaux étaient les grands élèves chargés des plus jeunes grimpés sur leurs épaules.

Partagés en deux groupes qui partaient des deux bouts de la cour, ils fondaient les uns sur les autres, cherchant à terrasser l'adversaire par la violence du choc, et les cavaliers, usant de cache-nez comme de lassos, ou de leurs bras tendus comme de lances, s'efforçaient de désarçonner leurs rivaux. Il y en eut dont on esquivait le choc et qui, perdant l'équilibre, allaient s'étaler dans la boue, le cavalier roulant sous sa monture. Il y eut des écoliers à moitié désarçonnés que le cheval rattrapait par les jambes et qui, de nouveau acharnés à la lutte, regrimpaient sur ses épaules. Monté sur le grand Delage qui avait des membres démesurés, le poil roux et les oreilles décollées, le mince cavalier à la tête bandée excitait les deux troupes rivales et dirigeait malignement sa monture en riant aux éclats.

Augustin, debout sur le seuil de la classe, regardait d'abord avec mauvaise humeur s'organiser ces jeux. Et j'étais auprès de lui, indécis.

« C'est un malin, dit-il entre ses dents, les mains dans les poches. Venir ici, dès ce matin, c'était le seul moyen de n'être pas soupçonné. Et M. Seurel s'y est laissé prendre ! »

Il resta là un long moment, sa tête rase au vent, à maugréer contre ce comédien qui allait faire assommer tous ces gars dont il avait été peu de temps auparavant le capitaine. Et, enfant paisible que j'étais, je ne manquais pas de l'approuver.

Partout, dans tous les coins, en l'absence du maître se poursuivait la lutte : les plus petits avaient fini par grimper les uns sur les autres ; ils couraient et culbutaient avant même d'avoir reçu le choc de l'adversaire… Bientôt il ne resta plus debout, au milieu de la cour, qu'un groupe acharné et tourbillonnant d'où surgissait par moments le bandeau blanc du nouveau chef.

Alors le grand Meaulnes ne sut plus résister. Il baissa la tête, mit ses mains sur ses cuisses et me cria :

« Allons-y, François ! »

Surpris par cette décision soudaine, je sautai pourtant sans hésiter sur ses épaules et en une seconde nous étions au fort de la mêlée, tandis que la plupart des combattants, éperdus, fuyaient en criant :

« Voilà Meaulnes ! Voilà le grand Meaulnes ! »

Au milieu de ceux qui restaient il se mit à tourner sur lui-même en me disant :

« Étends les bras : empoigne-les comme j'ai fait cette nuit. »

Et moi, grisé par la bataille, certain du triomphe, j'agrippais au passage les gamins qui se débattaient, oscillaient un instant sur les épaules des grands et tombaient dans la boue. En moins de rien il ne resta debout que le nouveau venu monté sur Delage ; mais celui-ci, peu désireux d'engager la lutte avec Augustin, d'un violent coup de reins en arrière se redressa et fit descendre le cavalier blanc.

La main à l'épaule de sa monture, comme un capitaine tient le mors de son cheval, le jeune garçon debout par terre regarda le grand Meaulnes avec un peu de saisissement et une immense admiration :

« À la bonne heure ! » dit-il.

Mais aussitôt la cloche sonna, dispersant les élèves qui s'étaient rassemblés autour de nous dans l'attente d'une scène curieuse. Et Meaulnes, dépité de n'avoir pu jeter à terre son ennemi, tourna le dos en disant, avec mauvaise humeur :

« Ce sera pour une autre fois ! »

Jusqu'à midi, la classe continua comme à l'approche des vacances, mêlée d'intermèdes amusants et de conversations dont l'écolier-comédien était le centre.

Il expliquait comment, immobilisés par le froid sur la place, ne songeant pas même à organiser des représentations nocturnes où personne ne viendrait, ils avaient décidé que lui-même irait au cours pour se distraire pendant la journée, tandis que son compagnon soignerait les oiseaux des îles et la chèvre savante. Puis il racontait leurs voyages dans le pays environnant, alors que l'averse tombe sur le mauvais toit de zinc de la voiture et qu'il faut descendre aux côtes pour pousser à la roue. Les élèves du fond quittaient leur table pour venir écouter de plus près. Les moins romanesques profitaient de cette occasion pour se chauffer autour du poêle. Mais bientôt la curiosité les gagnait et ils se rapprochaient du groupe bavard en tendant l'oreille, laissant une main posée sur le couvercle du poêle pour y garder leur place.

« Et de quoi vivez-vous ? » demanda M. Seurel, qui suivait tout cela avec sa curiosité un peu puérile de maître d'école et qui posait une foule de questions.

Le garçon hésita un instant, comme si jamais il ne s'était inquiété de ce détail.

« Mais, répondit-il, de ce que nous avons gagné l'automne précédent, je pense. C'est Ganache [1] qui règle les comptes. »

Personne ne lui demanda qui était Ganache. Mais moi je pensai au grand diable, qui traîtreusement, la veille au soir, avait attaqué Meaulnes par-derrière et l'avait renversé…

---

1. Étymologiquement, la ganache désigne une partie de la mâchoire inférieure d'un cheval. Le terme en est venu aussi à désigner de façon péjorative le cavalier. Comme nom commun, il renvoie à une personne stupide et bornée. Au théâtre, la ganache correspond à un type : celui du vieux barbon crédule.

CHAPITRE IV

OÙ IL EST QUESTION DU DOMAINE MYSTÉRIEUX

L'après-midi ramena les mêmes plaisirs et, tout le long du cours, le même désordre et la même fraude. Le bohémien avait apporté d'autres objets précieux, coquillages, jeux, chansons, et jusqu'à un petit singe qui griffait sourdement l'intérieur de sa gibecière… À chaque instant, il fallait que M. Seurel s'interrompît pour examiner ce que le malin garçon venait de tirer de son sac… Quatre heures arrivèrent et Meaulnes était le seul à avoir fini ses problèmes.

Ce fut sans hâte que tout le monde sortit. Il n'y avait plus, semblait-il, entre les heures de cours et de récréation, cette dure démarcation qui faisait la vie scolaire simple et réglée comme par la succession de la nuit et du jour. Nous en oubliâmes même de désigner comme d'ordinaire à M. Seurel, vers quatre heures moins dix, les deux élèves qui devaient rester pour balayer la classe. Or, nous n'y manquions jamais car c'était une façon d'annoncer et de hâter la sortie du cours.

Le hasard voulut que ce fût ce jour-là le tour du grand Meaulnes ; et dès le matin j'avais, en causant avec lui, averti le bohémien que les nouveaux étaient toujours désignés d'office pour faire le second balayeur, le jour de leur arrivée.

Meaulnes revint en classe dès qu'il eut été chercher le pain de son goûter. Quant au bohémien, il se fit longtemps attendre et arriva le dernier, en courant, comme la nuit commençait de tomber…

« Tu resteras dans la classe, m'avait dit mon compagnon, et pendant que je le tiendrai, tu lui reprendras le plan qu'il m'a volé. »

Je m'étais donc assis sur une petite table, auprès de la fenêtre, lisant à la dernière lueur du jour, et je les vis tous les deux déplacer en silence les bancs de l'école – le grand Meaulnes, taciturne et l'air dur, sa blouse noire boutonnée à trois boutons en arrière et sanglée à la ceinture ; l'autre, délicat, nerveux, la tête bandée comme un blessé. Il était vêtu d'un mauvais paletot, avec des déchirures que je n'avais pas remarquées pendant le jour. Plein d'une ardeur presque sauvage, il soulevait et poussait les tables avec une précipitation folle, en souriant un peu. On eût dit qu'il jouait là quelque jeu extraordinaire dont nous ne connaissions pas le fin mot.

Ils arrivèrent ainsi dans le coin le plus obscur de la salle, pour déplacer la dernière table.

En cet endroit, d'un tour de main, Meaulnes pouvait renverser son adversaire, sans que personne du dehors eût chance de les apercevoir ou de les entendre par les fenêtres. Je ne comprenais pas qu'il laissât échapper une pareille occasion. L'autre, revenu près de la porte, allait s'enfuir d'un instant à l'autre, prétextant que la besogne était terminée, et nous ne le reverrions plus. Le plan et tous les renseignements que Meaulnes avait mis si longtemps à retrouver, à concilier, à réunir, seraient perdus pour nous…

À chaque seconde, j'attendais de mon camarade un signe, un mouvement, qui m'annonçât le début de la bataille, mais le grand garçon ne bronchait pas. Par instants, seulement, il regardait avec une fixité étrange et d'un air interrogatif le bandeau du bohémien, qui, dans la pénombre de la nuit, paraissait largement taché de noir.

La dernière table fut déplacée sans que rien arrivât.

Mais au moment où, remontant tous les deux vers le haut de la classe, ils allaient donner sur le seuil un dernier coup de balai, Meaulnes, baissant la tête, et sans regarder notre ennemi, dit à mi-voix :

« Votre bandeau est rouge de sang et vos habits sont déchirés. »

L'autre le regarda un instant, non pas surpris de ce qu'il disait, mais profondément ému de le lui entendre dire.

« Ils ont voulu, répondit-il, m'arracher votre plan tout à l'heure, sur la place. Quand ils ont su que je voulais revenir ici balayer la classe, ils ont compris que j'allais faire la paix avec vous, ils se sont révoltés contre moi. Mais je l'ai tout de même sauvé », ajouta-t-il fièrement, en tendant à Meaulnes le précieux papier plié.

Meaulnes se tourna lentement vers moi :

« Tu entends ? dit-il. Il vient de se battre et de se faire blesser pour nous, tandis que nous lui tendions un piège ! »

Puis cessant d'employer ce « vous » insolite chez des écoliers de Sainte-Agathe :

« Tu es un vrai camarade », dit-il, et il lui tendit la main.

Le comédien la saisit et demeura sans parole une seconde, très troublé, la voix coupée… Mais bientôt avec une curiosité ardente il poursuivit :

« Ainsi vous me tendiez un piège ! Que c'est amusant ! Je l'avais deviné et je me disais : ils vont être bien étonnés, quand, m'ayant repris ce plan, ils s'apercevront que je l'ai complété…

– Complété ?

– Oh ! attendez ! Pas entièrement… »

Quittant ce ton enjoué, il ajouta gravement et lentement, se rapprochant de nous :

« Meaulnes, il est temps que je vous le dise : moi aussi je suis allé là où vous avez été. J'assistais à cette fête extraordinaire. J'ai bien pensé, quand les garçons du Cours m'ont parlé de votre aventure mystérieuse, qu'il s'agissait du vieux Domaine perdu. Pour m'en assurer je vous ai volé votre carte… Mais je suis comme vous : j'ignore le nom de ce château ; je ne saurais pas y retourner ; je ne connais pas en entier le chemin qui d'ici vous y conduirait. »

Avec quel élan, avec quelle intense curiosité, avec quelle amitié nous nous pressâmes contre lui ! Avidement Meaulnes lui posait des questions… Il nous semblait à tous deux qu'en insistant ardemment auprès de notre nouvel ami, nous lui ferions dire cela même qu'il prétendait ne pas savoir.

« Vous verrez, vous verrez, répondait le jeune garçon avec un peu d'ennui et d'embarras, je vous ai mis sur le plan quelques indications que vous n'aviez pas… C'est tout ce que je pouvais faire. »

Puis, nous voyant plein d'admiration et d'enthousiasme :

« Oh ! dit-il, tristement et fièrement, je préfère vous avertir : je ne suis pas un garçon comme les autres. Il y a trois mois, j'ai voulu me tirer une balle dans la tête et c'est ce qui vous explique ce bandeau sur le front, comme un mobile de la Seine, en 1870… [1].

– Et ce soir, en vous battant, la plaie s'est rouverte », dit Meaulnes avec amitié.

Mais l'autre, sans y prendre garde, poursuivit d'un ton légèrement emphatique :

« Je voulais mourir. Et puisque je n'ai pas réussi, je ne continuerai à vivre que pour l'amusement, comme un enfant, comme un bohémien. J'ai tout abandonné. Je n'ai plus ni père, ni sœur, ni maison, ni amour… Plus rien, que des compagnons de jeux.

– Ces compagnons-là vous ont déjà trahi – dis-je.

– Oui, répondit-il avec animation. C'est la faute d'un certain Delouche. Il a deviné que j'allais faire cause commune avec vous. Il a démoralisé ma troupe qui était si bien en main. Vous avez vu cet abordage, hier au soir, comme c'était conduit, comme ça marchait ! Depuis mon enfance, je n'avais rien organisé d'aussi réussi… »

---

1. Un « mobile de la Seine » est un soldat de la Garde mobile de la Seine, part de l'armée nationale qui fut enrôlée dans la guerre franco-prussienne de 1870. Dans *Sac au dos* (1880), l'écrivain Joris-Karl Huysmans décrit son embrigadement dans la garde à ce moment-là précisément.

Il resta songeur un instant, et il ajouta pour nous désabuser tout à fait sur son compte :

« Si je suis venu vers vous deux, ce soir, c'est que – je m'en suis aperçu ce matin – il y a plus de plaisir à prendre avec vous qu'avec la bande de tous les autres. C'est ce Delouche surtout qui me déplaît. Quelle idée de faire l'homme à dix-sept ans ! Rien ne me dégoûte davantage... [1]. Pensez-vous que nous puissions le repincer ?

– Certes, dit Meaulnes. Mais resterez-vous longtemps avec nous ?

– Je ne sais pas. Je le voudrais beaucoup. Je suis terriblement seul. Je n'ai que Ganache... »

Toute sa fièvre, tout son enjouement étaient tombés soudain. Un instant, il plongea dans ce même désespoir où sans doute, un jour, l'idée de se tuer l'avait surpris.

« Soyez mes amis, dit-il soudain. Voyez : je connais votre secret et je l'ai défendu contre tous. Je puis vous remettre sur la trace que vous avez perdue... »

Et il ajouta presque solennellement :

« Soyez mes amis pour le jour où je serais encore à deux doigts de l'enfer comme une fois déjà... Jurez-moi que vous répondrez quand je vous appellerai – quand je vous appellerai ainsi... (et il poussa une sorte de cri étrange : Hou-ou !...). Vous, Meaulnes, jurez d'abord ! »

Et nous jurâmes, car, enfants que nous étions, tout ce qui était plus solennel et plus sérieux que nature nous séduisait.

« En retour, dit-il, voici maintenant tout ce que je puis vous dire : je vous indiquerai la maison de Paris où la jeune fille du château avait l'habitude de passer les fêtes : Pâques et la Pentecôte, le mois de juin et quelquefois une partie de l'hiver. »

À ce moment une voix inconnue appela du grand portail, à plusieurs reprises, dans la nuit. Nous devinâmes que c'était Ganache, le bohémien qui n'osait pas ou ne

1. Voir le dossier, p. 255 : « Le syndrome de Peter Pan ».

savait comment traverser la cour. D'une voix pressante, anxieuse, il appelait tantôt très haut, tantôt presque bas :

« Hou-ou ! Hou-ou !

– Dites ! Dites vite ! » cria Meaulnes au jeune bohémien qui avait tressailli et qui rajustait ses habits pour partir.

Le jeune garçon nous donna rapidement une adresse à Paris, que nous répétâmes à mi-voix. Puis il courut, dans l'ombre, rejoindre son compagnon à la grille, nous laissant dans un état de trouble inexprimable.

CHAPITRE V

L'HOMME AUX ESPADRILLES

Cette nuit-là, vers 3 heures du matin, la veuve Delouche, l'aubergiste, qui habitait dans le milieu du bourg, se leva pour allumer son feu. Dumas, son beau-frère, qui habitait chez elle, devait partir en route à 4 heures, et la triste bonne femme, dont la main droite était recroquevillée par une brûlure ancienne, se hâtait dans la cuisine obscure pour préparer le café. Il faisait froid. Elle mit sur sa camisole un vieux fichu, puis tenant d'une main sa bougie allumée, abritant la flamme de l'autre main – la mauvaise – avec son tablier levé, elle traversa la cour encombrée de bouteilles vides et de caisses à savon, ouvrit pour y prendre du petit-bois la porte du bûcher qui servait de cabane aux poules… Mais à peine avait-elle poussé la porte que, d'un coup de casquette si violent qu'il fit ronfler l'air, un individu surgissant de l'obscurité profonde éteignit la chandelle, abattit du même coup la bonne femme et s'enfuit à toutes jambes, tandis que les poules et les coqs affolés menaient un tapage infernal.

L'homme emportait dans un sac – comme la veuve Delouche retrouvant son aplomb s'en aperçut un instant plus tard – une douzaine de ses poulets les plus beaux.

Aux cris de sa belle-sœur, Dumas était accouru. Il constata que le chenapan, pour entrer, avait dû ouvrir avec une fausse clef la porte de la petite cour et qu'il s'était enfui, sans la refermer, par le même chemin. Aussitôt, en homme habitué aux braconniers et aux chapardeurs, il alluma le falot de sa voiture, et le prenant d'une main, son fusil chargé de l'autre, il s'efforça de suivre la trace du voleur, trace très imprécise – l'individu devait être chaussé d'espadrilles – qui le mena sur la route de la gare puis se perdit devant la barrière d'un pré. Forcé d'arrêter là ses recherches, il releva la tête, s'arrêta… et entendit au loin, sur la même route, le bruit d'une voiture lancée au grand galop, qui s'enfuyait…

De son côté, Jasmin Delouche, le fils de la veuve, s'était levé et, jetant en hâte un capuchon sur ses épaules, il était sorti en chaussons pour inspecter le bourg. Tout dormait, tout était plongé dans l'obscurité et le silence profond qui précèdent les premières lueurs du jour. Arrivé aux Quatre-Routes, il entendit seulement – comme son oncle – très loin, sur la colline des Riaudes, le bruit d'une voiture dont le cheval devait galoper les quatre pieds levés. Garçon malin et fanfaron, il se dit alors, comme il nous le répéta par la suite avec l'insupportable grasseyement [1] des faubourgs de Montluçon :

« Ceux-là sont partis vers la gare, mais il n'est pas dit que je n'en "chaufferai [2]" pas d'autres, de l'autre côté du bourg. »

Et il rebroussa chemin vers l'église, dans le même silence nocturne.

---

1. Une voix qui grasseye articule avec la partie postérieure de la bouche, ce qui donne un son éraillé, souvent perçu comme un peu vulgaire.
2. Au figuré, dans la langue populaire, « chauffer » peut signifier « attraper », « prendre sur le fait ».

Sur la place, dans la roulotte des bohémiens, il y avait une lumière. Quelqu'un de malade sans doute. Il allait s'approcher, pour demander ce qui était arrivé, lorsqu'une ombre silencieuse, une ombre chaussée d'espadrilles, déboucha des Petits-Coins et accourut au galop, sans rien voir, vers le marchepied de la voiture…

Jasmin, qui avait reconnu l'allure de Ganache, s'avança soudain dans la lumière et demanda à mi-voix :

« Eh bien ! Qu'y a-t-il ? »

Hagard, échevelé, édenté, l'autre s'arrêta, le regarda, avec un rictus misérable causé par l'effroi et la suffocation, et répondit d'une haleine hachée :

« C'est le compagnon qui est malade… Il s'est battu hier au soir et sa blessure s'est rouverte… Je viens d'aller chercher la sœur. »

En effet, comme Jasmin Delouche, fort intrigué, rentrait chez lui pour se recoucher, il rencontra, vers le milieu du bourg, une religieuse qui se hâtait.

Au matin, plusieurs habitants de Sainte-Agathe sortirent sur le seuil de leurs portes avec les mêmes yeux bouffis et meurtris par une nuit sans sommeil. Ce fut, chez tous, un cri d'indignation et, par le bourg, comme une traînée de poudre.

Chez Giraudat, on avait entendu, vers 2 heures du matin, une carriole qui s'arrêtait et dans laquelle on chargeait en hâte des paquets qui tombaient mollement. Il n'y avait, dans la maison, que deux femmes et elles n'avaient pas osé bouger. Au jour, elles avaient compris, en ouvrant la basse-cour, que les paquets en question étaient les lapins et la volaille… Millie, durant la première récréation, trouva devant la porte de la buanderie plusieurs allumettes à demi brûlées. On en conclut qu'ils étaient mal renseignés sur notre demeure et n'avaient pu entrer… Chez Perreux, chez Boujardon et chez Clément, on crut d'abord qu'ils avaient volé aussi les cochons, mais on les retrouva dans la matinée, occupés à déterrer des salades, dans différents jardins. Tout le troupeau avait profité de l'occasion et de la porte ouverte pour faire une petite promenade nocturne... Presque partout on avait enlevé la volaille ; mais on s'en était tenu là. Mme Pignot, la boulangère, qui ne faisait pas d'élevage, cria bien toute la journée qu'on lui avait volé son battoir et une livre d'indigo [1], mais le fait ne fut jamais prouvé, ni inscrit sur le procès-verbal...

Cet affolement, cette crainte, ce bavardage durèrent tout le matin. En classe, Jasmin raconta son aventure de la nuit :

« Ah ! ils sont malins, disait-il. Mais si mon oncle en avait rencontré un, il l'a bien dit : Je le fusillais comme un lapin ! »

Et il ajoutait en nous regardant :

« C'est heureux qu'il n'ait pas rencontré Ganache, il était capable de tirer dessus. C'est tous la même race, qu'il dit, et Dessaigne le disait aussi. »

Personne cependant ne songeait à inquiéter nos nouveaux amis. C'est le lendemain soir seulement que Jasmin fit remarquer à son oncle que Ganache, comme leur voleur, était chaussé d'espadrilles. Ils furent d'accord pour trouver qu'il valait la peine de dire cela aux gendarmes. Ils décidèrent donc, en grand secret, d'aller dès leur premier loisir au chef-lieu de canton prévenir le brigadier de la gendarmerie.

Durant les jours qui suivirent, le jeune bohémien, malade de sa blessure légèrement rouverte, ne parut pas.

Sur la place de l'église, le soir, nous allions rôder, rien que pour voir sa lampe derrière le rideau rouge de la voiture. Pleins d'angoisse et de fièvre, nous restions là, sans oser approcher de l'humble bicoque, qui nous paraissait être le mystérieux passage et l'antichambre du Pays dont nous avions perdu le chemin.

---

1. Plante fournissant l'indigo, matière colorante d'un bleu-violet, issue de la fermentation ou de l'ébullition des tiges et des feuilles de l'indigotier.

CHAPITRE VI

UNE DISPUTE DANS LA COULISSE

Tant d'anxiétés et de troubles divers, durant ces jours passés, nous avaient empêchés de prendre garde que mars était venu et que le vent avait molli. Mais le troisième jour après cette aventure, en descendant, le matin, dans la cour, brusquement je compris que c'était le printemps. Une brise délicieuse comme une eau tiédie coulait par-dessus le mur, une pluie silencieuse avait mouillé la nuit les feuilles des pivoines ; la terre remuée du jardin avait un goût puissant, et j'entendais, dans l'arbre voisin de la fenêtre, un oiseau qui essayait d'apprendre la musique…

Meaulnes, à la première récréation, parla d'essayer tout de suite l'itinéraire qu'avait précisé l'écolier-bohémien. À grand-peine je lui persuadai d'attendre que nous eussions revu notre ami, que le temps fût sérieusement au beau… que tous les pruniers de Sainte-Agathe fussent en fleur. Appuyés contre le mur bas de la petite ruelle, les mains aux poches et nu-tête, nous parlions et le vent tantôt nous faisait frissonner de froid, tantôt, par bouffées de tiédeur, réveillait en nous je ne sais quel vieil enthousiasme profond. Ah ! frère, compagnon, voyageur comme nous étions persuadés, tous deux, que le bonheur était proche, et qu'il allait suffire de se mettre en chemin pour l'atteindre !…

À midi et demi, pendant le déjeuner, nous entendîmes un roulement de tambour sur la place des Quatre-Routes. En un clin d'œil, nous étions sur le seuil de la petite grille, nos serviettes à la main… C'était Ganache qui annonçait pour le soir, à 8 heures, « vu le beau temps », une grande représentation sur la place de l'église. À tout hasard, « pour se prémunir contre la pluie », une tente serait dressée. Suivait un long programme des attractions, que le vent emporta, mais où nous pûmes distinguer vaguement « pantomimes… chansons… fantaisies équestres… », le tout scandé par de nouveaux roulements de tambour.

Pendant le dîner du soir, la grosse caisse, pour annoncer la séance, tonna sous nos fenêtres et fit trembler les vitres. Bientôt après, passèrent, avec un bourdonnement de conversations, les gens des faubourgs, par petits groupes, qui s'en allaient vers la place de l'église. Et nous étions là, tous deux, forcés de rester à table, trépignant d'impatience !

Vers 9 heures, enfin, nous entendîmes des frottements de pieds et des rires étouffés à la petite grille : les institutrices venaient nous chercher. Dans l'obscurité complète nous partîmes en bande vers le lieu de la comédie. Nous apercevions de loin le mur de l'église illuminé comme par un grand feu. Deux quinquets [1] allumés devant la porte de la baraque ondulaient au vent…

À l'intérieur, des gradins étaient aménagés comme dans un cirque. M. Seurel, les institutrices, Meaulnes et moi nous nous installâmes sur les bancs les plus bas. Je revois ce lieu, qui devait être fort étroit, comme un cirque véritable, avec de grandes nappes d'ombre où s'étageaient Mme Pignot, la boulangère, et Fernande, l'épicière, les filles du bourg, les ouvriers maréchaux, des dames, des gamins, des paysans, d'autres gens encore.

La représentation était avancée plus qu'à moitié. On voyait sur la piste une petite chèvre savante qui bien docilement mettait ses pieds sur quatre verres, puis sur deux, puis sur un seul. C'était Ganache qui la commandait doucement, à petits coups de baguette, en regardant vers nous d'un air inquiet, la bouche ouverte, les yeux morts.

Assis sur un tabouret, près de deux autres quinquets, à l'endroit où la piste communiquait avec la roulotte, nous

1. Lampe, qui peut être à huile ou à pétrole, à double courant d'air et à réservoir supérieur.

reconnûmes, en fin maillot noir, front bandé, le meneur de jeu, notre ami.

À peine étions-nous assis que bondissait sur la piste un poney tout harnaché à qui le jeune personnage blessé fit faire plusieurs tours, et qui s'arrêtait toujours devant l'un de nous lorsqu'il fallait désigner la personne la plus aimable ou la plus brave de la société ; mais toujours devant Mme Pignot lorsqu'il s'agissait de découvrir la plus menteuse, la plus avare ou « la plus amoureuse… ». Et c'étaient autour d'elle des rires, des cris et des coin-coin, comme dans un troupeau d'oies que pourchasse un épagneul !

À l'entracte, le meneur de jeu vint s'entretenir un instant avec M. Seurel, qui n'eût pas été plus fier d'avoir parlé à Talma ou à Léotard [1] ; et nous, nous écoutions avec un intérêt passionné tout ce qu'il disait : de sa blessure – refermée ; de ce spectacle – préparé durant les longues journées d'hiver ; de leur départ – qui ne serait pas avant la fin du mois, car ils pensaient donner jusque-là des représentations variées et nouvelles.

Le spectacle devait se terminer par une grande pantomime.

Vers la fin de l'entracte, notre ami nous quitta, et, pour regagner l'entrée de la roulotte, fut obligé de traverser un groupe qui avait envahi la piste et au milieu duquel nous aperçûmes soudain Jasmin Delouche. Les femmes et les filles s'écartèrent. Ce costume noir, cet air blessé, étrange et brave, les avaient toutes séduites. Quant à Jasmin, qui paraissait revenir à cet instant d'un voyage, et qui s'entretenait à voix basse mais animée avec Mme Pignot, il était évident qu'une cordelière, un col bas et des pantalons éléphant eussent fait plus sûrement sa conquête… Il se

1. François Joseph Talma (1763-1826) était un acteur très célèbre, loué par Nerval et par Dumas. Jules Léotard (1839-1870) est l'inventeur du trapèze volant du cirque Napoléon.

tenait les pouces au revers de son veston, dans une attitude à la fois très fate [1] et très gênée. Au passage du bohémien, dans un mouvement de dépit, il dit à haute voix à Mme Pignot quelque chose que je n'entendis pas, mais certainement une injure, un mot provocant à l'adresse de notre ami. Ce devait être une menace grave et inattendue, car le jeune homme ne put s'empêcher de se retourner et de regarder l'autre, qui, pour ne pas perdre contenance, ricanait, poussait ses voisins du coude, comme pour les mettre de son côté... Tout ceci se passa d'ailleurs en quelques secondes. Je fus sans doute le seul de mon banc à m'en apercevoir.

Le meneur de jeu rejoignit son compagnon derrière le rideau qui masquait l'entrée de la roulotte. Chacun regagna sa place sur les gradins, croyant que la deuxième partie du spectacle allait aussitôt commencer, et un grand silence s'établit. Alors, derrière le rideau, tandis que s'apaisaient les dernières conversations à voix basse, un bruit de dispute monta. Nous n'entendions pas ce qui était dit, mais nous reconnûmes les deux voix, celle du grand gars et celle du jeune homme – la première qui expliquait, qui se justifiait ; l'autre qui gourmandait, avec indignation et tristesse à la fois :

« Mais malheureux ! disait celle-ci, pourquoi ne m'avoir pas dit... »

Et nous ne distinguions pas la suite, bien que tout le monde prêtât l'oreille. Puis tout se tut, soudainement. l'altercation se poursuivit à voix basse ; et les gamins des hauts gradins commencèrent à crier :

« Les lampions, le rideau ! » et à frapper du pied.

1. Attitude d'autosatisfaction. À noter que l'adjectif s'emploie très rarement au féminin.

CHAPITRE VII

LE BOHÉMIEN ENLÈVE SON BANDEAU

Enfin glissa lentement, entre les rideaux, la face – sillonnée de rides, tout écarquillée tantôt par la gaieté tantôt par la détresse, et semée de pains à cacheter ! – d'un long pierrot en trois pièces mal articulées, recroquevillé sur son ventre comme par une colique, marchant sur la pointe des pieds comme par excès de prudence et de crainte, les mains empêtrées dans des manches trop longues qui balayaient la piste.

Je ne saurais plus reconstituer aujourd'hui le sujet de sa pantomime. Je me rappelle seulement que dès son arrivée dans le cirque, après s'être vainement et désespérément retenu sur les pieds, il tomba. Il eut beau se relever ; c'était plus fort que lui : il tombait. Il ne cessait pas de tomber. Il s'embarrassait dans quatre chaises à la fois. Il entraînait dans sa chute une table énorme qu'on avait apportée sur la piste. Il finit par aller s'étaler par-delà la barrière du cirque jusque sur les pieds des spectateurs. Deux aides, racolés dans le public à grand-peine, le tiraient par les pieds et le remettaient debout après d'inconcevables efforts. Et chaque fois qu'il tombait, il poussait un petit cri, varié chaque fois, un petit cri insupportable, où la détresse et la satisfaction se mêlaient à doses égales. Au dénouement, grimpé sur un échafaudage de chaises, il fit une chute immense et très lente, et son ululement de triomphe strident et misérable durait aussi longtemps que sa chute, accompagné par des cris d'effroi des femmes [1].

---

1. Cette pantomime de l'Homme-qui-tombe, qui correspond à celle de Pierrot, est décrite par Alain-Fournier dans une lettre à sa mère du 23 septembre 1908 : « Je veux te dire un mot de l'Homme-qui-tombe. Il ne disait rien. Il s'était fabriqué une tête de chat-grillé, édentée, émaciée, mais tout écarquillée de gaieté. Il tombait ; il ne cessait pas de tomber : il s'embarrassait dans cinquante chaises à la fois ; il entraînait

Durant la seconde partie de sa pantomime, je revois, sans bien m'en rappeler la raison, « le pauvre pierrot qui tombe » sortant d'une de ses manches une petite poupée bourrée de son et mimant avec elle toute une scène tragi-comique. En fin de compte, il lui faisait sortir par la bouche tout le son qu'elle avait dans le ventre. Puis, avec de petits cris pitoyables, il la remplissait de bouillie et, au moment de la plus grande attention, tandis que tous les spectateurs, la lèvre pendante, avaient les yeux fixés sur la fille visqueuse et crevée du pauvre pierrot, il la saisit soudain par un bras et la lança à toute volée, à travers les spectateurs, sur la figure de Jasmin Delouche, dont elle ne fit que mouiller l'oreille, pour aller ensuite s'aplatir sur l'estomac de Mme Pignot, juste au-dessous du menton. La boulangère poussa un tel cri, elle se renversa si fort en arrière et toutes ses voisines l'imitèrent si bien que le banc se rompit, et la boulangère, Fernande, la triste veuve Delouche et vingt autres s'effondrèrent, les jambes en l'air, au milieu des rires, des cris et des applaudissements, tandis que le grand clown, abattu la face contre terre, se relevait pour saluer et dire :

« Nous avons, messieurs et mesdames, l'honneur de vous remercier ! »

Mais à ce moment même et au milieu de l'immense brouhaha, le grand Meaulnes, silencieux depuis le début de la pantomime et qui semblait plus absorbé de minute en minute, se leva brusquement, me saisit par le bras, comme incapable de se contenir et me cria :

---

dans sa chute une table énorme ; à deux ils le retiraient par les pieds, tombé de la scène dans la salle… et alors en tombant il avait un petit cri unique, indéfiniment varié, qui exprimait comme sa mimique, quelque chose d'indiciblement satisfait […]. Le grand comique venait de ce que cela se transformait vaguement en cri de détresse. » Quelques jours avant, il écrivait ceci à son ami Jacques Rivière : « Je maintiens que l'homme qui invente un tel type, un tel visage, et qui retrouve pour en intensifier l'expression de telles expressions sur le visage, des gestes et des cris humains, est une manière de génie » (lettre du 20 septembre 1908).

« Regarde le bohémien ! Regarde ! Je l'ai enfin reconnu. »

Avant même d'avoir regardé, comme si depuis longtemps, inconsciemment, cette pensée couvait en moi et n'attendait que l'instant d'éclore, j'avais deviné ! Debout auprès d'un quinquet, à l'entrée de la roulotte, le jeune personnage inconnu avait défait son bandeau et jeté sur ses épaules une pèlerine. On voyait, dans la lueur fumeuse, comme naguère à la lumière de la bougie, dans la chambre du Domaine, un très fin, très aquilin [1] visage sans moustache. Pâle, les lèvres entrouvertes, il feuilletait hâtivement une sorte de petit album rouge qui devait être un atlas de poche. Sauf une cicatrice qui lui barrait la tempe et disparaissait sous la masse des cheveux, c'était, tel que me l'avait décrit minutieusement le grand Meaulnes, le fiancé du Domaine inconnu.

Il était évident qu'il avait ainsi enlevé son bandeau pour être reconnu de nous. Mais à peine le grand Meaulnes avait-il fait ce mouvement et poussé ce cri, que le jeune homme rentrait dans la roulotte, après nous avoir jeté un coup d'œil d'entente et nous avoir souri, avec une vague tristesse, comme il souriait d'ordinaire.

« Et l'autre ! disait Meaulnes avec fièvre, comment ne l'ai-je pas reconnu tout de suite ! C'est le pierrot de la fête, là-bas… »

Et il descendit les gradins pour aller vers lui. Mais déjà Ganache avait coupé toutes les communications avec la piste ; un à un il éteignait les quatre quinquets du cirque, et nous étions obligés de suivre la foule qui s'écoulait très lentement, canalisée entre les bancs parallèles, dans l'ombre où nous piétinions d'impatience.

Dès qu'il fut dehors enfin, le grand Meaulnes se précipita vers la roulotte, escalada le marchepied, frappa à la porte, mais tout était clos déjà. Déjà sans doute, dans la voiture à rideaux, comme dans celle du poney, de la

1. L'emploi du même adjectif permet de reconnaître ici Frantz de Galais. Voir p. 80, note 1.

chèvre et des oiseaux savants, tout le monde était rentré et commençait à dormir.

CHAPITRE VIII

LES GENDARMES !

Il nous fallut rejoindre la troupe de messieurs et de dames qui revenaient vers le Cours supérieur, par les rues obscures. Cette fois nous comprenions tout. Cette grande silhouette blanche que Meaulnes avait vue, le dernier soir de la fête, filer entre les arbres, c'était Ganache, qui avait recueilli le fiancé désespéré et s'était enfui avec lui. L'autre avait accepté cette existence sauvage, pleine de risques, de jeux et d'aventures. Il lui avait semblé recommencer son enfance... [1].

Frantz de Galais nous avait jusqu'ici caché son nom et il avait feint d'ignorer le chemin du Domaine, par peur sans doute d'être forcé de rentrer chez ses parents ; mais pourquoi, ce soir-là, lui avait-il plu soudain de se faire connaître à nous et de nous laisser deviner la vérité tout entière ?...

Que de projets le grand Meaulnes ne fit-il pas, tandis que la troupe des spectateurs s'écoulait lentement à travers le bourg. Il décida que, dès le lendemain matin, qui était un jeudi, il irait trouver Frantz. Et, tous les deux, ils partiraient pour là-bas ! Quel voyage sur la route mouillée ! Frantz expliquerait tout ; tout s'arrangerait, et la merveilleuse aventure allait reprendre là où elle s'était interrompue...

Quant à moi je marchais dans l'obscurité avec un gonflement de cœur indéfinissable. Tout se mêlait pour contribuer à ma joie, depuis le faible plaisir que donnait l'attente

1. Voir le dossier, p. 255 : « Le syndrome de Peter Pan ».

du jeudi jusqu'à la très grande découverte que nous venions de faire, jusqu'à la très grande chance qui nous était échue. Et je me souviens que, dans ma soudaine générosité de cœur, je m'approchai de la plus laide des filles du notaire à qui l'on m'imposait parfois le supplice d'offrir mon bras, et spontanément je lui donnai la main.

Amers souvenirs ! Vains espoirs écrasés !

Le lendemain, dès 8 heures, lorsque nous débouchâmes tous les deux sur la place de l'église, avec nos souliers bien cirés, nos plaques de ceinturons bien astiquées et nos casquettes neuves, Meaulnes, qui jusque-là se retenait de sourire en me regardant, poussa un cri et s'élança vers la place vide... Sur l'emplacement de la baraque et des voitures, il n'y avait plus qu'un pot cassé et des chiffons. Les bohémiens étaient partis...

Un petit vent qui nous parut glacé soufflait. Il me semblait qu'à chaque pas nous allions buter sur le sol caillouteux et dur de la place et que nous allions tomber. Meaulnes, affolé, fit deux fois le mouvement de s'élancer, d'abord sur la route du Vieux-Nançay, puis sur la route de Saint-Loup-des-Bois. Il mit sa main au-dessus de ses yeux, espérant un instant que nos gens venaient seulement de partir. Mais que faire ? Dix traces de voitures s'embrouillaient sur la place, puis s'effaçaient sur la route dure. Il fallut rester là, inertes.

Et tandis que nous revenions, à travers le village où la matinée du jeudi commençait, quatre gendarmes à cheval, avertis par Delouche, la veille au soir, débouchèrent au galop sur la place et s'éparpillèrent à travers les rues pour garder toutes les issues, comme des dragons [1] qui font la reconnaissance d'un village... Mais il était trop tard. Ganache, le voleur de poules, avait fui avec son compagnon. Les gendarmes ne retrouvèrent personne, ni lui, ni ceux-là qui chargeaient dans des voitures les chapons [2] qu'il étranglait. Prévenu à temps par le mot

1. Soldats de cavalerie.

2. Jeune coq châtré, nourri et engraissé exclusivement pour la consommation.

imprudent de Jasmin, Frantz avait dû comprendre soudain de quel métier son compagnon et lui vivaient, quand la caisse de la roulotte était vide ; plein de honte et de fureur, il avait arrêté aussitôt un itinéraire et décidé de prendre du champ avant l'arrivée des gendarmes. Mais, ne craignant plus désormais qu'on tentât de le ramener au domaine de son père, il avait voulu se montrer à nous sans bandage, avant de disparaître.

Un seul point resta toujours obscur : comment Ganache avait-il pu à la fois dévaliser les basses-cours et quérir la bonne sœur pour la fièvre de son ami ? Mais n'était-ce pas là toute l'histoire du pauvre diable ? Voleur et chemineau d'un côté, bonne créature de l'autre…

CHAPITRE IX

À LA RECHERCHE DU SENTIER PERDU

Comme nous rentrions, le soleil dissipait la légère brume du matin ; les ménagères sur le seuil des maisons secouaient leurs tapis ou bavardaient ; et, dans les champs et les bois, aux portes du bourg, commençait la plus radieuse matinée de printemps qui soit restée dans ma mémoire.

Tous les grands élèves du Cours devaient arriver vers 8 heures, ce jeudi-là, pour préparer, durant la matinée, les uns le Certificat d'Études supérieures, les autres le concours de l'École normale. Lorsque nous arrivâmes tous les deux, Meaulnes plein d'un regret et d'une agitation qui ne lui permettaient pas de rester immobile, moi très abattu, l'école était vide… Un rayon de frais soleil glissait sur la poussière d'un banc vermoulu, et sur le vernis écaillé d'un planisphère.

Comment rester là, devant un livre, à ruminer notre déception, tandis que tout nous appelait au-dehors : les poursuites des oiseaux dans les branches près des fenêtres, la fuite des autres élèves vers les prés et les bois, et surtout le fiévreux désir d'essayer au plus vite l'itinéraire incomplet vérifié par le bohémien – dernière ressource de notre sac presque vide, dernière clef du trousseau, après avoir essayé toutes les autres ?... Cela était au-dessus de nos forces ! Meaulnes marchait de long en large, allait auprès des fenêtres, regardait dans le jardin, puis revenait et regardait vers le bourg, comme s'il eût attendu quelqu'un qui ne viendrait certainement pas.

« J'ai l'idée, me dit-il enfin, j'ai l'idée que ce n'est peut-être pas aussi loin que nous l'imaginons...

Frantz a supprimé sur mon plan toute une portion de la route que j'avais indiquée.

Cela veut dire, peut-être, que la jument a fait, pendant mon sommeil, un long détour inutile... »

J'étais à moitié assis sur le coin d'une grande table, un pied par terre, l'autre ballant, l'air découragé et désœuvré, la tête basse.

« Pourtant, dis-je, au retour, dans la berline, ton voyage a duré toute la nuit.

– Nous étions partis à minuit, répondit-il vivement. On m'a déposé à 4 heures du matin, à environ six kilomètres à l'ouest de Sainte-Agathe, tandis que j'étais parti par la route de la gare à l'est. Il faut donc compter ces six kilomètres en moins entre Sainte-Agathe et le Pays perdu.

« Vraiment, il me semble qu'en sortant du bois des Communaux [1], on ne doit pas être à plus de deux lieues de ce que nous cherchons.

– Ce sont précisément ces deux lieues-là qui manquent sur ta carte.

1. Ensemble de biens appartenant en commun aux habitants d'une commune. Par exemple les prés communaux, le lavoir, le four à pain, etc.

– C'est vrai. Et la sortie du bois est bien à une lieue et demie d'ici, mais pour un bon marcheur, cela peut se faire en une matinée… »

À cet instant Mouchebœuf arriva. Il avait une tendance irritante à se faire passer pour bon élève, non pas en travaillant mieux que les autres, mais en se signalant dans des circonstances comme celle-ci.

« Je savais bien, dit-il triomphant, ne trouver que vous deux. Tous les autres sont partis pour le bois des Communaux. En tête : Jasmin Delouche qui connaît les nids. »

Et, voulant faire le bon apôtre, il commença à raconter tout ce qu'ils avaient dit pour narguer le Cours, M. Seurel et nous, en décidant cette expédition.

« S'ils sont au bois, je les verrai sans doute en passant, dit Meaulnes, car je m'en vais aussi. Je serai de retour vers midi et demi. »

Mouchebœuf resta ébahi.

« Ne viens-tu pas ? » me demanda Augustin, s'arrêtant une seconde sur le seuil de la porte entrouverte – ce qui fit entrer dans la pièce grise, en une bouffée d'air tiédi par le soleil, un fouillis de cris, d'appels, de pépiements, le bruit d'un seau sur la margelle du puits et le claquement d'un fouet au loin.

« Non, dis-je, bien que la tentation fût forte, je ne puis pas, à cause de M. Seurel. Mais hâte-toi. Je t'attendrai avec impatience. »

Il fit un geste vague et partit, très vite, plein d'espoir.

Lorsque M. Seurel arriva, vers 10 heures, il avait quitté sa veste d'alpaga [1] noir, revêtu un paletot de pêcheur aux vastes poches boutonnées, un chapeau de paille et de courtes jambières vernies pour serrer le bas de son pantalon, Je crois bien qu'il ne fut guère surpris de ne trouver

---

1. L'alpaga est un tissu laineux dont le nom est donné par l'animal qui le fournit, sorte de lama au poil long et laineux, vivant dans la cordillère des Andes.

personne. Il ne voulut pas entendre Mouchebœuf qui lui répéta trois fois que les gars avaient dit :

« S'il a besoin de nous, qu'il vienne donc nous chercher ! »

Et il commanda :

« Serrez vos affaires, prenez vos casquettes, et nous allons les dénicher à notre tour… Pourras-tu marcher jusque-là, François ? »

J'affirmai que oui et nous partîmes.

Il fut entendu que Mouchebœuf conduirait M. Seurel et lui servirait d'appeau…[1]. C'est-à-dire que, connaissant les futaies où se trouvaient les dénicheurs, il devait de temps à autre crier à toute voix :

« Hop ! Holà ! Giraudat ! Delouche ! Où êtes-vous ?… Y en a-t-il ?… En avez-vous trouvé ?… »

Quant à moi, je fus chargé, à mon vif plaisir, de suivre la lisière est du bois, pour le cas où les écoliers fugitifs chercheraient à s'échapper de ce côté.

Or, dans le plan rectifié par le bohémien et que nous avions maintes fois étudié avec Meaulnes, il semblait qu'un chemin à un trait, un « chemin de terre », partît de cette lisière du bois pour aller dans la direction du Domaine. Si j'allais le découvrir ce matin !… Je commençai à me persuader que, avant midi, je me trouverais sur le chemin du manoir perdu…

La merveilleuse promenade !… Dès que nous eûmes passé le Glacis et contourné le Moulin, je quittai mes deux compagnons, M. Seurel dont on eût dit qu'il partait en guerre – je crois bien qu'il avait mis dans sa poche un vieux pistolet – et ce traître de Mouchebœuf.

Prenant un chemin de traverse, j'arrivai bientôt à la lisière du bois – seul à travers la campagne pour la première fois de ma vie comme une patrouille que son caporal a perdue.

---

1. Instrument avec lequel on imite le cri des animaux pour les attirer.

Me voici, j'imagine, près de ce bonheur mystérieux que Meaulnes a entrevu un jour. Toute la matinée est à moi pour explorer la lisière du bois, l'endroit le plus frais et le plus caché du pays, tandis que mon grand frère aussi est parti à la découverte. C'est comme un ancien lit de ruisseau. Je passe sous les basses branches d'arbres dont je ne sais pas le nom mais qui doivent être des aulnes. J'ai sauté tout à l'heure un échalier [1] au bout de la sente, et je me suis trouvé dans cette grande voie d'herbe verte qui coule sous les feuilles, foulant par endroits les orties, écrasant les hautes valérianes.

Parfois mon pied se pose, durant quelques pas, sur un banc de sable fin. Et dans le silence, j'entends un oiseau – je m'imagine que c'est un rossignol, mais sans doute je me trompe, puisqu'ils ne chantent que le soir – un oiseau qui répète obstinément la même phrase : voix de la matinée, parole dite sous l'ombrage, invitation délicieuse au voyage entre les aulnes. Invisible, entêté, il semble m'accompagner sous la feuille.

Pour la première fois me voilà, moi aussi, sur le chemin de l'aventure. Ce ne sont plus des coquilles abandonnées par les eaux que je cherche, sous la direction de M. Seurel, ni des orchis [2] que le maître d'école ne connaisse pas, ni même, comme cela nous arrivait souvent dans le champ du père Martin, cette fontaine profonde et tarie, couverte d'un grillage, enfouie sous tant d'herbes folles qu'il fallait chaque fois plus de temps pour la retrouver… Je cherche quelque chose de plus mystérieux encore. C'est le passage dont il est question dans les livres, l'ancien chemin obstrué, celui dont le prince harassé de fatigue n'a pu trouver l'entrée. Cela se découvre à l'heure la plus perdue de la matinée, quand on a depuis longtemps oublié qu'il va être 11 heures,

1. Échelle ou escalier fait de traverses de bois installés dans une haie pour permettre de la franchir.
2. Plante de région tempérée, se caractérisant par des fleurs en grappes de couleurs variées.

midi… Et soudain, en écartant, dans le feuillage profond, les branches, avec ce geste hésitant des mains à hauteur du visage inégalement écartées, on l'aperçoit comme une longue avenue sombre dont la sortie est un rond de lumière tout petit.

Mais tandis que j'espère et m'enivre ainsi, voici que brusquement je débouche dans une sorte de clairière, qui se trouve être tout simplement un pré. Je suis arrivé sans y penser à l'extrémité des Communaux, que j'avais toujours imaginée infiniment loin. Et voici à ma droite, entre des piles de bois, toute bourdonnante dans l'ombre, la maison du garde. Deux paires de bas sèchent sur l'appui de la fenêtre. Les années passées, lorsque nous arrivions à l'entrée du bois, nous disions toujours, en montrant un point de lumière tout au bout de l'immense allée noire : « C'est là-bas la maison du garde ; la maison de Baladier. » Mais jamais nous n'avions poussé jusque-là. Nous entendions dire quelquefois, comme s'il se fût agi d'une expédition extraordinaire : « Il a été jusqu'à la maison du garde !… »

Cette fois, je suis allé jusqu'à la maison de Baladier, et je n'ai rien trouvé.

Je commençais à souffrir de ma jambe fatiguée et de la chaleur que je n'avais pas sentie jusque-là ; je craignais de faire tout seul le chemin du retour, lorsque j'entendis près de moi l'appeau de M. Seurel, la voix de Mouchebœuf puis d'autres voix qui m'appelaient…

Il y avait là une troupe de six grands gamins, où, seul, le traître Mouchebœuf avait l'air triomphant. C'était Giraudat, Auberger, Delage et d'autres… Grâce à l'appeau, on avait pris les uns grimpés dans un merisier isolé au milieu d'une clairière ; les autres en train de dénicher des pics-verts. Giraudat, le nigaud aux yeux bouffis, à la blouse crasseuse, avait caché les petits dans son estomac, entre sa chemise et sa peau. Deux de leurs compagnons s'étaient enfuis à l'approche de M. Seurel : ce devaient être Delouche et le petit Coffin. Ils avaient d'abord répondu par des plaisanteries à l'adresse de

« Mouchevache ! », que répétaient les échos des bois, et celui-ci, maladroitement, se croyant sûr de son affaire, avait répondu, vexé :

« Vous n'avez qu'à descendre, vous savez ! M. Seurel est là... »

Alors tout s'était tu subitement ; ç'avait été une fuite silencieuse à travers le bois. Et comme ils le connaissaient à fond, il ne fallait pas songer à les rejoindre. On ne savait pas non plus où le grand Meaulnes était passé. On n'avait pas entendu sa voix ; et l'on dut renoncer à poursuivre les recherches.

Il était plus de midi lorsque nous reprîmes la route de Sainte-Agathe, lentement, la tête basse, fatigués, terreux. À la sortie du bois, lorsque nous eûmes frotté et secoué la boue de nos souliers sur la route sèche, le soleil commença de frapper dur. Déjà ce n'était plus ce matin de printemps si frais et si luisant. Les bruits de l'après-midi avaient commencé. De loin en loin un coq criait, cri désolé ! dans les fermes désertes aux alentours de la route. À la descente du Glacis, nous nous arrêtâmes un instant pour causer avec des ouvriers des champs qui avaient repris leur travail après le déjeuner. Ils étaient accoudés à la barrière, et M. Seurel leur disait :

« De fameux galopins ! Tenez, regardez Giraudat. Il a mis les oisillons dans sa chemise. Ils ont fait là-dedans ce qu'ils ont voulu. C'est du propre !... »

Il me semblait que c'était de ma débâcle aussi que les ouvriers riaient. Ils riaient en hochant la tête, mais ils ne donnaient pas tout à fait tort aux jeunes gars qu'ils connaissaient bien. Ils nous confièrent même, lorsque M. Seurel eut repris la tête de la colonne :

« Il y en a un autre qui est passé, un grand, vous savez bien... Il a dû rencontrer, en revenant, la voiture des Granges, et on l'a fait monter ; il est descendu, plein de terre, tout déchiré, ici, à l'entrée du chemin des Granges ! Nous lui avons dit que nous vous avions vus passer ce matin, mais que vous n'étiez pas de retour encore. Et il a continué tout doucement sa route vers Sainte-Agathe. »

En effet, assis sur une pile du pont des Glacis, nous attendait le grand Meaulnes, l'air brisé de fatigue. Aux questions de M. Seurel, il répondit que lui aussi était parti à la recherche des écoliers buissonniers. Et à celle que je lui posai tout bas, il dit seulement en hochant la tête avec découragement :

« Non ! rien ! rien qui ressemble à ça. »

Après déjeuner, dans la classe fermée, noire et vide, au milieu du pays radieux, il s'assit à l'une des grandes tables et, la tête dans les bras, il dormit longtemps, d'un sommeil triste et lourd. Vers le soir, après un long instant de réflexion, comme s'il venait de prendre une décision importante, il écrivit une lettre à sa mère. Et c'est tout ce que je me rappelle de cette morne fin d'un grand jour de défaite.

CHAPITRE X

LA LESSIVE

Nous avions escompté trop tôt la venue du printemps.

Le lundi soir, nous voulûmes faire nos devoirs aussitôt après 4 heures comme en plein été, et pour y voir plus clair nous sortîmes deux grandes tables dans la cour. Mais le temps s'assombrit tout de suite ; une goutte de pluie tomba sur un cahier ; nous rentrâmes en hâte. Et de la grande salle obscurcie, par les larges fenêtres, nous regardions silencieusement dans le ciel gris la déroute des nuages.

Alors Meaulnes, qui regardait comme nous, la main sur une poignée de croisée [1], ne put s'empêcher de dire, comme s'il eût été fâché de sentir monter en lui tant de regret :

---

1. Poignée de fenêtre.

« Ah ! ils filaient autrement que cela les nuages, lorsque j'étais sur la route, dans la voiture de la Belle-Étoile.

– Sur quelle route ? » demanda Jasmin.

Mais Meaulnes ne répondit pas.

« Moi, dis-je, pour faire diversion, j'aurais aimé voyager comme cela en voiture, par la pluie battante, abrité sous un grand parapluie.

– Et lire tout le long du chemin comme dans une maison, ajouta un autre.

– Il ne pleuvait pas et je n'avais pas envie de lire, répondit Meaulnes, je ne pensais qu'à regarder le pays. »

Mais lorsque Giraudat, à son tour, demanda de quel pays il s'agissait, Meaulnes de nouveau resta muet. Et Jasmin dit :

« Je sais… Toujours la fameuse aventure !… »

Il avait dit ces mots d'un ton conciliant et important, comme s'il eût été lui-même un peu dans le secret. Ce fut peine perdue ; ses avances lui restèrent pour compte ; et comme la nuit tombait chacun s'en fut au galop, la blouse relevée sur la tête, sous la froide averse.

Jusqu'au jeudi suivant le temps resta à la pluie. Et ce jeudi-là fut plus triste encore que le précédent. Toute la campagne était baignée dans une sorte de brume glacée comme aux plus mauvais jours de l'hiver.

Millie, trompée par le beau soleil de l'autre semaine, avait fait faire la lessive, mais il ne fallait pas songer à mettre sécher le linge sur les haies du jardin, ni même sur des cordes dans le grenier, tant l'air était humide et froid.

En discutant avec M. Seurel, il lui vint l'idée d'étendre sa lessive dans les classes, puisque c'était jeudi, et de chauffer le poêle à blanc. Pour économiser les feux de la cuisine et de la salle à manger, on ferait cuire les repas sur le poêle et nous nous tiendrions toute la journée dans la grande salle du Cours.

Au premier instant – j'étais si jeune encore ! –, je considérai cette nouveauté comme une fête.

Morne fête !... Toute la chaleur du poêle était prise par la lessive et il faisait grand froid. Dans la cour, tombait interminablement et mollement une petite pluie d'hiver. C'est là pourtant que dès 9 heures du matin, dévoré d'ennui, je retrouvai le grand Meaulnes. Par les barreaux du grand portail, où nous appuyions silencieusement nos têtes, nous regardâmes, au haut du bourg, sur les Quatre-Routes, le cortège d'un enterrement venu du fond de la campagne. Le cercueil, amené dans une charrette à bœufs, était déchargé et posé sur une dalle, au pied de la grande croix où le boucher avait aperçu naguère les sentinelles du bohémien ! Où était-il maintenant, le jeune capitaine qui si bien menait l'abordage ?... Le curé et les chantres[1] vinrent comme c'était l'usage au-devant du cercueil posé là, et les tristes chants arrivaient jusqu'à nous. Ce serait là, nous le savions, le seul spectacle de la journée, qui s'écoulerait tout entière comme une eau jaunie dans un caniveau.

« Et maintenant, dit Meaulnes soudain, je vais préparer mon bagage. Apprends-le, Seurel : j'ai écrit à ma mère jeudi dernier, pour lui demander de finir mes études à Paris. C'est aujourd'hui que je pars. »

Il continuait à regarder vers le bourg, les mains appuyées aux barreaux, à la hauteur de sa tête. Inutile de demander si sa mère, qui était riche et lui passait toutes ses volontés, lui avait passé celle-là. Inutile aussi de demander pourquoi soudainement il désirait s'en aller à Paris !...

Mais il y avait en lui, certainement, le regret et la crainte de quitter ce cher pays de Sainte-Agathe d'où il était parti pour son aventure. Quant à moi, je sentais monter une désolation violente que je n'avais pas sentie d'abord.

« Pâques approche ! dit-il pour m'expliquer, avec un soupir.

1. Les chantres sont les maîtres de chœur dans une église ou dans un monastère, chantant et faisant chanter.

– Dès que tu l'auras trouvée là-bas, tu m'écriras, n'est-ce pas ? demandai-je.

– C'est promis, bien sûr. N'es-tu pas mon compagnon et mon frère ?... »

Et il me posa la main sur l'épaule.

Peu à peu je comprenais que c'était bien fini, puisqu'il voulait terminer ses études à Paris ; jamais plus je n'aurais avec moi mon grand camarade.

Il n'y avait d'espoir, pour nous réunir, qu'en cette maison de Paris où devait se retrouver la trace de l'aventure perdue... Mais de voir Meaulnes lui-même si triste, quel pauvre espoir c'était là pour moi !

Mes parents furent avertis : M. Seurel se montra très étonné, mais se rendit bien vite aux raisons d'Augustin ; Millie, femme d'intérieur, se désola surtout à la pensée que la mère de Meaulnes verrait notre maison dans un désordre inaccoutumé... La malle, hélas ! fut bientôt faite. Nous cherchâmes sous l'escalier ses souliers des dimanches ; dans l'armoire, un peu de linge ; puis ses papiers et ses livres d'école – tout ce qu'un jeune homme de dix-huit ans possède au monde.

À midi, Mme Meaulnes arrivait avec sa voiture. Elle déjeuna au café Daniel en compagnie d'Augustin, et l'emmena sans donner presque aucune explication, dès que le cheval fut affené [1] et attelé. Sur le seuil, nous leur dîmes au revoir ; et la voiture disparut au tournant des Quatre-Routes.

Millie frotta ses souliers devant la porte et rentra dans la froide salle à manger, remettre en ordre ce qui avait été dérangé. Quant à moi, je me trouvai, pour la première fois depuis de longs mois, seul en face d'une longue soirée de jeudi – avec l'impression que, dans cette vieille voiture, mon adolescence venait de s'en aller pour toujours.

1. Affener : donner du foin aux chevaux, du fourrage aux bestiaux.

CHAPITRE XI

JE TRAHIS…

Que faire ?

Le temps s'élevait un peu. On eût dit que le soleil allait se montrer.

Une porte claquait dans la grande maison. Puis le silence retombait. De temps à autre mon père traversait la cour, pour remplir un seau de charbon dont il bourrait le poêle. J'apercevais les linges blancs pendus aux cordes et je n'avais aucune envie de rentrer dans le triste endroit transformé en séchoir, pour m'y trouver en tête à tête avec l'examen de la fin de l'année, ce concours de l'École normale qui devait être désormais ma seule préoccupation.

Chose étrange : à cet ennui qui me désolait se mêlait comme une sensation de liberté. Meaulnes parti, toute cette aventure terminée et manquée, il me semblait du moins que j'étais libéré de cet étrange souci, de cette occupation mystérieuse, qui ne me permettaient plus d'agir comme tout le monde. Meaulnes parti, je n'étais plus son compagnon d'aventures, le frère de ce chasseur de pistes ; je redevenais un gamin du bourg pareil aux autres. Et cela était facile et je n'avais qu'à suivre pour cela mon inclination la plus naturelle.

Le cadet des Roy passa dans la rue boueuse, faisant tourner au bout d'une ficelle, puis lâchant en l'air trois marrons attachés qui retombèrent dans la cour. Mon désœuvrement était si grand que je pris plaisir à lui relancer deux ou trois fois ses marrons de l'autre côté du mur.

Soudain je le vis abandonner ce jeu puéril pour courir vers un tombereau qui venait par le chemin de la Vieille-Planche. Il eut vite fait de grimper par-derrière sans même que la voiture s'arrêtât. Je reconnaissais le petit tombereau de Delouche et son cheval. Jasmin conduisait ; le gros Boujardon était debout. Ils revenaient du pré.

« Viens avec nous, François ! » cria Jasmin, qui devait savoir déjà que Meaulnes était parti.

Ma foi ! sans avertir personne, j'escaladai la voiture cahotante et me tins comme les autres, debout, appuyé contre un des montants du tombereau. Il nous conduisit chez la veuve Delouche…

Nous sommes maintenant dans l'arrière-boutique, chez la bonne femme qui est en même temps épicière et aubergiste. Un rayon de soleil blanc glisse à travers la fenêtre basse sur les boîtes en fer-blanc et sur les tonneaux de vinaigre. Le gros Boujardon s'assoit sur l'appui de la fenêtre et tourné vers nous, avec un gros rire d'homme pâteux, il mange des biscuits à la cuiller. À la portée de la main, sur un tonneau, la boîte est ouverte et entamée. Le petit Roy pousse des cris de plaisir. Une sorte d'intimité de mauvais aloi s'est établie entre nous. Jasmin et Boujardon seront maintenant mes camarades, je le vois. Le cours de ma vie a changé tout d'un coup. Il me semble que Meaulnes est parti depuis très longtemps et que son aventure est une vieille histoire triste, mais finie.

Le petit Roy a déniché sous une planche une bouteille de liqueur entamée. Delouche nous offre à chacun la goutte, mais il n'y a qu'un verre et nous buvons tous dans le même. On me sert le premier avec un peu de condescendance comme si je n'étais pas habitué à ces mœurs de chasseurs et de paysans… Cela me gêne un peu. Et comme on vient à parler de Meaulnes, l'envie me prend, pour dissiper cette gêne et retrouver mon aplomb, de montrer que je connais son histoire et de la raconter un peu. En quoi cela pourrait-il lui nuire puisque tout est fini maintenant de ses aventures ici ?…

……………………………………………………… [1]

1. Cette ligne de point de suspension marque l'insertion d'un récit ou d'un propos rapporté de Seurel (et cette fois son ellipse dans le texte).

Est-ce que je raconte mal cette histoire ? Elle ne produit pas l'effet que j'attendais.

Mes compagnons, en bons villageois que rien n'étonne, ne sont pas surpris pour si peu.

« C'était une noce, quoi ! » dit Boujardon.

Delouche en a vu une, à Préveranges, qui était plus curieuse encore.

Le château ? On trouverait certainement des gens du pays qui en ont entendu parler.

La jeune fille ? Meaulnes se mariera avec elle quand il aura fait son année de service.

« Il aurait dû, ajoute l'un d'eux, nous en parler et nous montrer son plan au lieu de confier cela à un bohémien !… »

Empêtré dans mon insuccès, je veux profiter de l'occasion pour exciter leur curiosité : je me décide à expliquer qui était ce bohémien ; d'où il venait ; son étrange destinée… Boujardon et Delouche ne veulent rien entendre : « C'est celui-là qui a tout fait. C'est lui qui a rendu Meaulnes insociable, Meaulnes qui était un si brave camarade ! C'est lui qui a organisé toutes ces sottises d'abordages et d'attaques nocturnes, après nous avoir tous embrigadés comme un bataillon scolaire… »

« Tu sais, dit Jasmin, en regardant Boujardon, et en secouant la tête à petits coups, j'ai rudement bien fait de le dénoncer aux gendarmes. En voilà un qui a fait du mal au pays et qui en aurait fait encore !… »

Me voici presque de leur avis. Tout aurait sans doute autrement tourné si nous n'avions pas considéré l'affaire d'une façon si mystérieuse et si tragique. C'est l'influence de ce Frantz qui a tout perdu…

Mais soudain, tandis que je suis absorbé dans ces réflexions, il se fait du bruit dans la boutique. Jasmin Delouche cache rapidement son flacon de goutte derrière un tonneau ; le gros Boujardon dégringole du haut de sa fenêtre, met le pied sur une bouteille vide et poussiéreuse qui roule, et manque deux fois de s'étaler. Le petit Roy les pousse par-derrière, pour sortir plus vite, à demi suffoqué de rire.

Sans bien comprendre ce qui se passe je m'enfuis avec eux, nous traversons la cour et nous grimpons par une échelle dans un grenier à foin. J'entends une voix de femme qui nous traite de propres-à-rien !...

« Je n'aurais pas cru qu'elle serait rentrée si tôt », dit Jasmin tout bas.

Je comprends, maintenant seulement, que nous étions là en fraude, à voler des gâteaux et de la liqueur. Je suis déçu comme ce naufragé qui croyait causer avec un homme et qui reconnut soudain que c'était un singe [1]. Je ne songe plus qu'à quitter ce grenier, tant ces aventures-là me déplaisent. D'ailleurs la nuit tombe... On me fait passer par-derrière, traverser deux jardins, contourner une mare ; je me retrouve dans la rue mouillée, boueuse, où se reflète la lueur du café Daniel.

Je ne suis pas fier de ma soirée. Me voici aux Quatre-Routes. Malgré moi, tout d'un coup, je revois, au tournant, un visage dur et fraternel qui me sourit ; un dernier signe de la main – et la voiture disparaît...

Un vent froid fait claquer ma blouse, pareil au vent de cet hiver qui était si tragique et si beau. Déjà tout me paraît moins facile. Dans la grande classe où l'on m'attend pour dîner, de brusques courants d'air traversent la maigre tiédeur que répand le poêle. Je grelotte, tandis qu'on me reproche mon après-midi de vagabondage. Je n'ai pas même, pour rentrer dans la régulière vie passée, la consolation de prendre place à table et de retrouver mon siège habituel. On n'a pas mis la table ce soir-là ; chacun dîne sur ses genoux, où il peut, dans la salle de classe obscure. Je mange silencieusement la galette cuite sur le poêle, qui devait être la récompense

1. Peut-être une allusion à un épisode du *Robinson suisse* (1833), de Johann David et Johann Rudolf Wyss, autre roman d'aventures qu'Alain-Fournier avait lu.

de ce jeudi passé dans l'école, et qui a brûlé sur les cercles rougis.

Le soir, tout seul dans ma chambre, je me couche bien vite pour étouffer le remords que je sens monter du fond de ma tristesse. Mais par deux fois je me suis éveillé, au milieu de la nuit, croyant entendre, la première fois, le craquement du lit voisin, où Meaulnes avait coutume de se retourner brusquement d'une seule pièce, et, l'autre fois, son pas léger de chasseur aux aguets, à travers les greniers du fond…

CHAPITRE XII

LES TROIS LETTRES DE MEAULNES

De toute ma vie je n'ai reçu que trois lettres de Meaulnes. Elles sont encore chez moi dans un tiroir de commode. Je retrouve chaque fois que je les relis la même tristesse que naguère.

La première m'arriva dès le surlendemain de son départ.

> Mon cher François,
>
> Aujourd'hui, dès mon arrivée à Paris, je suis allé devant la maison indiquée. Je n'ai rien vu. Il n'y avait personne, Il n'y aura jamais personne [1].
>
> La maison que disait Frantz est un petit hôtel à un étage. La chambre de Mlle de Galais doit être au premier. Les fenêtres du haut sont les plus cachées par les arbres. Mais en passant sur le trottoir on les voit très bien. Tous les rideaux sont fermés et il faudrait être fou pour espérer qu'un jour, entre un de ces rideaux tirés, le visage d'Yvonne de Galais puisse apparaître.

---

1. Cette lettre rappelle une lettre d'Alain-Fournier à Jacques Rivière du 12 avril 1907 et une réminiscence d'un épisode vécu avec Yvonne de Quiévrecourt.

C'est sur un boulevard. Il pleuvait un peu dans les arbres déjà verts. On entendait les cloches claires des tramways qui passaient indéfiniment.

Pendant près de deux heures, je me suis promené de long en large sous les fenêtres. Il y a un marchand de vins chez qui je me suis arrêté pour boire, de façon à n'être pas pris pour un bandit qui veut faire un mauvais coup. Puis j'ai repris ce guet sans espoir.

La nuit est venue. Les fenêtres se sont allumées un peu partout mais non pas dans cette maison. Il n'y a certainement personne. Et pourtant Pâques approche.

Au moment où j'allais partir, une jeune fille, ou une jeune femme – je ne sais – est venue s'asseoir sur un des bancs mouillés de pluie. Elle était vêtue de noir avec une petite collerette blanche. Lorsque je suis parti, elle était encore là, immobile malgré le froid du soir, à attendre je ne sais quoi, je ne sais qui. Tu vois que Paris est plein de fous comme moi.

AUGUSTIN.

Le temps passa. Vainement, j'attendis un mot d'Augustin le lundi de Pâques et durant tous les jours qui suivirent – jours où il semble, tant ils sont calmes après la grande fièvre de Pâques, qu'il n'y ait plus qu'à attendre l'été. Juin ramena le temps des examens et une terrible chaleur dont la buée suffocante planait sur le pays sans qu'un souffle de vent la vînt dissiper. La nuit n'apportait aucune fraîcheur et par conséquent aucun répit à ce supplice. C'est durant cet insupportable mois de juin que je reçus la deuxième lettre du grand Meaulnes.

Juin 189…

Mon cher ami,

Cette fois tout espoir est perdu. Je le sais depuis hier soir. La douleur, que je n'avais presque pas sentie tout de suite, monte depuis ce temps.

Tous les soirs, j'allais m'asseoir sur ce banc, guettant, réfléchissant, espérant malgré tout.

Hier après dîner, la nuit était noire et étouffante. Des gens causaient sur le trottoir, sous les arbres. Au-dessus des noirs feuillages, verdis par les lumières, les appartements des seconds, des troisièmes étages étaient éclairés. Çà et là, une fenêtre que l'été avait ouverte toute grande... On voyait la lampe allumée sur la table, refoulant à peine autour d'elle la chaude obscurité de juin ; on voyait presque jusqu'au fond de la pièce... Ah ! si la fenêtre noire d'Yvonne de Galais s'était allumée aussi, j'aurais osé, je crois, monter l'escalier, frapper, entrer...

La jeune fille de qui je t'ai parlé était là encore, attendant comme moi. Je pensai qu'elle devait connaître la maison et je l'interrogeai :

« Je sais, a-t-elle dit, qu'autrefois, dans cette maison une jeune fille et son frère venaient passer les vacances. Mais j'ai appris que le frère avait fui le château de ses parents sans qu'on puisse jamais le retrouver, et la jeune fille s'est mariée. C'est ce qui vous explique que l'appartement soit fermé. »

Je suis parti. Au bout de dix pas mes pieds butaient sur le trottoir et je manquais tomber. La nuit – c'était la nuit dernière – lorsqu'enfin les enfants et les femmes se sont tus, dans les cours, pour me laisser dormir, j'ai commencé d'entendre rouler les fiacres dans la rue. Ils ne passaient que de loin en loin. Mais quand l'un était passé, malgré moi, j'attendais l'autre : le grelot, les pas du cheval qui claquaient sur l'asphalte... et cela répétait : c'est la ville déserte, ton amour perdu, la nuit interminable, l'été, la fièvre...

Seurel, mon ami, je suis dans une grande détresse.

AUGUSTIN.

Lettres de peu de confidence, quoi qu'il paraisse ! Meaulnes ne me disait ni pourquoi il était resté si longtemps silencieux, ni ce qu'il comptait faire maintenant. J'eus l'impression qu'il rompait avec moi, parce que son aventure était finie, comme il rompait avec son passé. J'eus beau lui écrire, en effet, je ne reçus plus de réponse. Un mot de félicitations seulement, lorsque j'obtins mon Brevet simple. En septembre je sus par un camarade d'école qu'il était venu en vacances chez sa mère à la Ferté-d'Angillon. Mais nous dûmes, cette année-là, invités par mon oncle Florentin du Vieux-Nançay, passer chez lui les vacances. Et Meaulnes repartit pour Paris sans que j'aie pu le voir.

À la rentrée, exactement vers la fin de novembre, tandis que je m'étais remis avec une morne ardeur à préparer le Brevet supérieur, dans l'espoir d'être nommé instituteur l'année suivante, sans passer par l'École normale de Bourges, je reçus la dernière des trois lettres que j'aie jamais reçues d'Augustin :

> Je passe encore sous cette fenêtre, écrivait-il. J'attends encore, sans le moindre espoir, par folie. À la fin de ces froids dimanches d'automne, au moment où il va faire nuit, je ne puis me décider à rentrer, à fermer les volets de ma chambre, sans être retourné là-bas, dans la rue gelée.
>
> Je suis comme cette folle de Sainte-Agathe qui sortait à chaque minute sur le pas de la porte et regardait, la main sur les yeux, du côté de la gare, pour voir si son fils qui était mort ne venait pas.
>
> Assis sur le banc, grelottant, misérable, je me plais à imaginer que quelqu'un va me prendre doucement par le bras… Je me retournerais. Ce serait elle. « Je me suis un peu attardée », dirait-elle simplement. Et toute peine et toute démence s'évanouissent. Nous entrons dans notre maison. Ses fourrures sont toutes glacées, sa voilette mouillée ; elle apporte avec elle le goût de brume du dehors ; et tandis qu'elle s'approche du feu, je vois ses cheveux blonds givrés, son beau profil au dessin si doux penché vers la flamme…
>
> Hélas ! la vitre reste blanchie par le rideau qui est derrière. Et la jeune fille du Domaine perdu l'ouvrirait-elle, que je n'ai maintenant plus rien à lui dire.
>
> Notre aventure est finie. L'hiver de cette année est mort comme la tombe. Peut-être quand nous mourrons, peut-être la mort seule nous donnera la clef et la suite et la fin de cette aventure manquée.
>
> Seurel, je te demandais l'autre jour de penser à moi. Maintenant, au contraire, il vaut mieux m'oublier. Il vaudrait mieux tout oublier.
>
> ……………………………………………………………………
>
> A. M.

Et ce fut un nouvel hiver, aussi mort que le précédent avait été vivant d'une mystérieuse vie : la place de l'église sans bohémiens ; la cour d'école que les gamins désertaient à 4 heures… la salle de classe où j'étudiais seul et sans goût… En février, pour la première fois de l'hiver, la neige tomba, ensevelissant définitivement notre roman d'aventures de l'an passé, brouillant toute piste, effaçant les dernières traces. Et je m'efforçai, comme Meaulnes me l'avait demandé dans sa lettre, de tout oublier.

Troisième partie

CHAPITRE PREMIER

LA BAIGNADE

Fumer la cigarette, se mettre de l'eau sucrée sur les cheveux pour qu'ils frisent, embrasser les filles du Cours complémentaire dans les chemins et crier « À la cornette [1] ! » derrière la haie pour narguer la religieuse qui passe, c'était la joie de tous les mauvais drôles du pays. À vingt ans, d'ailleurs, les mauvais drôles de cette espèce peuvent très bien s'amender et deviennent parfois des jeunes gens fort sensibles. Le cas est plus grave lorsque le drôle en question a la figure déjà vieillotte et fanée, lorsqu'il s'occupe des histoires louches des femmes du pays, lorsqu'il dit de Gilberte Poquelin mille bêtises pour faire rire les autres. Mais enfin le cas n'est pas encore désespéré...

C'était le cas de Jasmin Delouche. Il continuait, je ne sais pourquoi, mais certainement sans aucun désir de passer les examens, à suivre le Cours supérieur que tout le monde aurait voulu lui voir abandonner. Entre-temps, il apprenait avec son oncle Dumas le métier de plâtrier. Et bientôt ce Jasmin Delouche, avec Boujardon et un autre garçon très doux, le fils de l'adjoint qui s'appelait

1. Coiffure spécifique de certains ordres de religieuses et correspondant à un costume bien défini. Les cornettes sont parfois à bords déployés, parfois à bords repliés.

Denis, furent les seuls grands élèves que j'aimasse à fréquenter, parce qu'ils étaient « du temps de Meaulnes ».

Il y avait d'ailleurs, chez Delouche, un désir très sincère d'être mon ami. Pour tout dire, lui qui avait été l'ennemi du grand Meaulnes, il eût voulu devenir le grand Meaulnes de l'école : tout au moins regrettait-il peut-être de n'avoir pas été son lieutenant. Moins lourd que Boujardon, il avait senti, je pense, tout ce que Meaulnes avait apporté, dans notre vie, d'extraordinaire. Et souvent je l'entendais répéter :

« Il le disait bien, le grand Meaulnes… » ou encore : « Ah ! disait le grand Meaulnes… »

Outre que Jasmin était plus homme que nous, le vieux petit gars disposait de trésors d'amusements qui consacraient sur nous sa supériorité : un chien de race mêlée, aux longs poils blancs, qui répondait au nom agaçant de Bécali et rapportait les pierres qu'on lançait au loin, sans avoir d'aptitude bien nette pour aucun autre sport ; une vieille bicyclette achetée d'occasion et sur quoi Jasmin nous faisait quelquefois monter, le soir après le cours, mais avec laquelle il préférait exercer les filles du pays ; enfin et surtout un âne blanc et aveugle qui pouvait s'atteler à tous les véhicules.

C'était l'âne de Dumas, mais il le prêtait à Jasmin quand nous allions nous baigner au Cher, en été. Sa mère, à cette occasion, donnait une bouteille de limonade que nous mettions sous le siège, parmi les caleçons de bains desséchés. Et nous partions, huit ou dix grands élèves du Cours, accompagnés de M. Seurel, les uns à pied, les autres grimpés dans la voiture à âne, qu'on laissait à la ferme de Grand'Fons, au moment où le chemin du Cher devenait trop raviné.

J'ai lieu de me rappeler jusqu'en ses moindres détails une promenade de ce genre, où l'âne de Jasmin conduisit au Cher nos caleçons, nos bagages, la limonade et M. Seurel, tandis que nous suivions à pied par-derrière. On était au mois d'août. Nous venions de passer les examens. Délivrés de ce souci, il nous semblait que tout l'été, tout le bonheur nous appartenaient, et nous marchions sur la route en chantant, sans savoir quoi ni pourquoi, au début d'un bel après-midi de jeudi.

Il n'y eut, à l'aller, qu'une ombre à ce tableau innocent. Nous aperçûmes, marchant devant nous, Gilberte Poquelin. Elle avait la taille bien prise, une jupe demi-longue, des souliers hauts, l'air doux et effronté d'une gamine qui devient une jeune fille. Elle quitta la route et prit un chemin détourné, pour aller chercher du lait sans doute. Le petit Coffin proposa aussitôt à Jasmin de la suivre.

« Ce ne serait pas la première fois que j'irais l'embrasser… », dit l'autre.

Et il se mit à raconter sur elle et ses amies plusieurs histoires grivoises, tandis que toute la troupe, par fanfaronnade, s'engageait dans le chemin, laissant M. Seurel continuer en avant, sur la route, dans la voiture à âne. Une fois là, pourtant, la bande commença à s'égrener. Delouche lui-même paraissait peu soucieux de s'attaquer devant nous à la gamine qui filait, et il ne l'approcha pas à plus de cinquante mètres. Il y eut quelques cris de coq et de poules, des petits coups de sifflets galants, puis nous rebroussâmes chemin, un peu mal à l'aise, abandonnant la partie. Sur la route, en plein soleil, il fallut courir. Nous ne chantions plus.

Nous nous déshabillâmes et rhabillâmes dans les saulaies arides qui bordent le Cher. Les saules nous abritaient des regards, mais non pas du soleil. Les pieds dans le sable et la vase desséchée, nous ne pensions qu'à la bouteille de limonade de la veuve Delouche, qui fraîchissait dans la fontaine de Grand'Fons, une fontaine creusée dans la rive même du Cher. Il y avait toujours, dans le fond, des herbes glauques et deux ou trois bêtes pareilles à des cloportes ; mais l'eau était si claire, si transparente, que les pêcheurs n'hésitaient pas à s'agenouiller, les deux mains sur chaque bord, pour y boire.

Hélas ! ce fut ce jour-là comme les autres fois… Lorsque, tous habillés, nous nous mettions en rond, les jambes croisées en tailleur, pour nous partager, dans deux gros verres sans pied, la limonade rafraîchie, il ne revenait guère à chacun, lorsqu'on avait prié M. Seurel de prendre sa part, qu'un peu de mousse qui piquait le gosier et ne faisait qu'irriter la soif. Alors, à tour de rôle, nous allions à la fontaine que nous avions d'abord méprisée, et nous approchions lentement le visage de la surface de l'eau pure. Mais tous n'étaient pas habitués à ces mœurs d'hommes des champs. Beaucoup, comme moi, n'arrivaient pas à se désaltérer : les uns, parce qu'ils n'aimaient pas l'eau, d'autres, parce qu'ils avaient le gosier serré par la peur d'avaler un cloporte, d'autres, trompés par la grande transparence de l'eau immobile et n'en sachant pas calculer exactement la surface, s'y baignaient la moitié du visage en même temps que la bouche et aspiraient âcrement par le nez une eau qui leur semblait brûlante, d'autres enfin pour toutes ces raisons à la fois... N'importe ! il nous semblait, sur ces bords arides du Cher, que toute la fraîcheur terrestre était enclose en ce lieu. Et maintenant encore, au seul mot de fontaine, prononcé n'importe où, c'est à celle-là pendant longtemps, que je pense.

Le retour se fit à la brune [1], avec insouciance d'abord, comme l'aller. Le chemin de Grand'Fons, qui remontait vers la route, était un ruisseau l'hiver et, l'été, un ravin impraticable, coupé de trous et de grosses racines, qui montait dans l'ombre entre de grandes haies d'arbres. Une partie des baigneurs s'y engagea par jeu. Mais nous suivîmes, avec M. Seurel, Jasmin et plusieurs camarades, un sentier doux et sablonneux, parallèle à celui-là, qui longeait la terre voisine. Nous entendions causer et rire les autres, près de nous, au-dessous de nous, invisibles dans l'ombre, tandis que Delouche racontait ses histoires d'homme... Au faîte des arbres de la grande haie grésillaient les insectes du soir qu'on voyait, sur le clair du ciel, remuer tout autour de la dentelle des feuillages.

1. Terme vieilli pour désigner le crépuscule.

Parfois il en dégringolait un, brusquement, dont le bourdonnement grinçait tout à coup. – Beau soir d'été calme !... Retour, sans espoir mais sans désir, d'une pauvre partie de campagne... Ce fut encore Jasmin, sans le vouloir, qui vint troubler cette quiétude...

Au moment où nous arrivions au sommet de la côte, à l'endroit où il reste deux grosses vieilles pierres qu'on dit être les vestiges d'un château fort, il en vint à parler des domaines qu'il avait visités et spécialement d'un domaine à demi abandonné aux environs du Vieux-Nançay : le domaine des Sablonnières. Avec cet accent de l'Allier qui arrondit vaniteusement certains mots et abrège avec préciosité les autres, il racontait avoir vu quelques années auparavant, dans la chapelle en ruines de cette vieille propriété, une pierre tombale sur laquelle étaient gravés ces mots :

Ci-gît le chevalier Galois
Fidèle à son Dieu, à son Roi, à sa Belle.

« Ah ! Bah ! Tiens ! » disait M. Seurel, avec un léger haussement d'épaules, un peu gêné du ton que prenait la conversation, mais désireux cependant de nous laisser parler comme des hommes.

Alors Jasmin continua de décrire ce château, comme s'il y avait passé sa vie.

Plusieurs fois, en revenant du Vieux-Nançay, Dumas et lui avaient été intrigués par la vieille tourelle grise qu'on apercevait au-dessus des sapins. Il y avait là, au milieu des bois, tout un dédale de bâtiments ruinés que l'on pouvait visiter en l'absence des maîtres. Un jour, un garde de l'endroit, qu'ils avaient fait monter dans leur voiture, les avait conduits dans le domaine étrange. Mais depuis lors on avait fait tout abattre ; il ne restait plus guère, disait-on, que la ferme et une petite maison de plaisance. Les habitants étaient toujours les mêmes : un vieil officier retraité, demi-ruiné et sa fille.

Il parlait... Il parlait... J'écoutais attentivement, sentant sans m'en rendre compte qu'il s'agissait là d'une chose bien connue de moi, lorsque soudain, tout simplement, comme se font les choses extraordinaires, Jasmin se tourna vers moi et, me touchant le bras, frappé d'une idée qui ne lui était jamais venue :

« Tiens, mais, j'y pense, dit-il, c'est là que Meaulnes – tu sais, le grand Meaulnes ? – avait dû aller.

« Mais oui, ajouta-t-il, car je ne répondais pas, et je me rappelle que le garde parlait du fils de la maison, un excentrique, qui avait des idées extraordinaires… »

Je ne l'écoutais plus, persuadé dès le début qu'il avait deviné juste et que devant moi, loin de Meaulnes, loin de tout espoir, venait de s'ouvrir, net et facile comme une route familière, le chemin du Domaine sans nom [1].

CHAPITRE II

CHEZ FLORENTIN

Autant j'avais été un enfant malheureux et rêveur et fermé, autant je devins résolu et, comme on dit chez nous, « décidé », lorsque je sentis que dépendait de moi l'issue de cette grave aventure.

Ce fut, je crois bien, à dater de ce soir-là que mon genou cessa définitivement de me faire mal.

Au Vieux-Nançay, qui était la commune du domaine des Sablonnières, habitait toute la famille de M. Seurel et en particulier mon oncle Florentin, un commerçant chez qui nous passions quelquefois la fin de septembre. Libéré de tout examen, je ne voulus pas attendre et j'obtins d'aller immédiatement voir mon oncle. Mais je décidai de ne rien faire savoir à Meaulnes aussi longtemps que je ne serais pas certain de pouvoir lui annoncer quelque bonne nouvelle. À quoi bon en effet

1. Voir le premier titre du récit, *Le Pays sans nom.*

l'arracher à son désespoir pour l'y replonger ensuite plus profondément peut-être ?

Le Vieux-Nançay fut pendant très longtemps le lieu du monde que je préférais, le pays des fins des vacances, où nous n'allions que bien rarement, lorsqu'il se trouvait une voiture à louer pour nous y conduire. Il y avait eu, jadis, quelque brouille avec la branche de la famille qui habitait là-bas, et c'est pourquoi sans doute Millie se faisait tant prier chaque fois pour monter en voiture. Mais moi, je me souciais bien de ces fâcheries !... Et sitôt arrivé, je me perdais et m'ébattais parmi les oncles, les cousines et les cousins, dans une existence faite de mille occupations amusantes et de plaisirs qui me ravissaient.

Nous descendions chez l'oncle Florentin et la tante Julie, qui avaient un garçon de mon âge, le cousin Firmin, et huit filles dont les aînées, Marie-Louise, Charlotte, pouvaient avoir dix-sept et quinze ans. Ils tenaient un très grand magasin à l'une des entrées de ce bourg de Sologne, devant l'église – un magasin universel[1], auquel s'approvisionnaient tous les châtelains-chasseurs de la région, isolés dans la contrée perdue, à trente kilomètres de toute gare.

Ce magasin, avec ses comptoirs d'épicerie et de rouennerie[2], donnait par de nombreuses fenêtres sur la route et, par la porte vitrée, sur la grande place de l'église. Mais, chose étrange, quoique assez ordinaire dans ce pays pauvre, la terre battue dans toute la boutique tenait lieu de plancher.

Par-derrière, c'étaient six chambres, chacune remplie d'une seule et même marchandise : la chambre aux chapeaux, la chambre au jardinage, la chambre aux lampes... que sais-je ? Il me semblait, lorsque j'étais

---

1. Nom donné à un magasin qui vendait de tout, et en particulier des produits d'épicerie ainsi que des produits agricoles et horticoles. C'était aussi le titre d'un magazine de vente au XIXe siècle.

On trouve une première évocation de l'oncle Florentin et de son magasin dans une lettre à Jacques Rivière du 13 août 1905.

2. Toile de coton peinte fabriquée à Rouen.

enfant et que je traversais ce dédale d'objets de bazar, que je n'en épuiserais jamais du regard toutes les merveilles. Et, à cette époque encore, je trouvais qu'il n'y avait de vraies vacances que passées en ce lieu.

La famille vivait dans une grande cuisine dont la porte s'ouvrait sur le magasin – cuisine où brillaient aux fins de septembre de grandes flambées de cheminée, où les chasseurs et les braconniers qui vendaient du gibier à Florentin venaient de grand matin se faire servir à boire, tandis que les petites filles, déjà levées, couraient, criaient, se passaient les unes aux autres du « sent-y-bon » sur leurs cheveux lissés. Aux murs, de vieilles photographies, de vieux « groupes scolaires » jaunis montraient mon père – on mettait longtemps à le reconnaître en uniforme – au milieu de ses camarades d'École normale…

C'est là que se passaient nos matinées ; et aussi dans la cour où Florentin faisait pousser des dahlias et élevait des pintades ; où l'on torréfiait le café, assis sur des boîtes à savon ; où nous déballions des caisses remplies d'objets divers précieusement enveloppés et dont nous ne savions pas toujours le nom…

Toute la journée, le magasin était envahi par des paysans ou par les cochers des châteaux voisins. À la porte vitrée s'arrêtaient et s'égouttaient, dans le brouillard de septembre, des charrettes, venues du fond de la campagne. Et de la cuisine nous écoutions ce que disaient les paysannes, curieux de toutes leurs histoires…

Mais le soir, après 8 heures, lorsqu'avec des lanternes on portait le foin aux chevaux dont la peau fumait dans l'écurie – tout le magasin nous appartenait !

Marie-Louise, qui était l'aînée de mes cousines mais une des plus petites, achevait de plier et de ranger les piles de drap dans la boutique ; elle nous encourageait à venir la distraire. Alors Firmin et moi avec toutes les filles, nous faisions irruption dans la grande boutique, sous les lampes d'auberge, tournant les moulins à café, faisant des tours de force sur les comptoirs ; et parfois

Firmin allait chercher dans les greniers, car la terre battue invitait à la danse, quelque vieux trombone plein de vert-de-gris... [1].

Je rougis encore à l'idée que, les années précédentes, Mlle de Galais eût pu venir à cette heure et nous surprendre au milieu de ces enfantillages... Mais ce fut un peu avant la tombée de la nuit, un soir de ce mois d'août, tandis que je causais tranquillement avec Marie-Louise et Firmin, que je la vis pour la première fois...

Dès le soir de mon arrivée au Vieux-Nançay, j'avais interrogé mon oncle Florentin sur le Domaine des Sablonnières.

« Ce n'est plus un Domaine, avait-il dit. On a tout vendu, et les acquéreurs, des chasseurs, ont fait abattre les vieux bâtiments pour agrandir leurs terrains de chasse ; la cour d'honneur n'est plus maintenant qu'une lande de bruyères et d'ajoncs. Les anciens possesseurs n'ont gardé qu'une petite maison d'un étage et la ferme. Tu auras bien l'occasion de voir ici Mademoiselle de Galais ; c'est elle-même qui vient faire ses provisions, tantôt en selle, tantôt en voiture, mais toujours avec le même cheval, le vieux Bélisaire... [2]. C'est un drôle d'équipage ! »

---

1. Le magasin de l'oncle Florentin est inspiré par celui du propre oncle de l'auteur à Nançay et qu'il décrit ainsi à Jacques Rivière dans une lettre du 13 août 1905 : « La vie dans cet immense magasin, je renonce à te la décrire. Ça m'a toujours paru, comme dans *David Copperfield*, un monde – tout ce qui passe, s'arrête, marchande ; toutes les voitures venues sous la pluie s'égoutter à la porte pendant qu'on marchande, toutes les voitures venues sous le soleil par les routes de Souèmes, les odeurs de café dans l'épicerie, les odeurs de la chambre aux chapeaux, de la chambre aux chaussures, de la chambre aux huiles, de la chambre aux parapluies, des chambres à n'en plus finir où je passe avec, à ma main, de petites cousines à l'accent drôle qui sonne comme "Souesmes". »

2. Bélisaire est le nom d'un général romain né autour de l'an 500, fidèle serviteur de l'empereur Justinien et victorieux dans de nombreuses batailles destinées à maintenir l'unité de l'Empire romain d'Orient et à reconquérir l'Occident. Il est devenu, à cause de désaveux

J'étais si troublé que je ne savais plus quelle question poser pour en apprendre davantage.

« Ils étaient riches, pourtant ?

– Oui. Monsieur de Galais donnait des fêtes pour amuser son fils, un garçon étrange, plein d'idées extraordinaires. Pour le distraire, il imaginait ce qu'il pouvait. On faisait venir des Parisiennes… des gars de Paris et d'ailleurs…

« Toutes les Sablonnières étaient en ruine, Madame de Galais près de sa fin, qu'ils cherchaient encore à l'amuser et lui passaient toutes ses fantaisies. C'est l'hiver dernier – non, l'autre hiver, qu'ils ont fait leur plus grande fête costumée. Ils avaient invité moitié gens de Paris et moitié gens de campagne. Ils avaient acheté ou loué des quantités d'habits merveilleux, des jeux, des chevaux, des bateaux. Toujours pour amuser Frantz de Galais. On disait qu'il allait se marier et qu'on fêtait là ses fiançailles. Mais il était bien trop jeune. Et tout a cassé d'un coup ; il s'est sauvé ; on ne l'a jamais revu… La châtelaine morte, Mademoiselle de Galais est restée soudain toute seule avec son père, le vieux capitaine de vaisseau.

– N'est-elle pas mariée ? demandai-je enfin.

– Non, dit-il, je n'ai entendu parler de rien. Serais-tu un prétendant ? »

Tout déconcerté, je lui avouai aussi brièvement, aussi discrètement que possible, que mon meilleur ami, Augustin Meaulnes, peut-être, en serait un.

« Ah ! dit Florentin, en souriant, s'il ne tient pas à la fortune, c'est un joli parti… Faudra-t-il que j'en parle à Monsieur de Galais ? Il vient encore quelquefois jusqu'ici chercher du petit plomb pour la chasse. Je lui fais toujours goûter ma vieille eau-de-vie de marc. »

Mais je le priai bien vite de n'en rien faire, d'attendre. Et moi-même je ne me hâtai pas de prévenir Meaulnes. Tant d'heureuses chances accumulées m'inquiétaient un

---

de l'empereur à son égard, le symbole, dans la peinture et dans la littérature, de l'ingratitude des puissants à l'égard de ceux qui les servent.

peu. Et cette inquiétude me commandait de ne rien annoncer à Meaulnes que je n'eusse au moins vu la jeune fille.

Je n'attendis pas longtemps. Le lendemain, un peu avant le dîner, la nuit commençait à tomber ; une brume fraîche, plutôt de septembre que d'août, descendait avec la nuit. Firmin et moi, pressentant le magasin vide d'acheteurs un instant, nous étions venus voir Marie-Louise et Charlotte. Je leur avais confié le secret qui m'amenait au Vieux-Nançay à cette date prématurée. Accoudés sur le comptoir ou assis les deux mains à plat sur le bois ciré, nous nous racontions mutuellement ce que nous savions de la mystérieuse jeune fille – et cela se réduisait à fort peu de chose – lorsqu'un bruit de roues nous fit tourner la tête.

« La voici, c'est elle », dirent-ils à voix basse.

Quelques secondes après, devant la porte vitrée, s'arrêtait l'étrange équipage. Une vieille voiture de ferme, aux panneaux arrondis, avec de petites galeries moulées, comme nous n'en avions jamais vu dans cette contrée ; un vieux cheval blanc qui semblait toujours vouloir brouter quelque herbe sur la route, tant il baissait la tête pour marcher ; et sur le siège – je le dis dans la simplicité de mon cœur, mais sachant bien ce que je dis – la jeune fille la plus belle qu'il y ait peut-être jamais eu au monde.

Jamais je ne vis tant de grâce s'unir à tant de gravité. Son costume lui faisait la taille si mince qu'elle semblait fragile. Un grand manteau marron, qu'elle enleva en entrant, était jeté sur ses épaules. C'était la plus grave des jeunes filles, la plus frêle des femmes. Une lourde chevelure blonde pesait sur son front et sur son visage délicatement dessiné, finement modelé. Sur son teint très pur, l'été avait posé deux taches de rousseur… Je ne remarquai qu'un défaut à tant de beauté : aux moments de tristesse, de découragement ou seulement de réflexion profonde, ce visage si pur se marbrait légèrement de rouge, comme il arrive chez certains malades gravement atteints sans qu'on le sache. Alors toute l'admiration de celui qui la regardait faisait place à une sorte de pitié d'autant plus déchirante qu'elle surprenait davantage.

Voilà du moins ce que je découvrais, tandis qu'elle descendait lentement de voiture et qu'enfin Marie-Louise, me présentant avec aisance à la jeune fille, m'engageait à lui parler.

On lui avança une chaise cirée et elle s'assit, adossée au comptoir, tandis que nous restions debout. Elle paraissait bien connaître et aimer le magasin. Ma tante Julie, aussitôt prévenue, arriva, et le temps qu'elle parla, sagement, les mains croisées sur son ventre, hochant doucement sa tête de paysanne-commerçante coiffée d'un bonnet blanc, retarda le moment – qui me faisait trembler un peu – où la conversation s'engagerait avec moi…

Ce fut très simple.

« Ainsi, dit Mlle de Galais, vous serez bientôt instituteur ? »

Ma tante allumait au-dessus de nos têtes la lampe de porcelaine qui éclairait faiblement le magasin. Je voyais le doux visage enfantin de la jeune fille, ses yeux bleus si ingénus, et j'étais d'autant plus surpris de sa voix si nette, si sérieuse. Lorsqu'elle cessait de parler, ses yeux se fixaient ailleurs, ne bougeaient plus en attendant la réponse, et elle tenait sa lèvre un peu mordue.

« J'enseignerais, moi aussi, dit-elle, si M. de Galais voulait ! J'enseignerais les petits garçons, comme votre mère… »

Et elle sourit, montrant ainsi que mes cousins lui avaient parlé de moi.

« C'est, continua-t-elle, que les villageois sont toujours avec moi polis, doux et serviables. Et je les aime beaucoup. Mais aussi quel mérite ai-je à les aimer ?…

« Tandis qu'avec l'institutrice, ils sont, n'est-ce pas ? chicaniers [1] et avares. Il y a sans cesse des histoires de porte-plume perdus, de cahiers trop chers ou d'enfants

1. Tatillons, procéduriers.

qui n'apprennent pas... Eh bien, je me débattrais avec eux et ils m'aimeraient tout de même. Ce serait beaucoup plus difficile... »

Et, sans sourire, elle reprit sa pose songeuse et enfantine, son regard bleu, immobile.

Nous étions gênés tous les trois par cette aisance à parler des choses délicates, de ce qui est secret, subtil, et dont on ne parle bien que dans les livres. Il y eut un instant de silence ; et lentement une discussion s'engagea...

Mais avec une sorte de regret et d'animosité contre je ne sais quoi de mystérieux dans sa vie, la jeune demoiselle poursuivit :

« Et puis j'apprendrais aux garçons à être sages, d'une sagesse que je sais. Je ne leur donnerais pas le désir de courir le monde, comme vous le ferez sans doute, monsieur Seurel, quand vous serez sous-maître. Je leur enseignerais à trouver le bonheur qui est tout près d'eux et qui n'en a pas l'air... »

Marie-Louise et Firmin étaient interdits comme moi. Nous restions sans mot dire. Elle sentit notre gêne et s'arrêta, se mordit la lèvre, baissa la tête et puis elle sourit comme si elle se moquait de nous :

« Ainsi, dit-elle, il y a peut-être quelque grand jeune homme fou qui me cherche au bout du monde, pendant que je suis ici dans le magasin de madame Florentin, sous cette lampe, et que mon vieux cheval m'attend à la porte. Si ce jeune homme me voyait, il ne voudrait pas y croire, sans doute ?... »

De la voir sourire, l'audace me prit et je sentis qu'il était temps de dire, en riant aussi :

« Et peut-être que ce grand jeune homme fou, je le connais, moi ? »

Elle me regarda vivement.

À ce moment le timbre de la porte sonna, deux bonnes femmes entrèrent avec des paniers :

« Venez dans la "salle à manger", vous serez en paix », nous dit ma tante en poussant la porte de la cuisine.

Et comme Mlle de Galais refusait et voulait partir aussitôt, ma tante ajouta :

« M. de Galais est ici et cause avec Florentin, auprès du feu. »

Il y avait toujours, même au mois d'août, dans la grande cuisine, un éternel fagot de sapins qui flambait et craquait. Là aussi une lampe de porcelaine était allumée et un vieillard au doux visage, creusé et rasé, presque toujours silencieux comme un homme accablé par l'âge et les souvenirs, était assis auprès de Florentin devant deux verres de marc.

Florentin salua :

« François ! cria-t-il de sa forte voix de marchand forain, comme s'il y avait eu entre nous une rivière ou plusieurs hectares de terrain, je viens d'organiser une après-midi de plaisir au bord du Cher pour jeudi prochain. Les uns chasseront, les autres pêcheront, les autres danseront, les autres se baigneront !... Mademoiselle, vous viendrez à cheval ; c'est entendu avec M. de Galais. J'ai tout arrangé...

« Et, François ! ajouta-t-il comme s'il y eût seulement pensé, tu pourras amener ton ami, monsieur Meaulnes... C'est bien Meaulnes qu'il s'appelle ? »

Mlle de Galais s'était levée, soudain devenue très pâle. Et, à ce moment précis, je me rappelai que Meaulnes, autrefois, dans le Domaine singulier, près de l'étang, lui avait dit son nom...

Lorsqu'elle me tendit la main, pour partir, il y avait entre nous, plus clairement que si nous avions dit beaucoup de paroles, une entente secrète que la mort seule devait briser et une amitié plus pathétique qu'un grand amour.

... À 4 heures, le lendemain matin, Firmin frappait à la porte de la petite chambre que j'habitais dans la cour aux pintades. Il faisait nuit encore et j'eus grand-peine à retrouver mes affaires sur la table encombrée de chandeliers de cuivre et de statuettes de bons saints toutes neuves, choisies au magasin pour meubler mon logis la veille de mon arrivée. Dans la cour, j'entendais Firmin gonfler ma bicyclette, et ma tante dans la cuisine souffler le feu. Le soleil se levait à peine lorsque je partis. Mais ma journée devait être longue : j'allais d'abord déjeuner à Sainte-Agathe pour expliquer mon absence prolongée et, poursuivant ma course je devais arriver avant le soir à La Ferté-d'Angillon, chez mon ami Augustin Meaulnes.

CHAPITRE III

UNE APPARITION

Je n'avais jamais fait de longue course à bicyclette. Celle-ci était la première. Mais, depuis longtemps, malgré mon mauvais genou, en cachette, Jasmin m'avait appris à monter. Si déjà pour un jeune homme ordinaire la bicyclette est un instrument bien amusant, que ne devait-elle pas sembler à un pauvre garçon comme moi, qui naguère encore traînais misérablement la jambe, trempé de sueur, dès le quatrième kilomètre !... Du haut des côtes, descendre et s'enfoncer dans le creux des paysages ; découvrir comme à coups d'ailes les lointains de la route qui s'écartent et fleurissent à votre approche, traverser un village dans l'espace d'un instant et l'emporter tout entier d'un coup d'œil... En rêve seulement j'avais connu jusque-là course aussi charmante, aussi légère. Les côtes mêmes me trouvaient plein d'entrain. Car c'était, il faut le dire, le chemin du pays de Meaulnes que je buvais ainsi...

« Un peu avant l'entrée du bourg, me disait Meaulnes, lorsque jadis il décrivait son village, on voit une grande roue à palettes que le vent fait tourner... » Il ne savait pas à quoi elle servait, ou peut-être feignait-il de n'en rien savoir pour piquer ma curiosité davantage.

C'est seulement au déclin de cette journée de fin d'août que j'aperçus, tournant au vent dans une immense prairie, la grande roue qui devait monter l'eau pour une métairie voisine. Derrière les peupliers du pré se découvraient déjà les premiers faubourgs. À mesure que je suivais le grand détour que faisait la route pour contourner le ruisseau, le paysage s'épanouissait et s'ouvrait... Arrivé sur le pont, je découvris enfin la grand-rue du village.

Des vaches paissaient, cachées dans les roseaux de la prairie, et j'entendais leurs cloches, tandis que, descendu de bicyclette, les deux mains sur mon guidon, je regardais le pays où j'allais porter une si grave nouvelle. Les maisons, où l'on entrait en passant sur un petit pont de bois, étaient toutes alignées au bord d'un fossé qui descendait la rue, comme autant de barques, voiles carguées, amarrées dans le calme du soir. C'était l'heure où dans chaque cuisine on allume un feu.

Alors la crainte et je ne sais quel obscur regret de venir troubler tant de paix commencèrent à m'enlever tout courage. À point pour aggraver ma soudaine faiblesse, je me rappelai que la tante Moinel habitait là, sur une petite place de La Ferté-d'Angillon.

C'était une de mes grand-tantes. Tous ses enfants étaient morts et j'avais bien connu Ernest, le dernier de tous, un grand garçon qui allait être instituteur. Mon grand-oncle Moinel, le vieux greffier [1], l'avait suivi de près. Et ma tante était restée toute seule dans sa bizarre petite maison où les tapis étaient faits d'échantillons cousus, les tables couvertes de coqs, de poules et de chats en papier – mais où les murs étaient tapissés de vieux diplômes, de portraits de défunts, de médaillons en boucles de cheveux morts.

Avec tant de regrets et de deuil, elle était la bizarrerie et la bonne humeur mêmes. Lorsque j'eus découvert la petite place où se tenait sa maison, je l'appelai bien fort

1. Assistant du juge.

par la porte entrouverte, et je l'entendis tout au bout des trois pièces en enfilade pousser un petit cri suraigu :

« Eh là ! Mon Dieu ! »

Elle renversa son café dans le feu – à cette heure-là comment pouvait-elle faire du café ? – et elle apparut... Très cambrée en arrière, elle portait une sorte de chapeau-capote-capeline sur le faîte de la tête, tout en haut de son front immense et cabossé où il y avait de la femme mongole et de la Hottentote [1] ; et elle riait à petits coups, montrant le reste de ses dents très fines.

Mais tandis que je l'embrassais, elle me prit maladroitement, hâtivement, une main que j'avais derrière le dos. Avec un mystère parfaitement inutile puisque nous étions tous les deux seuls, elle me glissa une petite pièce que je n'osai pas regarder et qui devait être de un franc... Puis comme je faisais mine de demander des explications ou de la remercier, elle me donna une bourrade en criant :

« Va donc ! Ah ! je sais bien ce que c'est ! »

Elle avait toujours été pauvre, toujours empruntant, toujours dépensant.

« J'ai toujours été bête et toujours malheureuse », disait-elle sans amertume mais de sa voix de fausset [2].

Persuadée que les sous me préoccupaient comme elle, la brave femme n'attendait pas que j'eusse soufflé pour me cacher dans la main ses très minces économies de la journée. Et par la suite c'est toujours ainsi qu'elle m'accueillit.

Le dîner fut aussi étrange – à la fois triste et bizarre – que l'avait été la réception. Toujours une bougie à portée de la main, tantôt elle l'enlevait, me laissant dans l'ombre, et tantôt la posait sur la petite table couverte de plats et de vases ébréchés ou fendus.

---

1. L'adjectif renvoie à un peuple nomade de l'Afrique de l'Ouest. Ainsi substantivé, il est une abréviation pour la Vénus Hottentote, dont le moulage et le squelette sont conservés depuis le début du XIXe siècle au musée de l'Homme.

2. Voix ayant un timbre très aigu.

« Celui-là, disait-elle, les Prussiens lui ont cassé les anses, en soixante-dix[1], parce qu'ils ne pouvaient pas l'emporter. »

Je me rappelai seulement alors, en revoyant ce grand vase à la tragique histoire, que nous avions dîné et couché là jadis. Mon père m'emmenait dans l'Yonne, chez un spécialiste qui devait guérir mon genou. Il fallait prendre un grand express qui passait avant le jour... Je me souvins du triste dîner de jadis, de toutes les histoires du vieux greffier accoudé devant sa bouteille de boisson rose.

Et je me souvenais aussi de mes terreurs... Après le dîner, assise devant le feu, ma grand-tante avait pris mon père à part pour lui raconter une histoire de revenants : « Je me retourne... Ah ! mon pauvre Louis, qu'est-ce que je vois, une petite femme grise... » Elle passait pour avoir la tête farcie de ces sornettes terrifiantes.

Et voici que ce soir-là, le dîner fini, lorsque, fatigué par la bicyclette, je fus couché dans la grande chambre avec une chemise de nuit à carreaux de l'oncle Moinel, elle vint s'asseoir à mon chevet et commença de sa voix la plus mystérieuse et la plus pointue :

« Mon pauvre François, il faut que je te raconte à toi ce que je n'ai jamais dit à personne... »

Je pensai :

« Mon affaire est bonne, me voilà terrorisé pour toute la nuit, comme il y a dix ans !... »

Et j'écoutai. Elle hochait la tête, regardant droit devant soi comme si elle se fût raconté l'histoire à elle-même :

« Je revenais d'une fête avec Moinel. C'était le premier mariage où nous allions tous les deux, depuis la mort de notre pauvre Ernest ; et j'y avais rencontré ma sœur Adèle que je n'avais pas vue depuis quatre ans ! Un vieil ami de Moinel, très riche, l'avait invité à la noce de son fils, au domaine des Sablonnières. Nous avions loué une

1. Nouvelle allusion à la guerre franco-prussienne de 1870-1871.

voiture. Cela nous avait coûté bien cher. Nous revenions sur la route vers 7 heures du matin, en plein hiver. Le soleil se levait. Il n'y avait absolument personne. Qu'est-ce que je vois tout d'un coup devant nous, sur la route ? Un petit homme, un petit jeune homme arrêté, beau comme le jour, qui ne bougeait pas, qui nous regardait venir. À mesure que nous approchions, nous distinguions sa jolie figure, si blanche, si jolie que cela faisait peur !...

« Je prends le bras de Moinel ; je tremblais comme la feuille ; je croyais que c'était le Bon Dieu !... Je lui dis :

« "Regarde ! C'est une apparition !"

« Il me répond tout bas, furieux :

« "Je l'ai bien vu ! Tais-toi donc, vieille bavarde..."

« Il ne savait que faire ; lorsque le cheval s'est arrêté... De près, cela avait une figure pâle, le front en sueur, un béret sale et un pantalon long. Nous entendîmes sa voix douce, qui disait :

« "Je ne suis pas un homme, je suis une jeune fille [1]. Je me suis sauvée et je n'en puis plus. Voulez-vous bien me prendre dans votre voiture, Monsieur et Madame ?"

« Aussitôt nous l'avons fait monter. À peine assise, elle a perdu connaissance. Et devines-tu à qui nous avions affaire ? C'était la fiancée du jeune homme des Sablonnières, Frantz de Galais, chez qui nous étions invités aux noces !

– Mais il n'y a pas eu de noces, dis-je, puisque la fiancée s'est sauvée !

– Eh bien, non, fit-elle toute penaude en me regardant. Il n'y a pas eu de noces. Puisque cette pauvre folle s'était mis dans la tête mille folies qu'elle nous a expliquées. C'était une des filles d'un pauvre tisserand. Elle était persuadée que tant de bonheur était impossible ; que le jeune homme était trop jeune pour elle ; que toutes les merveilles qu'il lui décrivait étaient imaginaires, et lorsqu'enfin Frantz est venu la chercher, Valentine a pris

1. Indétermination qui touche ici le genre.

peur. Il se promenait avec elle et sa sœur dans le jardin de l'Archevêché à Bourges, malgré le froid et le grand vent. Le jeune homme, par délicatesse certainement et parce qu'il aimait la cadette, était plein d'attentions pour l'aînée. Alors ma folle s'est imaginé je ne sais quoi ; elle a dit qu'elle allait chercher un fichu à la maison ; et là, pour être plus sûre de n'être pas suivie, elle a revêtu des habits d'homme et s'est enfuie à pied sur la route de Paris.

« Son fiancé a reçu d'elle une lettre où elle lui déclarait qu'elle allait rejoindre un jeune homme qu'elle aimait. Et ce n'était pas vrai…

« "Je suis plus heureuse de mon sacrifice, me disait-elle, que si j'étais sa femme." Oui, mon imbécile, mais en attendant, il n'avait pas du tout l'idée d'épouser sa sœur ; il s'est tiré une balle de pistolet ; on a vu le sang dans le bois ; mais on n'a jamais retrouvé son corps.

– Et qu'avez-vous fait de cette malheureuse fille ?

– Nous lui avons fait boire une goutte, d'abord. Puis nous lui avons donné à manger et elle a dormi auprès du feu quand nous avons été de retour. Elle est restée chez nous une bonne partie de l'hiver. Tout le jour, tant qu'il faisait clair, elle taillait, cousait des robes, arrangeait des chapeaux et nettoyait la maison avec rage. C'est elle qui a recollé toute la tapisserie que tu vois là. Et depuis son passage les hirondelles nichent dehors. Mais, le soir, à la tombée de la nuit, son ouvrage fini, elle trouvait toujours un prétexte pour aller dans la cour, dans le jardin, ou sur le devant de la porte, même quand il gelait à pierre fendre. Et on la découvrait là, debout, pleurant de tout son cœur.

« "Eh bien, qu'avez-vous encore ? Voyons ?

« – Rien, madame Moinel !"

« Et elle rentrait.

« Les voisins disaient :

« "Vous avez trouvé une bien jolie petite bonne, madame Moinel."

« Malgré nos supplications, elle a voulu continuer son chemin sur Paris, au mois de mars ; je lui ai donné des robes qu'elle a retaillées, Moinel lui a pris son billet à la gare et donné un peu d'argent.

« Elle ne nous a pas oubliés ; elle est couturière à Paris auprès de Notre-Dame ; elle nous écrit encore pour nous demander si nous ne savons rien des Sablonnières. Une bonne fois, pour la délivrer de cette idée, je lui ai répondu que le domaine était vendu, abattu, le jeune homme disparu pour toujours et la jeune fille mariée. Tout cela doit être vrai, je pense. Depuis ce temps ma Valentine écrit bien moins souvent... »

Ce n'était pas une histoire de revenants que racontait la tante Moinel de sa petite voix stridente si bien faite pour les raconter. J'étais cependant au comble du malaise. C'est que nous avions juré à Frantz le bohémien de le servir comme des frères et voici que l'occasion m'en était donnée...

Or, était-ce le moment de gâter la joie que j'allais porter à Meaulnes le lendemain matin, et de lui dire ce que je venais d'apprendre ? À quoi bon le lancer dans une entreprise mille fois impossible ? Nous avions en effet l'adresse de la jeune fille ; mais où chercher le bohémien qui courait le monde ?... Laissons les fous avec les fous, pensai-je... Delouche et Boujardon n'avaient pas tort. Que de mal nous a fait ce Frantz romanesque ! Et je résolus de ne rien dire tant que je n'aurais pas vu mariés Augustin Meaulnes et Mlle de Galais.

Cette résolution prise, il me restait encore l'impression pénible d'un mauvais présage – impression absurde que je chassai bien vite.

La chandelle était presque au bout ; un moustique vibrait ; mais la tante Moinel, la tête penchée sous sa capote de velours qu'elle ne quittait que pour dormir, les coudes appuyés sur ses genoux, recommençait son histoire... Par moments, elle relevait brusquement la tête et me regardait pour connaître mes impressions, ou peut-être pour voir si je ne m'endormais pas. À la fin, sournoisement, la tête sur l'oreiller, je fermai les yeux, faisant semblant de m'assoupir.

« Allons ! tu dors… », fit-elle d'un ton plus sourd et un peu déçu.

J'eus pitié d'elle et je protestai :

« Mais non, ma tante, je vous assure…

– Mais si ! dit-elle. Je comprends bien d'ailleurs que tout cela ne t'intéresse guère. Je te parle là de gens que tu n'as pas connus… »

Et lâchement, cette fois, je ne répondis pas.

CHAPITRE IV

LA GRANDE NOUVELLE

Il faisait, le lendemain matin, quand j'arrivai dans la grand-rue, un si beau temps de vacances, un si grand calme, et sur tout le bourg passaient des bruits si paisibles, si familiers, que j'avais retrouvé toute la joyeuse assurance d'un porteur de bonne nouvelle…

Augustin et sa mère habitaient l'ancienne maison d'école. À la mort de son père, retraité depuis longtemps, et qu'un héritage avait enrichi, Meaulnes avait voulu qu'on achetât l'école où le vieil instituteur avait enseigné pendant vingt années, où lui-même avait appris à lire. Non pas qu'elle fût d'aspect fort aimable : c'était une grosse maison carrée comme une mairie qu'elle avait été ; les fenêtres du rez-de-chaussée qui donnaient sur la rue étaient si hautes que personne n'y regardait jamais ; et la cour de derrière, où il n'y avait pas un arbre et dont un haut préau barrait la vue sur la campagne, était bien la plus sèche et la plus désolée cour d'école abandonnée que j'aie jamais vue…

Dans le couloir compliqué où s'ouvraient quatre portes, je trouvai la mère de Meaulnes rapportant du jardin un gros paquet de linge, qu'elle avait dû mettre sécher dès la première heure de cette longue matinée de vacances. Ses cheveux gris étaient à demi défaits ; des mèches lui battaient la figure ; son visage régulier sous sa coiffure ancienne était bouffi et fatigué, comme par une nuit de veille ; et elle baissait tristement la tête d'un air songeur.

Mais, m'apercevant soudain, elle me reconnut et sourit :

« Vous arrivez à temps, dit-elle. Voyez, je rentre le linge que j'ai fait sécher pour le départ d'Augustin. J'ai passé la nuit à régler ses comptes et à préparer ses affaires. Le train part à 5 heures, mais nous arriverons à tout apprêter… »

On eût dit, tant elle montrait d'assurance, qu'elle-même avait pris cette décision. Or, sans doute ignorait-elle même où Meaulnes devait aller.

« Montez, dit-elle, vous le trouverez dans la mairie en train d'écrire. »

En hâte je grimpai l'escalier, ouvris la porte de droite où l'on avait laissé l'écriteau *Mairie*, et me trouvai dans une grande salle à quatre fenêtres, deux sur le bourg, deux sur la campagne, ornée aux murs des portraits jaunis des présidents Grévy et Carnot. Sur une longue estrade qui tenait tout le fond de la salle, il y avait encore, devant une table à tapis vert, les chaises des conseillers municipaux. Au centre, assis sur un vieux fauteuil qui était celui du maire, Meaulnes écrivait, trempant sa plume au fond d'un encrier de faïence démodé, en forme de cœur. Dans ce lieu qui semblait fait pour quelque rentier de village, Meaulnes se retirait, quand il ne battait pas la contrée, durant les longues vacances…

Il se leva, dès qu'il m'eut reconnu, mais non pas avec la précipitation que j'avais imaginée :

« Seurel ! » dit-il seulement, d'un air de profond étonnement.

C'était le même grand gars au visage osseux, à la tête rasée. Une moustache inculte commençait à lui traîner sur les lèvres. Toujours ce même regard loyal… Mais sur l'ardeur des années passées on croyait voir comme un voile de brume, que par instants sa grande passion de jadis dissipait…

Il paraissait très troublé de me voir. D'un bond j'étais monté sur l'estrade. Mais, chose étrange à dire, il ne songea même pas à me tendre la main. Il s'était tourné vers moi, les mains derrière le dos, appuyé contre la table, renversé en arrière, et l'air profondément gêné. Déjà, me regardant sans me voir, il était absorbé par ce qu'il allait me dire. Comme autrefois et comme toujours, homme lent à commencer de parler, ainsi que sont les solitaires, les chasseurs et les hommes d'aventures, il avait pris une décision sans se soucier des mots qu'il faudrait pour l'expliquer. Et maintenant que j'étais devant lui, il commençait seulement à ruminer péniblement les paroles nécessaires.

Cependant, je lui racontais avec gaieté comment j'étais venu, où j'avais passé la nuit et que j'avais été bien surpris de voir Mme Meaulnes préparer le départ de son fils…

« Ah ! elle t'a dit ?… demanda-t-il.

– Oui. Ce n'est pas, je pense, pour un long voyage ?

– Si, un très long voyage. »

Un instant décontenancé, sentant que j'allais tout à l'heure, d'un mot, réduire à néant cette décision que je ne comprenais pas, je n'osais plus rien dire et ne savais par où commencer ma mission.

Mais lui-même parla enfin, comme quelqu'un qui veut se justifier.

« Seurel ! dit-il, tu sais ce qu'était pour moi mon étrange aventure de Sainte-Agathe. C'était ma raison de vivre et d'avoir de l'espoir. Cet espoir-là perdu, que pouvais-je devenir ?… Comment vivre à la façon de tout le monde !

« Eh bien j'ai essayé de vivre là-bas, à Paris, quand j'ai vu que tout était fini et qu'il ne valait plus même la peine de chercher le Domaine perdu… Mais un homme qui a fait une fois un bond dans le Paradis, comment pourrait-il s'accommoder ensuite de la vie de tout le monde [1] ? Ce qui est le bonheur des autres m'a paru dérision. Et lorsque, sincèrement, délibérément, j'ai décidé un jour de faire comme les autres, ce jour-là j'ai amassé du remords pour longtemps… »

Assis sur une chaise de l'estrade, la tête basse, l'écoutant sans le regarder, je ne savais que penser de ces explications obscures :

« Enfin, dis-je, Meaulnes, explique-toi mieux ! Pourquoi ce long voyage ? As-tu quelque faute à réparer ? une promesse à tenir ?

– Eh bien, oui, répondit-il. Tu te souviens de cette promesse que j'avais faite à Frantz ?…

– Ah ! fis-je, soulagé, il ne s'agit que de cela ?…

– De cela. Et peut-être aussi d'une faute à réparer. Les deux en même temps… »

Suivit un moment de silence pendant lequel je décidai de commencer à parler et préparai mes mots.

« Il n'y a qu'une explication à laquelle je croie, dit-il encore. Certes, j'aurais voulu revoir une fois Mlle de Galais, seulement la revoir… Mais, j'en suis persuadé maintenant, lorsque j'avais découvert le Domaine sans nom, j'étais à une hauteur, à un degré de perfection et de pureté que je n'atteindrai jamais plus. Dans la mort seulement, comme je te l'écrivais un jour, je retrouverai peut-être la beauté de ce temps-là… »

Il changea de ton pour reprendre avec une animation étrange, en se rapprochant de moi :

« Mais, écoute, Seurel ! Cette intrigue nouvelle et ce grand voyage, cette faute que j'ai commise et qu'il faut

---

1. L'aventure est ici présentée comme une parabole chrétienne, dans le développement de l'idée que le bonheur n'est pas de ce monde.

réparer, c'est, en un sens, mon ancienne aventure qui se poursuit... »

Un temps, pendant lequel péniblement il essaya de ressaisir ses souvenirs. J'avais manqué l'occasion précédente. Je ne voulais pour rien au monde laisser passer celle-ci ; et, cette fois, je parlai – trop vite, car je regrettai amèrement plus tard, de n'avoir pas attendu ses aveux.

Je prononçai donc ma phrase, qui était préparée pour l'instant d'avant, mais qui n'allait plus maintenant. Je dis, sans un geste, à peine en soulevant un peu la tête :

« Et si je venais t'annoncer que tout espoir n'est pas perdu ?... »

Il me regarda, puis, détournant brusquement les yeux, rougit comme je n'ai jamais vu quelqu'un rougir : une montée de sang qui devait lui cogner à grands coups dans les tempes...

« Que veux-tu dire ? » demanda-t-il enfin, à peine distinctement.

Alors, tout d'un trait, je racontai ce que je savais, ce que j'avais fait, et comment, la face des choses ayant tourné, il semblait presque que ce fût Yvonne de Galais qui m'envoyât vers lui.

Il était maintenant affreusement pâle.

Durant tout ce récit, qu'il écoutait en silence, la tête un peu rentrée, dans l'attitude de quelqu'un qu'on a surpris et qui ne sait comment se défendre, se cacher ou s'enfuir, il ne m'interrompit, je me rappelle, qu'une seule fois. Je lui racontais, en passant, que toutes les Sablonnières avaient été démolies et que le Domaine d'autrefois n'existait plus :

« Ah ! dit-il, tu vois... (comme s'il eût guetté une occasion de justifier sa conduite et le désespoir où il avait sombré) tu vois : il n'y a plus rien... »

Pour terminer, persuadé qu'enfin l'assurance de tant de facilité emporterait le reste de sa peine, je lui racontai qu'une partie de campagne était organisée par mon oncle Florentin, que Mlle de Galais devait y venir à cheval et que lui-même était invité… Mais il paraissait complètement désemparé et continuait à ne rien répondre.

« Il faut tout de suite décommander ton voyage, dis-je avec impatience. Allons avertir ta mère… »

Et comme nous descendions tous les deux :

« Cette partie de campagne ?… me demanda-t-il avec hésitation. Alors, vraiment, il faut que j'y aille ?…

– Mais, voyons, répliquai-je, cela ne se demande pas… »

Il avait l'air de quelqu'un qu'on pousse par les épaules.

En bas, Augustin avertit Mme Meaulnes que je déjeunerais avec eux, dînerais, coucherais là et que, le lendemain, lui-même louerait une bicyclette et me suivrait au Vieux-Nançay.

« Ah ! très bien », fit-elle, en hochant la tête, comme si ces nouvelles eussent confirmé toutes ses prévisions.

Je m'assis dans la petite salle à manger, sous les calendriers illustrés, les poignards ornementés et les outres soudanaises qu'un frère de M. Meaulnes, ancien soldat d'infanterie de marine, avait rapportés de ses lointains voyages.

Augustin me laissa là un instant, avant le repas, et, dans la chambre voisine, où sa mère avait préparé ses bagages, je l'entendis qui lui disait, en baissant un peu la voix, de ne pas défaire sa malle – car son voyage pouvait être seulement retardé…

CHAPITRE V

LA PARTIE DE PLAISIR

J'eus peine à suivre Augustin sur la route du Vieux-Nançay. Il allait comme un coureur de bicyclette. Il ne descendait pas aux côtes. À son inexplicable hésitation de la veille avaient succédé une fièvre, une nervosité, un désir d'arriver au plus vite, qui ne laissaient pas de m'effrayer un peu. Chez mon oncle il montra la même impatience, il parut incapable de s'intéresser à rien jusqu'au moment où nous fûmes tous installés en voiture, vers dix heures, le lendemain matin, et prêts à partir pour les bords de la rivière.

On était à la fin du mois d'août, au déclin de l'été. Déjà les fourreaux vides des châtaigniers jaunis commençaient à joncher les routes blanches. Le trajet n'était pas long ; la ferme des Aubiers, près du Cher où nous allions, ne se trouvait guère qu'à deux kilomètres au-delà des Sablonnières. De loin en loin, nous rencontrions d'autres invités en voiture, et même des jeunes gens à cheval, que Florentin avait conviés audacieusement au nom de M. de Galais... On s'était efforcé comme jadis de mêler riches et pauvres, châtelains et paysans. C'est ainsi que nous vîmes arriver à bicyclette Jasmin Delouche, qui, grâce au garde Baladier, avait fait naguère la connaissance de mon oncle.

« Et voilà, dit Meaulnes en l'apercevant, celui qui tenait la clef de tout, pendant que nous cherchions jusqu'à Paris. C'est à désespérer ! »

Chaque fois qu'il le regardait sa rancune en était augmentée. L'autre, qui s'imaginait au contraire avoir droit à toute notre reconnaissance, escorta notre voiture de très près, jusqu'au bout. On voyait qu'il avait fait, misérablement, sans grand résultat, des frais de toilette, et les pans de sa jaquette élimée battaient le garde-crotte de son vélocipède...

Malgré la contrainte qu'il s'imposait pour être aimable, sa figure vieillotte ne parvenait pas à plaire. Il m'inspirait plutôt à moi une vague pitié. Mais de qui n'aurais-je pas eu pitié durant cette journée-là ?...

Je ne me rappelle jamais cette partie de plaisir sans un obscur regret, comme une sorte d'étouffement. Je m'étais fait de ce jour tant de joie à l'avance ! Tout paraissait si parfaitement concerté pour que nous soyons heureux. Et nous l'avons été si peu !...

Que les bords du Cher étaient beaux, pourtant ! Sur la rive où l'on s'arrêta, le coteau venait finir en pente douce et la terre se divisait en petits prés verts, en saulaies séparées par des clôtures, comme autant de jardins minuscules. De l'autre côté de la rivière les bords étaient formés de collines grises, abruptes, rocheuses ; et sur les plus lointaines on découvrait, parmi les sapins, de petits châteaux romantiques avec une tourelle. Au loin, par instants, on entendait aboyer la meute du château de Préveranges.

Nous étions arrivés en ce lieu par un dédale de petits chemins, tantôt hérissés de cailloux blancs, tantôt remplis de sable – chemins qu'aux abords de la rivière les sources vives transformaient en ruisseaux. Au passage, les branches des groseilliers sauvages nous agrippaient par la manche. Et tantôt nous étions plongés dans la fraîche obscurité des fonds de ravins, tantôt au contraire, les haies interrompues, nous baignions dans la claire lumière de toute la vallée. Au loin sur l'autre rive, quand nous approchâmes, un homme accroché aux rocs, d'un geste lent, tendait des cordes à poissons. Qu'il faisait beau, mon Dieu !

Nous nous installâmes sur une pelouse, dans le retrait que formait un taillis de bouleaux. C'était une grande pelouse rase, où il semblait qu'il y eût place pour des jeux sans fin.

Les voitures furent dételées ; les chevaux conduits à la ferme des Aubiers. On commença à déballer les provisions dans le bois, et à dresser sur la prairie de petites tables pliantes que mon oncle avait apportées.

Il fallut, à ce moment, des gens de bonne volonté, pour aller à l'entrée du grand chemin voisin guetter les derniers arrivants et leur indiquer où nous étions. Je m'offris aussitôt ; Meaulnes me suivit, et nous allâmes nous poster près du pont suspendu, au carrefour de plusieurs sentiers et du chemin qui venait des Sablonnières.

Marchant de long en large, parlant du passé, tâchant tant bien que mal de nous distraire, nous attendions. Il arriva encore une voiture du Vieux-Nançay, des paysans inconnus avec une grande fille enrubannée. Puis plus rien. Si, trois enfants dans une voiture à âne, les enfants de l'ancien jardinier des Sablonnières.

« Il me semble que je les reconnais, dit Meaulnes. Ce sont eux, je crois bien, qui m'ont pris par la main, jadis, le premier soir de la fête, et m'ont conduit au dîner… »

Mais à ce moment, l'âne ne voulant plus marcher, les enfants descendirent pour le piquer, le tirer, cogner sur lui tant qu'ils purent ; alors Meaulnes, déçu, prétendit s'être trompé…

Je leur demandai s'ils avaient rencontré sur la route M. et Mlle de Galais. L'un d'eux répondait qu'il ne savait pas ; l'autre : « Je pense que oui, monsieur. » Et nous ne fûmes pas plus avancés. Ils descendirent enfin vers la pelouse, les uns tirant l'ânon par la bride, les autres poussant derrière la voiture. Nous reprîmes notre attente. Meaulnes regardait fixement le détour du chemin des Sablonnières, guettant avec une sorte d'effroi la venue de la jeune fille qu'il avait tant cherchée jadis. Un énervement bizarre et presque comique, qu'il passait sur Jasmin, s'était emparé de lui. Du petit talus où nous étions grimpés pour voir au loin le chemin, nous apercevions sur la pelouse, en contrebas, un groupe d'invités où Delouche essayait de faire bonne figure.

« Regarde-le pérorer, cet imbécile », me disait Meaulnes.

Et je lui répondais :

« Mais laisse-le. Il fait ce qu'il peut, le pauvre garçon. »

Augustin ne désarmait pas. Là-bas, un lièvre ou un écureuil avait dû déboucher d'un fourré. Jasmin, pour assurer sa contenance, fit mine de le poursuivre :

« Allons, bon ! Il court, maintenant… », fit Meaulnes, comme si vraiment cette audace-là dépassait toutes les autres !

Et cette fois je ne pus m'empêcher de rire. Meaulnes aussi ; mais ce ne fut qu'un éclair.

Après un nouveau quart d'heure :

« Si elle ne venait pas ?... », dit-il.

Je répondis :

« Mais puisqu'elle a promis. Sois donc plus patient ! »

Il recommença de guetter. Mais, à la fin, incapable de supporter plus longtemps cette attente intolérable :

« Écoute-moi, dit-il. Je redescends avec les autres. Je ne sais ce qu'il y a maintenant contre moi : mais si je reste là, je sens qu'elle ne viendra jamais – qu'il est impossible qu'au bout de ce chemin, tout à l'heure, elle apparaisse. »

Et il s'en alla vers la pelouse, me laissant tout seul. Je fis quelques cents mètres sur la petite route, pour passer le temps. Et au premier détour j'aperçus Yvonne de Galais, montée en amazone sur son vieux cheval blanc, si fringant ce matin-là qu'elle était obligée de tirer sur les rênes pour l'empêcher de trotter. À la tête du cheval, péniblement, en silence, marchait M. de Galais. Sans doute ils avaient dû se relayer sur la route, chacun à tour de rôle se servant de la vieille monture.

Quand la jeune fille me vit tout seul, elle sourit, sauta prestement à terre, et confiant les rênes à son père se dirigea vers moi qui accourais :

« Je suis bien heureuse, dit-elle, de vous trouver seul. Car je ne veux montrer à personne qu'à vous le vieux Bélisaire, ni le mettre avec les autres chevaux. Il est trop laid et trop vieux d'abord ; puis je crains toujours qu'il ne soit blessé par un autre. Or, je n'ose monter que lui, et, quand il sera mort, je n'irai plus à cheval. »

Chez Mlle de Galais, comme chez Meaulnes, je sentais sous cette animation charmante, sous cette grâce en apparence si paisible, de l'impatience et presque de l'anxiété. Elle parlait plus vite qu'à l'ordinaire. Malgré ses joues et ses pommettes roses, il y avait autour de ses yeux, à son front, par endroits, une pâleur violente où se lisait tout son trouble.

Nous convînmes d'attacher Bélisaire à un arbre dans un petit bois, proche de la route. Le vieux M. de Galais, sans mot dire comme toujours, sortit le licol des fontes et attacha la bête – un peu bas à ce qu'il me sembla. De la ferme je promis d'envoyer tout à l'heure du foin, de l'avoine, de la paille…

Et Mlle de Galais arriva sur la pelouse comme jadis, je l'imagine, elle descendit vers la berge du lac, lorsque Meaulnes l'aperçut pour la première fois.

Donnant le bras à son père, écartant de sa main gauche le pan du grand manteau léger qui l'enveloppait, elle s'avançait vers les invités, de son air à la fois si sérieux et si enfantin. Je marchais auprès d'elle. Tous les invités éparpillés ou jouant au loin s'étaient dressés et rassemblés pour l'accueillir ; il y eut un bref instant de silence pendant lequel chacun la regarda s'approcher.

Meaulnes s'était mêlé au groupe des jeunes hommes et rien ne pouvait le distinguer de ses compagnons, sinon sa haute taille : encore y avait-il là des jeunes gens presque aussi grands que lui. Il ne fit rien qui pût le désigner à l'attention, pas un geste ni un pas en avant. Je le voyais, vêtu de gris, immobile, regardant fixement, comme tous les autres, la si belle jeune fille qui venait. À la fin, pourtant, d'un mouvement inconscient et gêné, il avait passé sa main sur sa tête nue, comme pour cacher, au milieu de ses compagnons aux cheveux bien peignés, sa rude tête rasée de paysan.

Puis le groupe entoura Mlle de Galais. On lui présenta les jeunes filles et les jeunes gens qu'elle ne connaissait pas… Le tour allait venir de mon compagnon ; et je me sentais aussi anxieux qu'il pouvait l'être. Je me disposais à faire moi-même cette présentation.

Mais, avant que j'eusse pu rien dire, la jeune fille s'avançait vers lui avec une décision et une gravité surprenantes :

« Je reconnais Augustin Meaulnes », dit-elle.

Et elle lui tendit la main.

CHAPITRE VI

LA PARTIE DE PLAISIR *(fin)*

De nouveaux venus s'approchèrent presque aussitôt pour saluer Yvonne de Galais, et les deux jeunes gens se trouvèrent séparés. Un malheureux hasard voulut qu'ils ne fussent point réunis pour le déjeuner à la même petite table. Mais Meaulnes semblait avoir repris confiance et courage. À plusieurs reprises, comme je me trouvais isolé entre Delouche et M. de Galais, je vis de loin mon compagnon qui me faisait, de la main, un signe d'amitié.

C'est vers la fin de la soirée seulement, lorsque les jeux, la baignade, les conversations, les promenades en bateau dans l'étang voisin se furent un peu partout organisés, que Meaulnes, de nouveau, se trouva en présence de la jeune fille. Nous étions à causer avec Delouche, assis sur des chaises de jardin que nous avions apportées lorsque, quittant délibérément un groupe de jeunes gens où elle paraissait s'ennuyer, Mlle Yvonne de Galais s'approcha de nous. Elle nous demanda, je me rappelle, pourquoi nous ne canotions pas sur le lac des Aubiers, comme les autres.

« Nous avons fait quelques tours cet après-midi, répondis-je. Mais cela est bien monotone et nous avons été vite fatigués.

– Eh bien ! pourquoi n'iriez-vous pas sur la rivière ? dit-elle.

– Le courant est trop fort, nous risquerions d'être emportés.

– Il nous faudrait, dit Meaulnes, un canot à pétrole ou un bateau à vapeur comme celui d'autrefois.

– Nous ne l'avons plus, dit-elle presque à voix basse, nous l'avons vendu. »

Et il se fit un silence gêné.

Jasmin en profita pour annoncer qu'il allait rejoindre M. de Galais.

« Je saurai bien, dit-il, où le retrouver. »

Bizarrerie du hasard ! Ces deux êtres si parfaitement dissemblables s'étaient plu et depuis le matin ne se quittaient guère. M. de Galais m'avait pris à part un instant, au début de la soirée, pour me dire que j'avais là un ami plein de tact, de déférence et de qualités. Peut-être même avait-il été jusqu'à lui confier le secret de l'existence de Bélisaire et le lieu de sa cachette.

Je pensai moi aussi à m'éloigner, mais je sentais les deux jeunes gens si gênés, si anxieux l'un en face de l'autre, que je jugeai prudent de ne pas le faire…

Tant de discrétion de la part de Jasmin, tant de précaution de la mienne servirent à peu de chose. Ils parlèrent. Mais invariablement, avec un entêtement dont il ne se rendait certainement pas compte, Meaulnes en revenait à toutes les merveilles de jadis. Et chaque fois la jeune fille au supplice devait lui répéter que tout était disparu : la vieille demeure si étrange et si compliquée, abattue ; le grand étang, asséché, comblé ; et dispersés, les enfants aux charmants costumes…

« Ah ! » faisait simplement Meaulnes avec désespoir et comme si chacune de ces disparitions lui eût donné raison contre la jeune fille ou contre moi…

Nous marchions côte à côte… Vainement j'essayais de faire diversion à la tristesse qui nous gagnait tous les trois. D'une question abrupte, Meaulnes, de nouveau, cédait à son idée fixe. Il demandait des renseignements sur tout ce qu'il avait vu autrefois : les petites filles, le conducteur de la vieille berline, les poneys de la course. « Les poneys sont vendus aussi ? Il n'y a plus de chevaux au Domaine ?… »

Elle répondit qu'il n'y en avait plus. Elle ne parla pas de Bélisaire.

Alors il évoqua les objets de sa chambre : les candélabres, la grande glace, le vieux luth brisé… Il s'enquérait de tout cela, avec une passion insolite, comme s'il eût voulu se persuader que rien ne subsistait de sa belle aventure, que la jeune fille ne lui rapporterait pas une épave, capable de prouver qu'ils n'avaient pas rêvé tous les deux, comme le plongeur rapporte du fond de l'eau un caillou et des algues.

Mlle de Galais et moi, nous ne pûmes nous empêcher de sourire tristement : elle se décida à lui expliquer :

« Vous ne reverrez pas le beau château que nous avions arrangé, M. de Galais et moi, pour le pauvre Frantz.

« Nous passions notre vie à faire ce qu'il demandait. C'était un être si étrange, si charmant ! Mais tout a disparu avec lui le soir de ses fiançailles manquées.

« Déjà M. de Galais était ruiné sans que nous le sachions. Frantz avait fait des dettes et ses anciens camarades, apprenant sa disparition… ont aussitôt réclamé auprès de nous. Nous sommes devenus pauvres ; Mme de Galais est morte et nous avons perdu tous nos amis en quelques jours.

« Que Frantz revienne, s'il n'est pas mort. Qu'il retrouve ses amis et sa fiancée ; que la noce interrompue se fasse et peut-être tout redeviendra-t-il comme c'était autrefois. Mais le passé peut-il renaître ?

– Qui sait ! » dit Meaulnes, pensif. Et il ne demanda plus rien.

Sur l'herbe courte et légèrement jaunie déjà, nous marchions tous les trois sans bruit : Augustin avait à sa droite près de lui la jeune fille qu'il avait crue perdue pour toujours. Lorsqu'il posait une de ces dures questions, elle tournait vers lui lentement, pour lui répondre, son charmant visage inquiet ; et une fois, en lui parlant, elle avait posé doucement sa main sur son bras, d'un geste plein de confiance et de faiblesse. Pourquoi le grand Meaulnes était-il là comme un étranger, comme quelqu'un qui n'a pas trouvé ce qu'il cherchait et que rien d'autre ne peut intéresser ? Ce bonheur-là, trois ans plus tôt, il n'eût pu le supporter sans effroi, sans folie, peut-être. D'où venait donc ce vide, cet éloignement, cette impuissance à être heureux, qu'il y avait en lui, à cette heure ?

Nous approchions du petit bois où le matin M. de Galais avait attaché Bélisaire ; le soleil vers son déclin allongeait nos ombres sur l'herbe ; à l'autre bout de la pelouse, nous entendions, assourdis par l'éloignement, comme un bourdonnement heureux, les voix des joueurs et des fillettes, et nous restions silencieux dans ce calme admirable, lorsque nous entendîmes chanter de l'autre côté du bois, dans la direction des Aubiers, la ferme du bord de l'eau. C'était la voix jeune et lointaine de quelqu'un qui mène ses bêtes à l'abreuvoir, un air rythmé comme un air de danse, mais que l'homme étirait et alanguissait comme une vieille ballade triste :

Mes souliers sont rouges…
Adieu, mes amours…
Mes souliers sont rouges…
Adieu, sans retour[1] *!*

Meaulnes avait levé la tête et écoutait. Ce n'était rien qu'un de ces airs que chantaient les paysans attardés, au Domaine sans nom, le dernier soir de la fête, quand déjà tout s'était écroulé… Rien qu'un souvenir – le plus misérable – de ces beaux jours qui ne reviendraient plus.

« Mais vous l'entendez ? dit Meaulnes à mi-voix. Oh ! je vais aller voir qui c'est. » Et tout de suite, il s'engagea dans le petit bois. Presque aussitôt la voix se tut ; on entendit encore une seconde l'homme siffler ses bêtes en s'éloignant ; puis plus rien…

Je regardai la jeune fille. Pensive et accablée, elle avait les yeux fixés sur le taillis où Meaulnes venait de disparaître. Que de fois, plus tard, elle devait regarder ainsi, pensivement, le passage par où s'en irait à jamais le grand Meaulnes !

Elle se retourna vers moi :

« Il n'est pas heureux », dit-elle douloureusement.

---

1. Voir p. 82, note 1.

Elle ajouta :

« Et peut-être que je ne puis rien faire pour lui ?... »

J'hésitais à répondre, craignant que Meaulnes, qui devait d'un saut avoir gagné la ferme et qui maintenant revenait par le bois, ne surprît notre conversation. Mais j'allais l'encourager cependant ; lui dire de ne pas craindre de brusquer le grand gars ; qu'un secret sans doute le désespérait et que jamais de lui-même il ne se confierait à elle ni à personne – lorsque soudain, de l'autre côté du bois, partit un cri ; puis nous entendîmes un piétinement comme d'un cheval qui pétarade et le bruit d'une dispute à voix entrecoupées... Je compris tout de suite qu'il était arrivé un accident au vieux Bélisaire et je courus vers l'endroit d'où venait tout le tapage. Mlle de Galais me suivit de loin. Du fond de la pelouse on avait dû remarquer notre mouvement, car j'entendis, au moment où j'entrai dans le taillis, les cris des gens qui accouraient.

Le vieux Bélisaire, attaché trop bas, s'était pris une patte de devant dans sa longe ; il n'avait pas bougé jusqu'au moment où M. de Galais et Delouche, au cours de leur promenade, s'étaient approchés de lui ; effrayé, excité par l'avoine insolite qu'on lui avait donnée, il s'était débattu furieusement ; les deux hommes avaient essayé de le délivrer, mais si maladroitement qu'ils avaient réussi à l'empêtrer davantage, tout en risquant d'essuyer de dangereux coups de sabots. C'est à ce moment que par hasard Meaulnes, revenant des Aubiers, était tombé sur le groupe. Furieux de tant de gaucherie, il avait bousculé les deux hommes au risque de les envoyer rouler dans le buisson. Avec précaution mais en un tour de main il avait délivré Bélisaire. Trop tard, car le mal était déjà fait ; le cheval devait avoir un nerf foulé, quelque chose de brisé peut-être, car il se tenait piteusement la tête basse, sa selle à demi dessanglée sur le dos, une patte repliée sous son ventre et toute tremblante. Meaulnes, penché, le tâtait et l'examinait sans rien dire.

Lorsqu'il releva la tête, presque tout le monde était là, rassemblé, mais il ne vit personne. Il était fâché rouge.

« Je me demande, cria-t-il, qui a bien pu l'attacher de la sorte ! Et lui laisser sa selle sur le dos toute la journée ? Et qui a eu l'audace de seller ce vieux cheval, bon tout au plus pour une carriole. »

Delouche voulut dire quelque chose – tout prendre sur lui.

« Tais-toi donc ! C'est ta faute encore. Je t'ai vu tirer bêtement sur sa longe pour le dégager. »

Et se baissant de nouveau, il se remit à frotter le jarret du cheval avec le plat de la main.

M. de Galais, qui n'avait rien dit encore, eut le tort de vouloir sortir de sa réserve. Il bégaya :

« Les officiers de marine ont l'habitude… Mon cheval…

– Ah ! il est à vous ? » dit Meaulnes un peu calmé, très rouge, en tournant la tête de côté vers le vieillard.

Je crus qu'il allait changer de ton, faire des excuses. Il souffla un instant. Et je vis alors qu'il prenait un plaisir amer et désespéré à aggraver la situation, à tout briser à jamais, en disant avec insolence :

« Eh bien je ne vous fais pas mon compliment. »

Quelqu'un suggéra :

« Peut-être que de l'eau fraîche… En le baignant dans le gué…

– Il faut, dit Meaulnes sans répondre, emmener tout de suite ce vieux cheval, pendant qu'il peut encore marcher, – et il n'y a pas de temps à perdre ! – le mettre à l'écurie et ne jamais plus l'en sortir. »

Plusieurs jeunes gens s'offrirent aussitôt. Mais Mlle de Galais les remercia vivement. Le visage en feu, prête à fondre en larmes, elle dit au revoir à tout le monde, et même à Meaulnes, décontenancé, qui n'osa pas la regarder. Elle prit la bête par les rênes, comme on donne à quelqu'un la main, plutôt pour s'approcher d'elle davantage, que pour la conduire… Le vent de cette fin d'été était si tiède sur le chemin des Sablonnières qu'on se serait cru au mois de mai, et les feuilles des haies tremblaient à la brise du sud… Nous la vîmes partir ainsi, son bras à demi sorti du manteau, tenant dans sa main étroite la grosse rêne de cuir. Son père marchait péniblement à côté d'elle…

Triste fin de soirée ! Peu à peu, chacun ramassa ses paquets, ses couverts ; on plia les chaises, on démonta les tables ; une à une, les voitures chargées de bagages et de gens partirent, avec des chapeaux levés et des mouchoirs agités. Les derniers nous restâmes sur le terrain avec mon oncle Florentin, qui ruminait comme nous, sans rien dire, ses regrets et sa grosse déception.

Nous aussi, nous partîmes, emportés vivement dans notre voiture bien suspendue, par notre beau cheval alezan. La roue grinça au tournant dans le sable et bientôt, Meaulnes et moi, qui étions assis sur le siège de derrière, nous vîmes disparaître sur la petite route l'entrée du chemin de traverse que le vieux Bélisaire et ses maîtres avaient pris…

Mais alors mon compagnon – l'être que je sache au monde le plus incapable de pleurer – tourna soudain vers moi son visage bouleversé par une irrésistible montée de larmes.

« Arrêtez, voulez-vous ? dit-il en mettant la main sur l'épaule de Florentin. Ne vous occupez pas de moi. Je reviendrai tout seul, à pied. »

Et d'un bond, la main au garde-boue de la voiture, il sauta à terre. À notre stupéfaction, rebroussant chemin, il se prit à courir, et courut jusqu'au petit chemin que nous venions de passer, le chemin des Sablonnières. Il dut arriver au Domaine par cette allée de sapins qu'il avait suivie jadis où il avait entendu, vagabond caché dans les basses branches, la conversation mystérieuse des beaux enfants inconnus…

Et c'est ce soir-là, avec des sanglots, qu'il demanda en mariage Mlle de Galais.

CHAPITRE VII

LE JOUR DES NOCES

C'est un jeudi, au commencement de février, un beau jeudi soir glacé, où le grand vent souffle. Il est trois heures et demie, quatre heures… Sur les haies, auprès des bourgs, les lessives sont étendues depuis midi et sèchent à la bourrasque. Dans chaque maison, le feu de la salle à manger fait luire tout un reposoir de joujoux vernis. Fatigué de jouer, l'enfant s'est assis auprès de sa mère et il lui fait raconter la journée de son mariage…

Pour celui qui ne veut pas être heureux, il n'a qu'à monter dans son grenier et il entendra, jusqu'au soir, siffler et gémir les naufrages ; il n'a qu'à s'en aller dehors, sur la route, et le vent lui rabattra son foulard sur la bouche comme un chaud baiser soudain qui le fera pleurer. Mais pour celui qui aime le bonheur, il y a, au bord d'un chemin boueux, la maison des Sablonnières, où mon ami Meaulnes est rentré avec Yvonne de Galais, qui est sa femme depuis midi.

Les fiançailles ont duré cinq mois. Elles ont été paisibles, aussi paisibles que la première entrevue avait été mouvementée. Meaulnes est venu très souvent aux Sablonnières, à bicyclette ou en voiture. Plus de deux fois par semaine, cousant ou lisant près de la grande fenêtre qui donne sur la lande et les sapins, Mlle de Galais a vu tout d'un coup sa haute silhouette rapide passer derrière le rideau, car il vient toujours par l'allée détournée qu'il a prise autrefois. Mais c'est la seule allusion – tacite – qu'il fasse au passé. Le bonheur semble avoir endormi son étrange tourment.

De petits événements ont fait date pendant ces cinq calmes mois. On m'a nommé instituteur au hameau de Saint-Benoist-des-Champs. Saint-Benoist n'est pas un village. Ce sont des fermes disséminées à travers la campagne, et la maison d'école est complètement isolée sur une côte au bord de la route. Je mène une vie bien solitaire ; mais, en passant par les champs, il ne faut que trois quarts d'heure de marche pour gagner les Sablonnières.

Delouche est maintenant chez son oncle, qui est entrepreneur de maçonnerie au Vieux-Nançay. Ce sera bientôt lui le patron. Il vient souvent me voir. Meaulnes, sur la prière de Mlle de Galais, est maintenant très aimable avec lui.

Et ceci explique comment nous sommes là tous deux à rôder, vers quatre heures de l'après-midi, alors que les gens de la noce sont déjà tous repartis.

Le mariage s'est fait à midi, avec le plus de silence possible, dans l'ancienne chapelle des Sablonnières qu'on n'a pas abattue et que les sapins cachent à moitié sur le versant de la côte prochaine. Après un déjeuner rapide, la mère de Meaulnes, M. Seurel et Millie, Florentin et les autres sont remontés en voiture. Il n'est resté que Jasmin et moi...

Nous errons à la lisière des bois qui sont derrière la maison des Sablonnières, au bord du grand terrain en friche, emplacement ancien du Domaine aujourd'hui abattu. Sans vouloir l'avouer et sans savoir pourquoi, nous sommes remplis d'inquiétude. En vain nous essayons de distraire nos pensées et de tromper notre angoisse en nous montrant, au cours de notre promenade errante, les bauges [1] des lièvres et les petits sillons de sable où les lapins ont gratté fraîchement... un collet tendu... la trace d'un braconnier... Mais sans cesse nous revenons à ce bord du taillis, d'où l'on découvre la maison silencieuse et fermée...

Au bas de la grande croisée qui donne sur les sapins, il y a un balcon de bois, envahi par les herbes folles que couche le vent. Une lueur comme d'un feu allumé se

1. Une bauge peut évoquer divers logis ou refuges d'animaux (écureuils, sangliers, lièvres), et même parfois certains habitats humains.

reflète sur les carreaux de la fenêtre. De temps à autre, une ombre passe. Tout autour, dans les champs environnants, dans le potager, dans la seule ferme qui reste des anciennes dépendances, silence et solitude. Les métayers sont partis au bourg pour fêter le bonheur de leurs maîtres.

De temps à autre, le vent chargé d'une buée qui est presque de la pluie nous mouille la figure et nous apporte la parole perdue d'un piano. Là-bas, dans la maison fermée, quelqu'un joue. Je m'arrête un instant pour écouter en silence. C'est d'abord comme une voix tremblante qui, de très loin, ose à peine chanter sa joie… C'est comme le rire d'une petite fille qui, dans sa chambre, a été chercher tous ses jouets et les répand devant son ami. Je pense aussi à la joie craintive encore d'une femme qui a été mettre une belle robe et qui vient la montrer et ne sait pas si elle plaira… Cet air que je ne connais pas, c'est aussi une prière, une supplication au bonheur de ne pas être trop cruel, un salut et comme un agenouillement devant le bonheur…

Je pense : « Ils sont heureux enfin. Meaulnes est là-bas près d'elle… »

Et savoir cela, en être sûr, suffit au contentement parfait du brave enfant que je suis.

À ce moment, tout absorbé, le visage mouillé par le vent de la plaine comme par l'embrun de la mer, je sens qu'on me touche l'épaule :

« Écoute ! » dit Jasmin tout bas.

Je le regarde. Il me fait signe de ne pas bouger ; et lui-même, la tête inclinée, le sourcil froncé, il écoute…

CHAPITRE VIII

L'APPEL DE FRANTZ

« Hou-ou ! »

Cette fois, j'ai entendu. C'est un signal, un appel sur deux notes, haute et basse, que j'ai déjà entendu jadis… Ah ! je me souviens : c'est le cri du grand comédien lorsqu'il hélait son jeune compagnon à la grille de l'école. C'est l'appel à quoi Frantz nous avait fait jurer de nous rendre, n'importe où et n'importe quand. Mais que demande-t-il ici, aujourd'hui, celui-là ?

« Cela vient de la grande sapinière à gauche, dis-je à mi-voix. C'est un braconnier sans doute. »

Jasmin secoue la tête :

« Tu sais bien que non », dit-il.

Puis, plus bas :

« Ils sont dans le pays, tous les deux, depuis ce matin. J'ai surpris Ganache à 11 heures en train de guetter dans un champ auprès de la chapelle. Il a détalé en m'apercevant. Ils sont venus de loin peut-être en bicyclette, car il était couvert de boue jusqu'au milieu du dos…

– Mais que cherchent-ils ?

– Je n'en sais rien. Mais à coup sûr il faut que nous les chassions. Il ne faut pas les laisser rôder aux alentours. Ou bien toutes les folies vont recommencer… »

Je suis de cet avis, sans l'avouer.

« Le mieux, dis-je, serait de les joindre, de voir ce qu'ils veulent et de leur faire entendre raison… »

Lentement, silencieusement, nous nous glissons donc en nous baissant à travers le taillis jusqu'à la grande sapinière, d'où part, à intervalles réguliers, ce cri prolongé qui n'est pas en soi plus triste qu'autre chose, mais qui nous semble à tous les deux de sinistre augure.

Il est difficile, dans cette partie du bois de sapins, où le regard s'enfonce entre les troncs régulièrement plantés, de surprendre quelqu'un et de s'avancer sans être vu. Nous n'essayons même pas. Je me poste à l'angle du bois. Jasmin va se placer à l'angle opposé, de façon à commander comme moi, de l'extérieur, deux des côtés du rectangle et à ne pas laisser fuir l'un des bohémiens sans le héler. Ces dispositions prises, je commence à jouer mon rôle d'éclaireur pacifique et j'appelle :

« Frantz !...

« ... Frantz ! Ne craignez rien. C'est moi, Seurel ; je voudrais vous parler... »

Un instant de silence ; je vais me décider à crier encore, lorsque, au cœur même de la sapinière, où mon regard n'atteint pas tout à fait, une voix commande :

« Restez où vous êtes : il va venir vous trouver. »

Peu à peu, entre les grands sapins que l'éloignement fait paraître serrés, je distingue la silhouette du jeune homme qui s'approche. Il paraît couvert de boue et mal vêtu ; des épingles de bicyclette serrent le bas de son pantalon, une vieille casquette à ancre est plaquée sur ses cheveux trop longs ; je vois maintenant sa figure amaigrie... Il semble avoir pleuré.

S'approchant de moi, résolument :

« Que voulez-vous ? demande-t-il d'un air très insolent.

– Et vous-même, Frantz, que faites-vous ici ? Pourquoi venez-vous troubler ceux qui sont heureux ? Qu'avez-vous à demander ? Dites-le. »

Ainsi interrogé directement, il rougit un peu, balbutie, répond seulement :

« Je suis malheureux, moi, je suis malheureux. »

Puis, la tête dans le bras, appuyé à un tronc d'arbre, il se prend à sangloter amèrement. Nous avons fait quelques pas dans la sapinière. L'endroit est parfaitement silencieux. Pas même la voix du vent que les grands sapins de la lisière arrêtent. Entre les troncs réguliers se répète et s'éteint le bruit des sanglots étouffés du jeune homme. J'attends que cette crise s'apaise et je dis, en lui mettant la main sur l'épaule :

« Frantz, vous viendrez avec moi. Je vous mènerai auprès d'eux. Ils vous accueilleront comme un enfant perdu qu'on a retrouvé et tout sera fini. »

Mais il ne voulait rien entendre. D'une voix assourdie par les larmes, malheureux, entêté, colère, il reprenait :

« Ainsi Meaulnes ne s'occupe plus de moi ? Pourquoi ne répond-il pas quand je l'appelle ? Pourquoi ne tient-il pas sa promesse ?

– Voyons, Frantz, répondis-je, le temps des fantasmagories et des enfantillages est passé. Ne troublez pas avec des folies le bonheur de ceux que vous aimez ; de votre sœur et d'Augustin Meaulnes.

– Mais lui seul peut me sauver, vous le savez bien. Lui seul est capable de retrouver la trace que je cherche. Voilà bientôt trois ans que Ganache et moi nous battons toute la France sans résultat. Je n'avais plus confiance qu'en votre ami. Et voici qu'il ne répond plus. Il a retrouvé son amour, lui. Pourquoi, maintenant, ne pense-t-il pas à moi ? Il faut qu'il se mette en route. Yvonne le laissera bien partir… Elle ne m'a jamais rien refusé. »

Il me montrait un visage où, dans la poussière et la boue, les larmes avaient tracé des sillons sales, un visage de vieux gamin épuisé et battu. Ses yeux étaient cernés de taches de rousseur ; son menton, mal rasé ; ses cheveux trop longs traînaient sur son col sale. Les mains dans les poches, il grelottait. Ce n'était plus ce royal enfant en guenilles des années passées. De cœur, sans doute, il était plus enfant que jamais : impérieux, fantasque et tout de suite désespéré. Mais cet enfantillage était pénible à supporter chez ce garçon déjà légèrement vieilli… Naguère, il y avait en lui tant d'orgueilleuse jeunesse que toute folie au monde lui paraissait permise. À présent, on était d'abord tenté de le plaindre pour n'avoir pas réussi sa vie ; puis de lui reprocher ce rôle absurde de jeune héros romantique où je le voyais s'entêter… Et enfin je pensais malgré moi que notre beau Frantz aux belles amours avait dû se mettre à voler pour vivre, tout comme son compagnon Ganache… Tant d'orgueil avait abouti à cela !

« Si je vous promets, dis-je enfin, après avoir réfléchi, que dans quelques jours Meaulnes se mettra en campagne pour vous, rien que pour vous ?…

– Il réussira, n'est-ce pas ? Vous en êtes sûr ? me demanda-t-il en claquant des dents.

– Je le pense. Tout devient possible avec lui !

– Et comment le saurai-je ? Qui me le dira ?

– Vous reviendrez ici dans un an exactement, à cette même heure : vous trouverez la jeune fille que vous aimez. »

Et, en disant ceci, je pensais non pas troubler les nouveaux époux, mais m'enquérir auprès de la tante Moinel et faire diligence moi-même pour trouver la jeune fille.

Le bohémien me regardait dans les yeux avec une volonté de confiance vraiment admirable. Quinze ans, il avait encore et tout de même quinze ans ! – l'âge que nous avions à Sainte-Agathe, le soir du balayage des classes, quand nous fîmes tous les trois ce terrible serment enfantin.

Le désespoir le reprit lorsqu'il fut obligé de dire :

« Eh bien, nous allons partir. »

Il regarda, certainement avec un grand serrement de cœur, tous ces bois d'alentour qu'il allait de nouveau quitter.

« Nous serons dans trois jours, dit-il, sur les routes d'Allemagne. Nous avons laissé nos voitures au loin. Et depuis trente heures, nous marchions sans arrêt. Nous pensions arriver à temps pour emmener Meaulnes avant le mariage et chercher avec lui ma fiancée, comme il a cherché le Domaine des Sablonnières. »

Puis, repris par sa terrible puérilité :

« Appelez votre Delouche, dit-il en s'en allant, parce que si je le rencontrais ce serait affreux. »

Peu à peu, entre les sapins, je vis disparaître sa silhouette grise. J'appelai Jasmin et nous allâmes reprendre notre faction. Mais presque aussitôt, nous aperçûmes, là-bas, Augustin qui fermait les volets de la maison et nous fûmes frappés par l'étrangeté de son allure.

CHAPITRE IX

LES GENS HEUREUX

Plus tard, j'ai su par le menu tout ce qui s'était passé là-bas.

Dans le salon des Sablonnières, dès le début de l'après-midi, Meaulnes et sa femme, que j'appelle encore Mlle de Galais, sont restés complètement seuls. Tous les invités partis, le vieux M. de Galais a ouvert la porte, laissant une seconde le grand vent pénétrer dans la maison et gémir ; puis il s'est dirigé vers le Vieux-Nançay et ne reviendra qu'à l'heure du dîner, pour fermer tout à clef et donner des ordres à la métairie. Aucun bruit du dehors n'arrive plus maintenant jusqu'aux jeunes gens. Il y a tout juste une branche de rosier sans feuilles qui cogne la vitre, du côté de la lande. Comme deux passagers dans un bateau à la dérive, ils sont, dans le grand vent d'hiver, deux amants enfermés avec le bonheur.

« Le feu menace de s'éteindre », dit Mlle de Galais, et elle voulut prendre une bûche dans le coffre.

Mais Meaulnes se précipita et plaça lui-même le bois dans le feu.

Puis il prit la main tendue de la jeune fille et ils restèrent là, debout, l'un devant l'autre, étouffés comme par une grande nouvelle qui ne pouvait pas se dire.

Le vent roulait avec le bruit d'une rivière débordée. De temps à autre une goutte d'eau, diagonalement, comme sur la portière d'un train, rayait la vitre.

Alors la jeune fille s'échappa. Elle ouvrit la porte du couloir et disparut avec un sourire mystérieux. Un instant, dans la demi-obscurité, Augustin resta seul… Le tic-tac d'une petite pendule faisait penser à la salle à manger de Sainte-Agathe… Il songea sans doute : « C'est donc ici la maison tant cherchée, le couloir jadis plein de chuchotements et de passages étranges… »

C'est à ce moment qu'il dut entendre – Mlle de Galais me dit plus tard l'avoir entendu aussi – le premier cri de Frantz, tout près de la maison.

La jeune femme, alors, eut beau lui montrer toutes les choses merveilleuses dont elle était chargée : ses jouets de petite fille, toutes ses photographies d'enfant : elle, en cantinière, elle et Frantz sur les genoux de leur mère, qui était si jolie… puis tout ce qui restait de ses sages petites robes de jadis : « jusqu'à celle-ci que je portais, voyez, vers le temps où vous alliez bientôt me connaître, où vous arriviez, je crois, au cours de Sainte-Agathe… ». Meaulnes ne voyait plus rien et n'entendait plus rien.

Un instant pourtant il parut ressaisi par la pensée de son extraordinaire, inimaginable bonheur :

« Vous êtes là – dit-il sourdement, comme si le dire seulement donnait le vertige – vous passez auprès de la table et votre main s'y pose un instant… »

Et encore :

« Ma mère, lorsqu'elle était jeune femme, penchait ainsi légèrement son buste sur sa taille pour me parler… Et quand elle se mettait au piano… »

Alors Mlle de Galais proposa de jouer avant que la nuit ne vînt. Mais il faisait sombre dans ce coin du salon et l'on fut obligé d'allumer une bougie. L'abat-jour rose, sur le visage de la jeune fille, augmentait ce rouge dont elle était marquée aux pommettes et qui était le signe d'une grande anxiété.

Là-bas, à la lisière du bois, je commençai d'entendre cette chanson tremblante que nous apportait le vent, coupée bientôt par le second cri des deux fous, qui s'étaient rapprochés de nous dans les sapins.

Longtemps Meaulnes écouta la jeune fille en regardant silencieusement par une fenêtre. Plusieurs fois il se tourna vers le doux visage plein de faiblesse et d'angoisse. Puis il s'approcha d'Yvonne et, très légèrement, il mit sa main sur son épaule. Elle sentit doucement peser auprès de son cou cette caresse à laquelle il aurait fallu savoir répondre.

« Le jour tombe, dit-il enfin. Je vais fermer les volets. Mais ne cessez pas de jouer… »

Que se passa-t-il alors dans ce cœur obscur et sauvage ? Je me le suis souvent demandé et je ne l'ai su que lorsqu'il fut trop tard. Remords ignorés ? Regrets inexplicables ? Peur de voir s'évanouir bientôt entre ses mains ce bonheur inouï qu'il tenait si serré ? Et alors tentation terrible de jeter irrémédiablement à terre, tout de suite, cette merveille qu'il avait conquise ?

Il sortit lentement, silencieusement, après avoir regardé sa jeune femme une fois encore. Nous le vîmes, de la lisière du bois, fermer d'abord avec hésitation un volet, puis regarder vaguement vers nous, en fermer un autre, et soudain s'enfuir à toutes jambes dans notre direction. Il arriva près de nous avant que nous eussions pu songer à nous dissimuler davantage. Il nous aperçut, comme il allait franchir une petite haie récemment plantée et qui formait la limite d'un pré. Il fit un écart. Je me rappelle son allure hagarde, son air de bête traquée… Il fit mine de revenir sur ses pas pour franchir la haie du côté du petit ruisseau.

Je l'appelai :

« Meaulnes !… Augustin !… »

Mais il ne tournait pas même la tête. Alors, persuadé que cela seulement pourrait le retenir :

« Frantz est là, criai-je. Arrête ! »

Il s'arrêta enfin. Haletant et sans me laisser le temps de préparer ce que je pourrais dire :

« Il est là ! dit-il. Que réclame-t-il ?

– Il est malheureux, répondis-je. Il venait te demander de l'aide, pour retrouver ce qu'il a perdu.

– Ah ! fit-il, baissant la tête. Je m'en doutais bien. J'avais beau essayer d'endormir cette pensée-là… Mais où est-il ? Raconte vite. »

Je dis que Frantz venait de partir et que certainement on ne le rejoindrait plus maintenant. Ce fut pour Meaulnes une grande déception. Il hésita, fit deux ou trois pas, s'arrêta. Il paraissait au comble de l'indécision et du chagrin. Je lui racontai ce que j'avais promis en son nom au jeune homme. Je dis que je lui avais donné rendez-vous dans un an à la même place.

Augustin, si calme en général, était maintenant dans un état de nervosité et d'impatience extraordinaires :

« Ah ! pourquoi avoir fait cela ! dit-il. Mais oui, sans doute, je puis le sauver. Mais il faut que ce soit tout de suite. Il faut que je le voie, que je lui parle, qu'il me pardonne et que je répare tout… Autrement je ne peux plus me présenter là-bas… »

Et il se tourna vers la maison des Sablonnières.

« Ainsi, dis-je, pour une promesse enfantine que tu lui as faite, tu es en train de détruire ton bonheur.

– Ah ! si ce n'était que cette promesse », fit-il.

Et ainsi je connus qu'autre chose liait les deux jeunes hommes, mais sans pouvoir deviner quoi.

« En tout cas, dis-je, il n'est plus temps de courir. Ils sont maintenant en route pour l'Allemagne. »

Il allait répondre, lorsqu'une figure échevelée, hagarde, se dressa entre nous. C'était Mlle de Galais. Elle avait dû courir, car elle avait le visage baigné de sueur. Elle avait dû tomber et se blesser, car elle avait le front écorché au-dessus de l'œil droit et du sang figé dans les cheveux.

Il m'est arrivé, dans les quartiers pauvres de Paris, de voir soudain, descendu dans la rue, séparé par des agents intervenus dans la bataille, un ménage qu'on croyait heureux, uni, honnête. Le scandale a éclaté tout d'un coup, n'importe quand, à l'instant de se mettre à table, le dimanche avant de sortir, au moment de souhaiter la fête du petit garçon… et maintenant tout est oublié, saccagé. L'homme et la femme, au milieu du tumulte, ne sont plus que deux démons pitoyables et les enfants en larmes se jettent contre eux, les embrassent étroitement, les supplient de se taire et de ne plus se battre.

Mlle de Galais, quand elle arriva près de Meaulnes, me fit penser à un de ces enfants-là, à un de ces pauvres enfants affolés. Je crois que tous ses amis, tout un village, tout un monde l'eût regardée, qu'elle fût accourue tout de même, qu'elle fût tombée de la même façon, échevelée, pleurante, salie.

Mais quand elle eut compris que Meaulnes était bien là, que cette fois du moins, il ne l'abandonnerait pas, alors elle passa son bras sous le sien, puis elle ne put s'empêcher de rire au milieu de ses larmes comme un petit enfant. Ils ne dirent rien ni l'un ni l'autre. Mais, comme elle avait tiré son mouchoir, Meaulnes le lui prit doucement des mains : avec précaution et application, il essuya le sang qui tachait la chevelure de la jeune fille.

« Il faut rentrer maintenant », dit-il.

Et je les laissai retourner tous les deux, dans le beau grand vent du soir d'hiver qui leur fouettait le visage – lui, l'aidant de la main aux passages difficiles ; elle, souriant et se hâtant – vers leur demeure pour un instant abandonnée.

CHAPITRE X

LA « MAISON DE FRANTZ »

Mal rassuré, en proie à une sourde inquiétude, que l'heureux dénouement du tumulte de la veille n'avait pas suffi à dissiper, il me fallut rester enfermé dans l'école pendant toute la journée du lendemain. Sitôt après l'heure d'« étude » qui suit la classe du soir, je pris le chemin des Sablonnières. La nuit tombait quand j'arrivai dans l'allée de sapins qui menait à la maison. Tous les volets étaient déjà clos. Je craignis d'être importun, en me présentant à cette heure tardive, le lendemain d'un mariage. Je restai fort tard à rôder sur la lisière du jardin et dans les terres avoisinantes, espérant toujours voir sortir quelqu'un de la maison fermée… Mais mon esprit fut déçu. Dans la métairie voisine elle-même, rien ne bougeait. Et je dus rentrer chez moi, hanté par les imaginations les plus sombres.

Le lendemain, samedi, mêmes incertitudes. Le soir, je pris en hâte ma pèlerine, mon bâton, un morceau de pain, pour manger en route, et j'arrivai, quand la nuit tombait déjà, pour trouver tout fermé aux Sablonnières, comme la veille… Un peu de lumière au premier étage ; mais aucun bruit ; pas un mouvement… Pourtant, de la cour de la métairie je vis cette fois la porte de la ferme ouverte, le feu allumé dans la grande cuisine et j'entendis le bruit habituel des voix et des pas à l'heure de la soupe. Ceci me rassura sans me renseigner. Je ne pouvais rien dire ni rien demander à ces gens. Et je retournai guetter encore, attendre en vain, pensant toujours voir la porte s'ouvrir et surgir enfin la haute silhouette d'Augustin.

C'est le dimanche seulement, dans l'après-midi, que je résolus de sonner à la porte des Sablonnières. Tandis que je grimpais les coteaux dénudés, j'entendais sonner au loin les vêpres du dimanche d'hiver. Je me sentais solitaire et désolé. Je ne sais quel pressentiment triste m'envahissait. Et je ne fus qu'à demi surpris lorsque, à mon coup de sonnette, je vis M. de Galais tout seul paraître et me parler presque à voix basse : Mlle de Galais était alitée, avec une fièvre violente ; Meaulnes avait dû partir dès vendredi matin pour un long voyage ; on ne savait quand il reviendrait…

Et comme le vieillard, très embarrassé, très triste, ne m'offrait pas d'entrer, je pris aussitôt congé de lui. La porte refermée, je restai un instant sur le perron, le cœur serré, dans un désarroi absolu, à regarder sans savoir pourquoi une branche de glycine desséchée que le vent balançait tristement dans un rayon de soleil.

Ainsi ce remords secret que Meaulnes portait depuis son séjour à Paris avait fini par être le plus fort. Il avait fallu que mon grand compagnon échappât à la fin à son bonheur tenace…

Chaque jeudi et chaque dimanche, je vins demander des nouvelles d'Yvonne de Galais, jusqu'au soir où, convalescente enfin, elle me fit prier d'entrer. Je la trouvai, assise auprès du feu, dans le salon dont la grande fenêtre basse donnait sur la terre et les bois. Elle n'était point pâle comme je l'avais imaginé, mais toute enfiévrée, au contraire, avec de vives taches rouges sous les yeux, et dans un état d'agitation extrême. Bien qu'elle parût très faible encore, elle s'était habillée comme pour sortir. Elle parlait peu, mais elle disait chaque phrase avec une animation extraordinaire, comme si elle eût voulu se persuader à elle-même que le bonheur n'était pas évanoui encore… Je n'ai pas gardé le souvenir de ce que nous avons dit. Je me rappelle seulement que j'en vins à demander avec hésitation quand Meaulnes serait de retour.

« Je ne sais pas quand il reviendra », répondit-elle vivement.

Il y avait une supplication dans ses yeux, et je me gardai d'en demander davantage.

Souvent, je revins la voir. Souvent je causai avec elle auprès du feu, dans ce salon bas où la nuit venait plus vite que partout ailleurs. Jamais elle ne parlait d'elle-même ni de sa peine cachée. Mais elle ne se lassait pas de me faire conter par le détail notre existence d'écoliers de Sainte-Agathe.

Elle écoutait gravement, tendrement, avec un intérêt quasi maternel, le récit de nos misères de grands enfants. Elle ne paraissait jamais surprise, pas même de nos enfantillages les plus audacieux, les plus dangereux. Cette tendresse attentive qu'elle tenait de M. de Galais, les aventures déplorables de son frère ne l'avaient point lassée. Le seul regret que lui inspirât le passé, c'était, je pense, de n'avoir point encore été pour son frère une confidente assez intime, puisque, au moment de sa grande débâcle, il n'avait rien osé lui dire non plus qu'à personne et s'était jugé perdu sans recours. Et c'était là, quand j'y songe, une lourde tâche qu'avait assumée la jeune femme – tâche périlleuse, de seconder un esprit follement chimérique comme son frère ; tâche écrasante, quand il s'agissait de lier partie avec ce cœur aventureux qu'était mon ami le grand Meaulnes.

De cette foi qu'elle gardait dans les rêves enfantins de son frère, de ce soin qu'elle apportait à lui conserver au moins des bribes de ce rêve dans lequel il avait vécu jusqu'à vingt ans, elle me donna un jour la preuve la plus touchante et je dirai presque la plus mystérieuse.

Ce fut par une soirée d'avril désolée comme une fin d'automne. Depuis près d'un mois nous vivions dans un doux printemps prématuré, et la jeune femme avait repris en compagnie de M. de Galais les longues promenades qu'elle aimait. Mais ce jour-là, le vieillard se trouvant fatigué et moi-même libre, elle me demanda de l'accompagner malgré le temps menaçant. À plus d'une demi-lieue des Sablonnières, en longeant l'étang, l'orage, la pluie, la grêle nous surprirent. Sous le hangar où nous nous étions abrités contre l'averse interminable, le vent nous glaçait, debout l'un près de l'autre, pensifs, devant le paysage noirci. Je la revois, dans sa douce robe sévère, toute pâlie, toute tourmentée.

« Il faut rentrer, disait-elle. Nous sommes partis depuis si longtemps. Qu'a-t-il pu se passer ? »

Mais, à mon étonnement, lorsqu'il nous fut possible enfin de quitter notre abri, la jeune femme, au lieu de revenir vers les Sablonnières, continua son chemin et me demanda de la suivre. Nous arrivâmes, après avoir longtemps marché, devant une maison que je ne connaissais pas, isolée au bord d'un chemin défoncé qui devait aller vers Préveranges. C'était une petite maison bourgeoise, couverte en ardoises, et que rien ne distinguait du type usuel dans ce pays, sinon son éloignement et son isolement.

À voir Yvonne de Galais, on eût dit que cette maison nous appartenait et que nous l'avions abandonnée durant un long voyage. Elle ouvrit, en se penchant, une petite grille, et se hâta d'inspecter avec inquiétude le lieu solitaire. Une grande cour herbeuse, où des enfants avaient dû venir jouer pendant les longues et lentes soirées de la fin de l'hiver, était ravinée par l'orage. Un cerceau trempait dans une flaque d'eau. Dans les jardinets où les enfants avaient semé des fleurs et des pois, la grande pluie n'avait laissé que des traînées de gravier blanc. Et enfin nous découvrîmes, blottie contre le seuil d'une des portes mouillées, toute une couvée de poussins transpercée par l'averse. Presque tous étaient morts sous les ailes raidies et les plumes fripées de la mère.

À ce spectacle pitoyable, la jeune femme eut un cri étouffé. Elle se pencha et, sans souci de l'eau ni de la boue, triant les poussins vivants d'entre les morts, elle les mit dans un pan de son manteau. Puis nous entrâmes dans la maison dont elle avait la clef. Quatre portes ouvraient sur un étroit couloir où le vent s'engouffra en sifflant. Yvonne de Galais ouvrit la première à notre droite et me fit pénétrer dans une chambre sombre, où je distinguai, après un moment d'hésitation, une grande glace et un petit lit recouvert, à la mode campagnarde, d'un édredon de soie rouge. Quant à elle, après avoir cherché un instant dans le reste de l'appartement, elle revint, portant la couvée malade dans une corbeille garnie de duvet, qu'elle glissa précieusement sous l'édredon. Et, tandis qu'un rayon de soleil languissant, le premier et le dernier de la journée, faisait plus pâles nos visages et plus obscure la tombée de la nuit, nous étions là, debout, glacés et tourmentés, dans la maison étrange !

D'instant en instant, elle allait regarder dans le nid fiévreux, enlever un nouveau poussin mort pour l'empêcher de faire mourir les autres. Et chaque fois il nous semblait que quelque chose comme un grand vent par les carreaux cassés du grenier, comme un chagrin mystérieux d'enfants inconnus, se lamentait silencieusement.

« C'était ici, me dit enfin ma compagne, la maison de Frantz quand il était petit. Il avait voulu une maison pour lui tout seul, loin de tout le monde, dans laquelle il pût aller jouer, s'amuser et vivre quand cela lui plairait. Mon père avait trouvé cette fantaisie si extraordinaire, si drôle, qu'il n'avait pas refusé. Et quand cela lui plaisait, un jeudi, un dimanche, n'importe quand, Frantz partait habiter dans sa maison comme un homme. Les enfants des fermes d'alentour venaient jouer avec lui, l'aider à faire son ménage, travailler dans le jardin. C'était un jeu merveilleux ! Et le soir venu, il n'avait pas peur de coucher tout seul. Quant à nous, nous l'admirions tellement que nous ne pensions pas même à être inquiets.

« Maintenant et depuis longtemps, poursuivit-elle avec un soupir, la maison est vide. M. de Galais, frappé par l'âge et le chagrin, n'a jamais rien fait pour retrouver ni rappeler mon frère. Et que pourrait-il tenter ?

« Moi je passe ici bien souvent. Les petits paysans des environs viennent jouer dans la cour comme autrefois. Et je me plais à imaginer que ce sont les anciens amis de Frantz ; que lui-même est encore un enfant et qu'il va revenir bientôt avec la fiancée qu'il s'était choisie.

« Ces enfants-là me connaissent bien. Je joue avec eux. Cette couvée de petits poulets était à nous… »

Tout ce grand chagrin dont elle n'avait jamais rien dit, ce grand regret d'avoir perdu son frère si fou, si charmant et si admiré, il avait fallu cette averse et cette débâcle enfantine pour qu'elle me les confiât. Et je l'écoutais sans rien répondre, le cœur tout gonflé de sanglots…

Les portes et la grille refermées, les poussins remis dans la cabane en planches qu'il y avait derrière la maison, elle reprit tristement mon bras et je la reconduisis…

Des semaines, des mois passèrent. Époque passée ! Bonheur perdu ! De celle qui avait été la fée, la princesse et l'amour mystérieux de toute notre adolescence, c'est à moi qu'il était échu de prendre le bras et de dire ce qu'il fallait pour adoucir son chagrin, tandis que mon compagnon avait fui. De cette époque, de ces conversations, le soir, après la classe que je faisais sur la côte de Saint-Benoist-des-Champs, de ces promenades où la seule chose dont il eût fallu parler était la seule sur laquelle nous étions décidés à nous taire, que pourrais-je dire à présent ? Je n'ai pas gardé d'autre souvenir que celui, à demi effacé déjà, d'un beau visage amaigri, de deux yeux dont les paupières s'abaissent lentement tandis qu'ils me regardent, comme pour déjà ne plus voir qu'un monde intérieur.

Et je suis demeuré son compagnon fidèle – compagnon d'une attente dont nous ne parlions pas – durant tout un printemps et tout un été comme il n'y en aura jamais plus. Plusieurs fois, nous retournâmes, l'après-midi, à la maison de Frantz. Elle ouvrait les portes pour donner de l'air, pour que rien ne fût moisi quand le jeune ménage reviendrait. Elle s'occupait de la volaille à demi sauvage qui gîtait dans la basse-cour. Et le jeudi ou le dimanche, nous encouragions les jeux des petits campagnards d'alentour, dont les cris et les rires, dans le site solitaire, faisaient paraître plus déserte et plus vide encore la petite maison abandonnée.

CHAPITRE XI

CONVERSATION SOUS LA PLUIE

Le mois d'août, époque des vacances, m'éloigna des Sablonnières et de la jeune femme. Je dus aller passer à Sainte-Agathe mes deux mois de congé. Je revis la grande cour sèche, le préau, la classe vide… Tout parlait du grand Meaulnes. Tout était rempli de souvenirs de notre adolescence déjà finie. Pendant ces longues journées jaunies, je m'enfermais comme jadis, avant la venue de Meaulnes, dans le cabinet des Archives, dans les classes désertes. Je lisais, j'écrivais, je me souvenais… Mon père était à la pêche au loin. Millie dans le salon cousait ou jouait du piano comme jadis… Et dans le silence absolu de la classe, où les couronnes de papier vert déchirées, les enveloppes des livres de prix, les tableaux épongés, tout disait que l'année était finie, les récompenses distribuées, tout attendait l'automne, la rentrée d'octobre et le nouvel effort – je pensais de même que notre jeunesse était finie et le bonheur manqué ; moi aussi j'attendais la rentrée aux Sablonnières et le retour d'Augustin qui peut-être ne reviendrait jamais…

Il y avait cependant une nouvelle heureuse que j'annonçai à Millie, lorsqu'elle se décida à m'interroger sur la nouvelle mariée. Je redoutais ses questions, sa façon à la fois très innocente et très maligne de vous plonger soudain dans l'embarras, en mettant le doigt sur votre pensée la plus secrète. Je coupai court à tout, en annonçant que la jeune femme de mon ami Meaulnes serait mère au mois d'octobre.

À part moi, je me rappelai le jour où Yvonne de Galais m'avait fait comprendre cette grande nouvelle. Il y avait eu un silence ; de ma part, un léger embarras de jeune homme. Et j'avais dit tout de suite, inconsidérément, pour le dissiper – songeant trop tard à tout le drame que je remuais ainsi :

« Vous devez être bien heureuse ? »

Mais elle, sans arrière-pensée, sans regret, ni remords, ni rancune, elle avait répondu avec un beau sourire de bonheur :

« Oui, bien heureuse. »

Durant cette dernière semaine des vacances qui est en général la plus belle et la plus romantique, semaine de grandes pluies, semaine où l'on commence à allumer les feux, et que je passais d'ordinaire à chasser dans les sapins noirs et mouillés du Vieux-Nançay, je fis mes préparatifs pour rentrer directement à Saint-Benoist-des-Champs. Firmin, ma tante Julie et mes cousines du Vieux-Nançay m'eussent posé trop de questions auxquelles je ne voulais pas répondre. Je renonçai pour cette fois à mener durant huit jours la vie enivrante de chasseur campagnard et je regagnai ma maison d'école quatre jours avant la rentrée des classes.

J'arrivai avant la nuit dans la cour déjà tapissée de feuilles jaunies. Le voiturier parti, je déballai tristement dans la salle à manger sonore et « renfermée » le paquet de provisions que m'avait fait maman... Après un léger repas du bout des dents, impatient, anxieux, je mis ma pèlerine et partis pour une fiévreuse promenade qui me mena tout droit aux abords des Sablonnières.

Je ne voulus pas m'y introduire en intrus dès le premier soir de mon arrivée. Cependant, plus hardi qu'en février, après avoir tourné tout autour du Domaine où brillait seule la fenêtre de la jeune femme, je franchis, derrière la maison, la clôture du jardin et m'assis sur un banc, contre la haie, dans l'ombre commençante, heureux simplement d'être là, tout près de ce qui me passionnait et m'inquiétait le plus au monde.

La nuit venait. Une pluie fine commençait à tomber. La tête basse, je regardais, sans y songer, mes souliers se mouiller peu à peu et luire d'eau. L'ombre m'entourait lentement et la fraîcheur me gagnait sans troubler ma rêverie. Tendrement, tristement, je rêvais aux chemins boueux de Sainte-Agathe, par ce même soir de fin septembre ; j'imaginais la place pleine de brume, le garçon boucher qui siffle en allant à la pompe, le café illuminé, la joyeuse voiturée avec sa carapace de parapluies ouverts qui arrivait avant la fin des vacances, chez l'oncle Florentin… Et je me disais tristement : « Qu'importe tout ce bonheur, puisque Meaulnes, mon compagnon, ne peut pas y être, ni sa jeune femme… »

C'est alors que, levant la tête, je la vis à deux pas de moi. Ses souliers, dans le sable, faisaient un bruit léger que j'avais confondu avec celui des gouttes d'eau de la haie. Elle avait sur la tête et les épaules un grand fichu de laine noire, et la pluie fine poudrait sur son front ses cheveux. Sans doute, de sa chambre, m'avait-elle aperçu par la fenêtre qui donnait sur le jardin. Et elle venait vers moi. Ainsi ma mère, autrefois, s'inquiétait et me cherchait pour me dire : « Il faut rentrer », mais ayant pris goût à cette promenade sous la pluie et dans la nuit, elle disait seulement avec douceur : « Tu vas prendre froid ! » et restait en ma compagnie à causer longuement…

Yvonne de Galais me tendit une main brûlante, et, renonçant à me faire entrer aux Sablonnières, elle s'assit sur le banc moussu et vert-de-grisé, du côté le moins mouillé, tandis que debout, appuyé du genou à ce même banc, je me penchais vers elle pour l'entendre.

Elle me gronda d'abord amicalement pour avoir ainsi écourté mes vacances :

« Il fallait bien, répondis-je, que je vinsse au plus tôt pour vous tenir compagnie.

– Il est vrai, dit-elle presque tout bas avec un soupir, je suis seule encore. Augustin n'est pas revenu… »

Prenant ce soupir pour un regret, un reproche étouffé, je commençais à dire lentement :

« Tant de folies dans une si noble tête. Peut-être le goût des aventures plus fort que tout… »

Mais la jeune femme m'interrompit. Et ce fut en ce lieu, ce soir-là, que pour la première et la dernière fois, elle me parla de Meaulnes.

« Ne parlez pas ainsi, dit-elle doucement, François Seurel, mon ami. Il n'y a que nous – il n'y a que moi de coupable. Songez à ce que nous avons fait…

« Nous lui avons dit : "Voici le bonheur, voici ce que tu as cherché pendant toute ta jeunesse, voici la jeune fille qui était à la fin de tous tes rêves !"

« Comment celui que nous poussions ainsi par les épaules n'aurait-il pas été saisi d'hésitation, puis de crainte, puis d'épouvante et n'aurait-il pas cédé à la tentation de s'enfuir !

– Yvonne, dis-je tout bas, vous saviez bien que vous étiez ce bonheur-là, cette jeune fille-là.

– Ah ! soupira-t-elle. Comment ai-je pu un instant avoir cette pensée orgueilleuse ! C'est cette pensée-là qui est cause de tout.

« Je vous disais : "Peut-être que je ne puis rien faire pour lui." Et au fond de moi, je pensais : "Puisqu'il m'a tant cherchée et puisque je l'aime, il faudra bien que je fasse son bonheur." Mais quand je l'ai vu près de moi, avec toute sa fièvre, son inquiétude, son remords mystérieux, j'ai compris que je n'étais qu'une pauvre femme comme les autres…

« "Je ne ne suis pas digne de vous", répétait-il quand ce fut le petit jour et la fin de la nuit de nos noces.

« Et j'essayais de le consoler, de le rassurer. Rien ne calmait son angoisse. Alors j'ai dit : "S'il faut que vous partiez, si je suis venue vers vous au moment où rien ne pouvait vous rendre heureux, s'il faut que vous m'abandonniez un temps pour ensuite revenir apaisé près de moi, c'est moi qui vous demande de partir…" »

Dans l'ombre je vis qu'elle avait levé les yeux sur moi. C'était comme une confession qu'elle m'avait faite, et elle attendait, anxieusement, que je l'approuve ou la condamne. Mais que pouvais-je dire ? Certes, au fond de moi, je revoyais le grand Meaulnes de jadis, gauche et sauvage, qui se faisait toujours punir plutôt que de s'excuser ou de demander une permission qu'on lui eût certainement accordée. Sans doute aurait-il fallu qu'Yvonne de Galais lui fît violence et, lui prenant la tête entre ses mains, lui dît : « Qu'importe ce que vous avez fait ; je vous aime ; tous les hommes ne sont-ils pas des pécheurs ? » Sans doute avait-elle eu grand tort, par générosité, par esprit de sacrifice, de le rejeter ainsi sur la route des aventures… Mais comment aurais-je pu désapprouver tant de bonté, tant d'amour !…

Il y eut un long moment de silence, pendant lequel, troublés jusques au fond du cœur, nous entendions la pluie froide dégoutter dans les haies et sous les branches des arbres.

« Il est donc parti au matin, poursuivit-elle. Plus rien ne nous séparait désormais. Et il m'a embrassée, simplement, comme un mari qui laisse sa jeune femme, avant un long voyage… »

Elle se levait. Je pris dans la mienne sa main fiévreuse, puis son bras, et nous remontâmes l'allée dans l'obscurité profonde.

« Pourtant il ne vous a jamais écrit ? demandai-je.

– Jamais », répondit-elle.

Et alors, la pensée nous venant à tous deux de la vie aventureuse qu'il menait à cette heure sur les routes de France ou d'Allemagne, nous commençâmes à parler de lui comme nous ne l'avions jamais fait. Détails oubliés, impressions anciennes nous revenaient en mémoire, tandis que lentement nous regagnions la maison, faisant à chaque pas de longues stations pour mieux échanger nos souvenirs… Longtemps – jusqu'aux barrières du jardin – dans l'ombre, j'entendis la précieuse voix basse de la jeune femme ; et moi, repris par mon vieil enthousiasme, je lui parlais sans me lasser, avec une amitié profonde, de celui qui nous avait abandonnés…

CHAPITRE XII

LE FARDEAU

La classe devait recommencer le lundi. Le samedi soir, vers 5 heures, une femme du Domaine entra dans la cour de l'école où j'étais occupé à scier du bois pour l'hiver. Elle venait m'annoncer qu'une petite fille était née aux Sablonnières. L'accouchement avait été difficile. À 9 heures du soir, il avait fallu demander la sage-femme de Préveranges. À minuit, on avait attelé de nouveau pour aller chercher le médecin de Vierzon. Il avait dû appliquer les fers. La petite fille avait la tête blessée et criait beaucoup mais elle paraissait bien en vie. Yvonne de Galais était maintenant très affaissée, mais elle avait souffert et résisté avec une vaillance extraordinaire.

Je laissai là mon travail, courus revêtir un autre paletot, et content, en somme, de ces nouvelles, je suivis la bonne femme jusqu'aux Sablonnières. Avec précaution, de crainte que quelqu'un des deux blessés ne fût endormi, je montai par l'étroit escalier de bois qui menait au premier étage. Et là, M. de Galais, le visage fatigué mais heureux, me fit entrer dans la chambre où l'on avait provisoirement installé le berceau entouré de rideaux.

Je n'étais jamais entré dans une maison où fût né le jour même un petit enfant. Que cela me paraissait bizarre et mystérieux et bon ! Il faisait un soir si beau – un véritable soir d'été – que M. de Galais n'avait pas craint d'ouvrir la fenêtre qui donnait sur la cour. Accoudé près de moi sur l'appui de la croisée, il me racontait, avec épuisement et bonheur, le drame de la nuit ; et moi qui l'écoutais, je sentais obscurément que quelqu'un d'étranger était maintenant avec nous dans la chambre…

Sous les rideaux, cela se mit à crier, un petit cri aigre et prolongé… Alors M. de Galais me dit à demi-voix :

« C'est cette blessure à la tête qui la fait crier. »

Machinalement – on sentait qu'il faisait cela depuis le matin et que déjà il en avait pris l'habitude – il se mit à bercer le petit paquet de rideaux.

« Elle a ri déjà, dit-il, et elle prend le doigt. Mais vous ne l'avez pas vue ? »

Il ouvrit les rideaux et je vis une rouge petite figure bouffie, un petit crâne allongé et déformé par les fers :

« Ce n'est rien, dit M. de Galais, le médecin a dit que tout cela s'arrangerait de soi-même... Donnez-lui votre doigt, elle va le serrer. »

Je découvrais là comme un monde ignoré. Je me sentais le cœur gonflé d'une joie étrange que je ne connaissais pas auparavant...

M. de Galais entrouvrit avec précaution la porte de la chambre de la jeune femme. Elle ne dormait pas.

« Vous pouvez entrer », dit-il.

Elle était étendue, le visage enfiévré, au milieu de ses cheveux blonds épars. Elle me tendit la main en souriant d'un air las. Je lui fis compliment de sa fille. D'une voix un peu rauque, et avec une rudesse inaccoutumée – la rudesse de quelqu'un qui revient du combat :

« Oui, mais on me l'a abîmée », dit-elle en souriant.

Il fallut bientôt partir pour ne pas la fatiguer.

Le lendemain dimanche, dans l'après-midi, je me rendis avec une hâte presque joyeuse aux Sablonnières. À la porte, un écriteau fixé avec des épingles arrêta le geste que je faisais déjà :

Prière de ne pas sonner

Je ne devinai pas de quoi il s'agissait. Je frappai assez fort. J'entendis dans l'intérieur des pas étouffés qui accouraient. Quelqu'un que je ne connaissais pas – et qui était le médecin de Vierzon – m'ouvrit :

« Eh bien, qu'y a-t-il ? fis-je vivement.

– Chut ! chut ! – me répondit-il tout bas, l'air fâché. – La petite fille a failli mourir cette nuit. Et la mère est très mal. »

Complètement déconcerté, je le suivis sur la pointe des pieds jusqu'au premier étage. La petite fille endormie dans son berceau était toute pâle, toute blanche, comme un petit enfant mort. Le médecin pensait la sauver. Quant à la mère, il n'affirmait rien… Il me donna de longues explications comme au seul ami de la famille. Il parla de congestion pulmonaire, d'embolie. Il hésitait, il n'était pas sûr… M. de Galais entra, affreusement vieilli en deux jours, hagard et tremblant.

Il m'emmena dans la chambre sans trop savoir ce qu'il faisait :

« Il faut, me dit-il tout bas, qu'elle ne soit pas effrayée ; il faut, a ordonné le médecin, lui persuader que cela va bien. »

Tout le sang à la figure, Yvonne de Galais était étendue, la tête renversée comme la veille. Les joues et le front rouge sombre, les yeux par instants révulsés, comme quelqu'un qui étouffe, elle se défendait contre la mort avec un courage et une douceur indicibles.

Elle ne pouvait parler, mais elle me tendait sa main en feu, avec tant d'amitié que je faillis éclater en sanglots.

« Eh bien ! eh bien ! dit M. de Galais très fort, avec un enjouement affreux, qui semblait de folie, vous voyez que pour une malade elle n'a pas trop mauvaise mine ! »

Et je ne savais que répondre, mais je gardais dans la mienne la main horriblement chaude de la jeune femme mourante…

Elle voulut faire un effort pour me dire quelque chose, me demander je ne sais quoi ; elle tourna les yeux vers moi, puis vers la fenêtre, comme pour me faire signe d'aller dehors chercher quelqu'un… Mais alors une affreuse crise d'étouffement la saisit ; ses beaux yeux bleus qui, un instant, m'avaient appelé si tragiquement, se révulsèrent ; ses joues et son front noircirent, et elle se débattit doucement, cherchant à contenir jusqu'à la fin son épouvante et son désespoir. On se précipita – le médecin et les femmes – avec un ballon d'oxygène, des serviettes, des flacons ; tandis que le vieillard penché sur elle criait – criait comme si déjà elle eût été loin de lui, de sa voix rude et tremblante :

« N'aie pas peur, Yvonne. Ce ne sera rien. Tu n'as pas besoin d'avoir peur ! »

Puis la crise s'apaisa. Elle put souffler un peu, mais elle continua à suffoquer à demi, les yeux blancs, la tête renversée, luttant toujours, mais incapable, fût-ce un instant, pour me regarder et me parler, de sortir du gouffre où elle était déjà plongée.

… Et comme je n'étais utile à rien, je dus me décider à partir. Sans doute, j'aurais pu rester un instant encore ; et à cette pensée je me sens étreint par un affreux regret. Mais quoi ? J'espérais encore. Je me persuadais que tout n'était pas si proche.

En arrivant à la lisière des sapins, derrière la maison, songeant au regard de la jeune femme tourné vers la fenêtre, j'examinai avec l'attention d'une sentinelle ou d'un chasseur d'hommes la profondeur de ce bois par où Augustin était venu jadis et par où il avait fui l'hiver précédent. Hélas ! Rien ne bougea. Pas une ombre suspecte ; pas une branche qui remue. Mais, à la longue, là-bas, vers l'allée qui venait de Préveranges, j'entendis le son très fin d'une clochette ; bientôt parut au détour du sentier un enfant avec une calotte rouge et une blouse d'écolier qui suivait un prêtre… Et je partis, dévorant mes larmes.

Le lendemain était le jour de la rentrée des classes. À 7 heures, il y avait déjà deux ou trois gamins dans la cour. J'hésitai longuement à descendre, à me montrer. Et lorsque je parus enfin, tournant la clef de la classe moisie, qui était fermée depuis deux mois, ce que je redoutais le plus au monde arriva : je vis le plus grand des écoliers se détacher du groupe qui jouait sous le préau et s'approcher de moi. Il venait me dire que « la jeune dame des Sablonnières était morte hier à la tombée de la nuit ».

Tout se mêle pour moi, tout se confond dans cette douleur. Il me semble maintenant que jamais plus je n'aurai le courage de recommencer la classe. Rien que traverser la cour aride de l'école c'est une fatigue qui va me briser les genoux. Tout est pénible, tout est amer puisqu'elle est morte. Le monde est vide, les vacances sont finies. Finies, les longues courses perdues en voiture ; finie, la fête mystérieuse… Tout redevient la peine que c'était.

J'ai dit aux enfants qu'il n'y aurait pas de classe ce matin. Ils s'en vont, par petits groupes, porter cette nouvelle aux autres à travers la campagne. Quant à moi, je prends mon chapeau noir, une jaquette bordée que j'ai, et je m'en vais misérablement vers les Sablonnières…

… Me voici devant la maison que nous avions tant cherchée il y a trois ans ! C'est dans cette maison qu'Yvonne de Galais, la femme d'Augustin Meaulnes, est morte hier soir. Un étranger la prendrait pour une chapelle, tant il s'est fait de silence depuis hier dans ce lieu désolé.

Voilà donc ce que nous réservait ce beau matin de rentrée, ce perfide soleil d'automne qui glisse sous les branches. Comment lutterais-je contre cette affreuse révolte, cette suffocante montée de larmes ! Nous avions retrouvé la belle jeune fille. Nous l'avions conquise. Elle était la femme de mon compagnon et moi je l'aimais de cette amitié profonde et secrète qui ne se dit jamais. Je la regardais et j'étais content, comme un petit enfant. J'aurais un jour peut-être épousé une autre jeune fille, et c'est à elle la première que j'aurais confié la grande nouvelle secrète…

Près de la sonnette, au coin de la porte, on a laissé l'écriteau d'hier. On a déjà apporté le cercueil dans le vestibule, en bas. Dans la chambre du premier, c'est la nourrice de l'enfant qui m'accueille, qui me raconte la fin et qui entrouvre doucement la porte… La voici. Plus de fièvre ni de combats. Plus de rougeur, ni d'attente… Rien que le silence, et, entouré d'ouate, un dur visage insensible et blanc, un front mort d'où sortent les cheveux drus et durs.

M. de Galais, accroupi dans un coin, nous tournant le dos, est en chaussettes, sans souliers, et il fouille avec une terrible obstination dans des tiroirs en désordre, arrachés d'une armoire. Il en sort de temps à autre, avec une crise de sanglots qui lui secoue les épaules comme une crise de rire, une photographie ancienne, déjà jaunie, de sa fille.

L'enterrement est pour midi. Le médecin craint la décomposition rapide, qui suit parfois les embolies. C'est pourquoi le visage, comme tout le corps d'ailleurs, est entouré d'ouate imbibée de phénol.

L'habillage terminé – on lui a mis son admirable robe de velours bleu sombre, semée par endroits de petites étoiles d'argent, mais il a fallu aplatir et friper les belles manches à gigot [1] maintenant démodées – au moment de faire monter le cercueil, on s'est aperçu qu'il ne pourrait pas tourner dans le couloir trop étroit. Il faudrait avec une corde le hisser du dehors par la fenêtre et de la même façon le faire descendre ensuite… Mais M. de Galais, toujours penché sur de vieilles choses parmi lesquelles il cherche on ne sait quels souvenirs perdus, intervient alors avec une véhémence terrible.

« Plutôt, dit-il d'une voix coupée par les larmes et la colère, plutôt que de laisser faire une chose aussi affreuse, c'est moi qui la prendrai et la descendrai dans mes bras… »

Et il ferait ainsi, au risque de tomber en faiblesse, à mi-chemin, et de s'écrouler avec elle !

Mais alors je m'avance, je prends le seul parti possible : avec l'aide du médecin et d'une femme, passant un bras sous le dos de la morte étendue, l'autre sous ses jambes, je la charge contre ma poitrine. Assise sur mon bras gauche, les épaules appuyées contre mon bras droit, sa tête retombante retournée sous mon menton, elle pèse terriblement sur mon cœur. Je descends lentement,

---

1. La « manche à gigot » ou, plus couramment, « manche gigot », est très ample au niveau du bras et resserrée sur l'avant-bras (elle donne ainsi au membre la forme du gigot).

marche par marche, le long escalier raide, tandis qu'en bas on apprête tout.

J'ai bientôt les deux bras cassés par la fatigue. À chaque marche avec ce poids sur la poitrine, je suis un peu plus essoufflé. Agrippé au corps inerte et pesant, je baisse la tête sur la tête de celle que j'emporte, je respire fortement et ses cheveux blonds aspirés m'entrent dans la bouche – des cheveux morts qui ont un goût de terre. Ce goût de terre et de mort, ce poids sur le cœur, c'est tout ce qui reste pour moi de la grande aventure, et de vous, Yvonne de Galais, jeune femme tant cherchée – tant aimée [1].

CHAPITRE XIII

LE CAHIER DE DEVOIRS MENSUELS

Dans la maison pleine de tristes souvenirs, où des femmes, tout le jour, berçaient et consolaient un tout petit enfant malade, le vieux M. de Galais ne tarda pas à s'aliter. Aux premiers grands froids de l'hiver il s'éteignit paisiblement et je ne pus me tenir de verser des larmes au chevet de ce vieil homme charmant, dont la pensée indulgente et la fantaisie alliée à celle de son fils avaient

1. Alain-Fournier s'inspire ici de la mort, au mois d'août 1910, de Jeanne Tronche, belle-sœur du peintre André Lhote avec lequel il entretint une correspondance amicale. L'écrivain reprend dans le roman deux paragraphes d'une lettre adressée au mari de la jeune femme (*Lettres à sa famille et à quelques autres*, Fayard, 1991, p. 619). La descente d'Yvonne dans l'escalier dans le chapitre « Le fardeau » lui a été suggérée par un événement réel, rapporté par Isabelle dans *Images d'Alain-Fournier par sa sœur Isabelle*, *op. cit.*, p. 326. Ce détail renvoie aussi à un passage de *Tess d'Uberville*, de Thomas Hardy, où le héros, Clare, dans une crise de somnambulisme, porte sa femme de l'étage au rez-de-chaussée, puis, quittant la maison, s'en va la déposer dans un sarcophage.

été la cause de toute notre aventure. Il mourut, fort heureusement, dans une incompréhension complète de tout ce qui s'était passé et, d'ailleurs, dans un silence presque absolu. Comme il n'avait plus depuis longtemps ni parents ni amis dans cette région de la France, il m'institua par testament son légataire universel jusqu'au retour de Meaulnes, à qui je devais rendre compte de tout, s'il revenait jamais… Et c'est aux Sablonnières désormais que j'habitai. Je n'allais plus à Saint-Benoist que pour y faire la classe, partant le matin de bonne heure, déjeunant à midi d'un repas préparé au Domaine, que je faisais chauffer sur le poêle, et rentrant le soir aussitôt après l'étude. Ainsi je pus garder près de moi l'enfant que les servantes de la ferme soignaient. Surtout j'augmentais mes chances de rencontrer Augustin, s'il rentrait un jour aux Sablonnières.

Je ne désespérais pas, d'ailleurs, de découvrir à la longue dans les meubles, dans les tiroirs de la maison, quelque papier, quelque indice qui me permît de connaître l'emploi de son temps, durant le long silence des années précédentes – et peut-être ainsi de saisir les raisons de sa fuite ou tout au moins de retrouver sa trace… J'avais déjà vainement inspecté je ne sais combien de placards et d'armoires, ouvert, dans les cabinets de débarras, une quantité d'anciens cartons de toutes formes, qui se trouvaient tantôt remplis de liasses de vieilles lettres et de photographies jaunies de la famille de Galais, tantôt bondés de fleurs artificielles, de plumes, d'aigrettes et d'oiseaux démodés. Il s'échappait de ces boîtes je ne sais quelle odeur fanée, quel parfum éteint, qui, soudain, réveillaient en moi pour tout un jour les souvenirs, les regrets, et arrêtaient mes recherches…

Un jour de congé, enfin, j'avisai au grenier une vieille petite malle longue et basse, couverte de poils de porc à demi rongés, et que je reconnus pour être la malle d'écolier d'Augustin. Je me reprochai de n'avoir point commencé par là mes recherches. J'en fis sauter facilement la serrure rouillée. La malle était pleine jusqu'au bord des cahiers et des livres de Sainte-Agathe. Arithmétiques, littératures, cahiers de problèmes, que sais-je ?... Avec attendrissement plutôt que par curiosité, je me mis à fouiller dans tout cela, relisant les dictées que je savais encore par cœur, tant de fois nous les avions recopiées ! « L'Aqueduc » de Rousseau, « Une aventure en Calabre » de P.-L. Courier, « Lettre de George Sand à son fils [1] »...

Il y avait aussi un « Cahier de Devoirs mensuels ». J'en fus surpris, car ces cahiers restaient au Cours et les élèves ne les emportaient jamais au-dehors. C'était un cahier vert tout jauni sur les bords. Le nom de l'élève, *Augustin Meaulnes*, était écrit sur la couverture en ronde magnifique. Je l'ouvris. À la date des devoirs, avril 189..., je reconnus que Meaulnes l'avait commencé peu de jours avant de quitter Sainte-Agathe. Les premières pages étaient tenues avec le soin religieux qui était de règle lorsqu'on travaillait sur ce cahier de compositions. Mais il n'y avait pas plus de trois pages écrites, le reste était blanc et voilà pourquoi Meaulnes l'avait emporté.

Tout en réfléchissant, agenouillé par terre, à ces coutumes, à ces règles puériles qui avaient tenu tant de place dans notre adolescence, je faisais tourner sous mon pouce le bord des pages du cahier inachevé. Et c'est ainsi que je découvris de l'écriture sur d'autres feuillets. Après quatre pages laissées en blanc on avait recommencé à écrire.

C'était encore l'écriture de Meaulnes, mais rapide, mal formée, à peine lisible ; de petits paragraphes de largeurs inégales, séparés par des lignes blanches. Parfois ce n'était qu'une phrase inachevée. Quelquefois une date. Dès la première ligne, je jugeai qu'il pouvait y avoir là des renseignements sur la vie passée de Meaulnes à Paris, des indices sur la piste que je cherchais, et je descendis

1. Les œuvres de Rousseau et de Paul-Louis Courier ont déjà été mentionnées comme supports pédagogiques au premier chapitre de la deuxième partie (voir p. 90, note 1). Les lettres de George Sand à son fils Maurice sont, comme les autres textes, évoquées comme des morceaux de choix pour les dictées.

dans la salle à manger pour parcourir à loisir, à la lumière du jour, l'étrange document. Il faisait un jour d'hiver clair et agité. Tantôt le soleil vif dessinait les croix des carreaux sur les rideaux blancs de la fenêtre, tantôt un vent brusque jetait aux vitres une averse glacée. Et c'est devant cette fenêtre, auprès du feu, que je lus ces lignes qui m'expliquèrent tant de choses et dont voici la copie très exacte...

CHAPITRE XIV

LE SECRET

Je suis passé une fois encore sous sa fenêtre. La vitre est toujours poussiéreuse et blanchie par le double rideau qui est derrière. Yvonne de Galais l'ouvrirait-elle que je n'aurais rien à lui dire puisqu'elle est mariée... Que faire maintenant ? Comment vivre ?...

Samedi 13 février – J'ai rencontré, sur le quai, cette jeune fille qui m'avait renseigné au mois de juin, qui attendait comme moi devant la maison fermée... Je lui ai parlé. Tandis qu'elle marchait, je regardais de côté les légers défauts de son visage : une petite ride au coin des lèvres, un peu d'affaissement aux joues, et de la poudre accumulée aux ailes du nez. Elle s'est retournée tout d'un coup et me regardant bien en face, peut-être parce qu'elle est plus belle de face que de profil, elle m'a dit d'une voix très brève :

« Vous m'amusez beaucoup. Vous me rappelez un jeune homme qui me faisait la cour, autrefois, à Bourges. Il était même mon fiancé... »

Cependant, à la nuit pleine, sur le trottoir désert et mouillé qui reflète la lueur d'un bec de gaz, elle s'est approchée de moi tout d'un coup, pour me demander de l'emmener ce soir au théâtre avec sa sœur. Je remarque pour la première fois qu'elle est habillée de deuil, avec un chapeau de dame trop vieux pour sa jeune figure, un haut parapluie fin, pareil à une canne. Et comme je suis tout près d'elle, quand je fais un geste mes ongles griffent le crêpe de son corsage... Je fais des difficultés pour accorder ce qu'elle demande. Fâchée, elle veut partir tout de suite. Et c'est moi, maintenant, qui la retiens et la prie. Alors un ouvrier qui passe dans l'obscurité plaisante à mi-voix :

« N'y va pas, ma petite, il te ferait mal ! »

Et nous sommes restés, tous les deux, interdits.

Au théâtre. – Les deux jeunes filles, mon amie qui s'appelle Valentine Blondeau et sa sœur, sont arrivées avec de pauvres écharpes.

Valentine est placée devant moi. À chaque instant elle se retourne, inquiète, comme se demandant ce que je lui veux. Et moi, je me sens, près d'elle, presque heureux ; je lui réponds chaque fois par un sourire.

Tout autour de nous, il y avait des femmes trop décolletées. Et nous plaisantions. Elle souriait d'abord, puis elle a dit : « Il ne faut pas que je rie. Moi aussi je suis trop décolletée. » Et elle s'est enveloppée dans son écharpe. En effet, sous le carré de dentelle noire, on voyait que, dans sa hâte à changer de toilette, elle avait refoulé le haut de sa simple chemise montante.

Il y a en elle je ne sais quoi de pauvre et de puéril ; il y a dans son regard je ne sais quel air souffrant et hasardeux qui m'attire. Près d'elle, le seul être au monde qui ait pu me renseigner sur les gens du Domaine, je ne cesse de penser à mon étrange aventure de jadis... J'ai voulu l'interroger de nouveau sur le petit hôtel du boulevard. Mais, à son tour, elle m'a posé des questions si gênantes que je n'ai su rien répondre. Je sens que désormais nous serons, tous les deux, muets sur ce sujet. Et pourtant je sais aussi que je la reverrai. À quoi bon ? Et pourquoi ?... Suis-je condamné maintenant à suivre à la trace tout être qui portera en soi le plus vague, le plus lointain relent de mon aventure manquée ?...

À minuit, seul, dans la rue déserte, je me demande ce que me veut cette nouvelle et bizarre histoire ? Je marche le long des maisons pareilles à des boîtes en carton alignées, dans lesquelles tout un peuple dort. Et je me souviens tout à coup d'une décision que j'avais prise l'autre mois : j'avais résolu d'aller là-bas en pleine nuit, vers une heure du matin, de contourner l'hôtel, d'ouvrir la porte du jardin, d'entrer comme un voleur et de chercher un indice quelconque qui me permît de retrouver le Domaine perdu, pour la revoir, seulement la revoir... Mais je suis fatigué. J'ai faim. Moi aussi je me suis hâté de changer de costume, avant le théâtre, et je n'ai pas dîné... Agité, inquiet pourtant, je reste longtemps assis sur le bord de mon lit, avant de me coucher, en proie à un vague remords. Pourquoi ?

Je note encore ceci : elles n'ont pas voulu ni que je les reconduise, ni me dire où elles demeuraient. Mais je les ai suivies aussi longtemps que j'ai pu. Je sais qu'elles habitent une petite rue qui tourne aux environs de Notre-Dame. Mais à quel numéro ?... J'ai deviné qu'elles étaient couturières ou modistes [1].

En se cachant de sa sœur, Valentine m'a donné rendez-vous pour jeudi, à 4 heures, devant le même théâtre où nous sommes allés.

« Si je n'étais pas là demain, a-t-elle dit, revenez vendredi à la même heure, puis samedi, et ainsi de suite, tous les jours. »

---

1. La modiste crée ou vend des vêtements féminins. Dans un second sens, elle crée des chapeaux, des coiffures.

Jeudi 18 février. – Je suis parti pour l'attendre dans le grand vent qui charrie de la pluie. On se disait à chaque instant : il va finir par pleuvoir…

Je marche dans la demi-obscurité des rues, un poids sur le cœur. Il tombe une goutte d'eau. Je crains qu'il ne pleuve : une averse peut l'empêcher de venir. Mais le vent se reprend à souffler et la pluie ne tombe pas cette fois encore. Là-haut, dans la grise après-midi du ciel – tantôt grise et tantôt éclatante – un grand nuage a dû céder au vent. Et je suis ici terré dans une attente misérable.

Devant le théâtre. – Au bout d'un quart d'heure je suis certain qu'elle ne viendra pas. Du quai où je suis, je surveille au loin, sur le pont par lequel elle aurait dû venir, le défilé des gens qui passent. J'accompagne du regard toutes les jeunes femmes en deuil que je vois venir et je me sens presque de la reconnaissance pour celles qui, le plus longtemps, le plus près de moi, lui ont ressemblé et m'ont fait espérer…

Une heure d'attente. – Je suis las. À la tombée de la nuit, un gardien de la paix traîne au poste voisin un voyou qui lui jette d'une voix étouffée toutes les injures, toutes les ordures qu'il sait. L'agent est furieux, pâle, muet… Dès le couloir il commence à cogner, puis il referme sur eux la porte pour battre le misérable tout à l'aise… Il me vient cette pensée affreuse que j'ai renoncé au paradis et que je suis en train de piétiner aux portes de l'enfer.

De guerre lasse, je quitte l'endroit et je gagne cette rue étroite et basse, entre la Seine et Notre-Dame, où je connais à peu près la place de leur maison. Tout seul, je vais et viens. De temps à autre une bonne ou une ménagère sort sous la petite pluie pour faire avant la nuit ses emplettes… Il n'y a rien, ici, pour moi, et je m'en vais… Je repasse, dans la pluie claire qui retarde la nuit, sur la place où nous devions nous attendre. Il y a plus de monde que tout à l'heure – une foule noire…

Suppositions – Désespoir – Fatigue. Je me raccroche à cette pensée : demain. Demain, à la même heure, en ce même endroit, je reviendrai l'attendre. Et j'ai grand-hâte que demain soit arrivé. Avec ennui j'imagine la soirée d'aujourd'hui, puis la matinée du lendemain, que je vais passer dans le désœuvrement… Mais déjà cette journée n'est-elle pas presque finie ? Rentré chez moi, près du feu, j'entends crier les journaux du soir. Sans doute, de sa maison perdue quelque part dans la ville, auprès de Notre-Dame, elle les entend aussi.

Elle… je veux dire : Valentine.

Cette soirée que j'avais voulu escamoter me pèse étrangement. Tandis que l'heure avance, que ce jour-là va bientôt finir et que déjà je le voudrais fini, il y a des hommes qui lui ont confié tout leur espoir, tout leur amour et leurs dernières forces. Il y a des hommes mourants, d'autres qui attendent une échéance, et qui voudraient que ce ne soit jamais demain. Il y en a d'autres pour qui demain pointera comme un remords. D'autres qui sont fatigués, et cette nuit ne sera jamais assez longue pour leur donner tout le repos qu'il faudrait. Et moi, moi qui ai perdu ma journée, de quel droit est-ce que j'ose appeler demain ?

Vendredi soir. – J'avais pensé écrire à la suite : « Je ne l'ai pas revue. » Et tout aurait été fini.

Mais en arrivant ce soir, à 4 heures, au coin du théâtre : la voici. Fine et grave, vêtue de noir, mais avec de la poudre au visage et une collerette qui lui donne l'air d'un pierrot coupable [1]. Un air à la fois douloureux et malicieux.

C'est pour me dire qu'elle veut me quitter tout de suite, qu'elle ne viendra plus.

………………………………………………………………

1. L'habit était aussi celui que portait Valentine dans la fête étrange : voir p. 64, note 1.

Et pourtant, à la tombée de la nuit, nous voici encore tous les deux, marchant lentement l'un près de l'autre, sur le gravier des Tuileries. Elle me raconte son histoire mais d'une façon si enveloppée que je comprends mal. Elle dit : « mon amant » en parlant de ce fiancé qu'elle n'a pas épousé. Elle le fait exprès, je pense, pour me choquer et pour que je ne m'attache point à elle.

Il y a des phrases d'elle que je transcris de mauvaise grâce :

« N'ayez aucune confiance en moi, dit-elle, je n'ai jamais fait que des folies.

« J'ai couru des chemins, toute seule.

« J'ai désespéré mon fiancé. Je l'ai abandonné parce qu'il m'admirait trop ; il ne me voyait qu'en imagination et non point telle que j'étais. Or, je suis pleine de défauts. Nous aurions été très malheureux. »

À chaque instant, je la surprends en train de se faire plus mauvaise qu'elle n'est. Je pense qu'elle veut se prouver à elle-même qu'elle a eu raison jadis de faire la sottise dont elle parle, qu'elle n'a rien à regretter et n'était pas digne du bonheur qui s'offrait à elle.

Une autre fois :

« Ce qui me plaît en vous, m'a-t-elle dit en me regardant longuement, ce qui me plaît en vous, je ne puis savoir pourquoi, ce sont mes souvenirs… »

Une autre fois :

« Je l'aime encore, disait-elle, plus que vous ne pensez. »

Et puis soudain, brusquement, brutalement, tristement :

« Enfin, qu'est-ce que vous voulez ? Est-ce que vous m'aimez, vous aussi ? Vous aussi, vous allez demander ma main ?… »

J'ai balbutié. Je ne sais pas ce que j'ai répondu. Peut-être ai-je dit : « Oui. »

Cette espèce de journal s'interrompait là. Commençaient alors des brouillons de lettres, illisibles, informes, raturés. Précaires fiançailles !... La jeune fille, sur la prière de Meaulnes, avait abandonné son métier. Lui, s'était occupé des préparatifs du mariage. Mais sans cesse repris par le désir de chercher encore, de partir encore sur la trace de son amour perdu, il avait dû, sans doute, plusieurs fois disparaître ; et, dans ces lettres, avec un embarras tragique, il cherchait à se justifier devant Valentine.

CHAPITRE XV

LE SECRET *(suite)*

Puis le journal reprenait.

Il avait noté des souvenirs sur un séjour qu'ils avaient fait tous deux à la campagne, je ne sais où. Mais, chose étrange, à partir de cet instant, peut-être par un sentiment de pudeur secrète, le journal était rédigé de façon si hachée, si informe, griffonné si hâtivement aussi, que j'ai dû reprendre moi-même et reconstituer toute cette partie de son histoire.

14 juin. Lorsqu'il s'éveilla de grand matin dans la chambre de l'auberge, le soleil avait allumé les dessins rouges du rideau noir. Des ouvriers agricoles, dans la salle du bas, parlaient fort en prenant le café du matin : ils s'indignaient, en phrases rudes et paisibles, contre un de leurs patrons. Depuis longtemps sans doute Meaulnes entendait, dans son sommeil, ce calme bruit. Car il n'y prit point garde d'abord. Ce rideau semé de grappes rougies par le soleil, ces voix matinales montant dans la chambre silencieuse, tout cela se confondait dans

l'impression unique d'un réveil à la campagne, au début de délicieuses grandes vacances.

Il se leva, frappa doucement à la porte voisine, sans obtenir de réponse, et l'entrouvrit sans bruit. Il aperçut alors Valentine et comprit d'où lui venait tant de paisible bonheur. Elle dormait, absolument immobile et silencieuse, sans qu'on l'entendît respirer, comme un oiseau doit dormir. Longtemps, il regarda ce visage d'enfant aux yeux fermés, ce visage si quiet qu'on eût souhaité ne l'éveiller et ne le troubler jamais.

Elle ne fit pas d'autre mouvement pour montrer qu'elle ne dormait plus que d'ouvrir les yeux et de regarder.

Dès qu'elle fut habillée, Meaulnes revint près de la jeune fille.

« Nous sommes en retard », dit-elle.

Et ce fut aussitôt comme une ménagère dans sa demeure.

Elle mit de l'ordre dans les chambres, brossa les habits que Meaulnes avait portés la veille et quand elle en vint au pantalon se désola. Le bas des jambes était couvert d'une boue épaisse. Elle hésita, puis, soigneusement, avec précaution, avant de le brosser, elle commença par râper la première épaisseur de terre avec un couteau.

« C'est ainsi, dit Meaulnes, que faisaient les gamins de Sainte-Agathe quand ils s'étaient flanqués dans la boue.

– Moi, c'est ma mère qui m'a enseigné cela », dit Valentine.

... Et telle était bien la compagne que devait souhaiter, avant son aventure mystérieuse, le chasseur et le paysan qu'était le grand Meaulnes.

15 juin. – À ce dîner, à la ferme, où grâce à leurs amis qui les avaient présentés comme mari et femme, ils furent

conviés, à leur grand ennui, elle se montra timide comme une nouvelle mariée.

On avait allumé les bougies de deux candélabres, à chaque bout de la table couverte de toile blanche, comme à une paisible noce de campagne. Les visages, dès qu'ils se penchaient, sous cette faible clarté, baignaient dans l'ombre.

Il y avait à la droite de Patrice (le fils du fermier) Valentine puis Meaulnes, qui demeura taciturne jusqu'au bout, bien qu'on s'adressât presque toujours à lui. Depuis qu'il avait résolu, dans ce village perdu, afin d'éviter les commentaires, de faire passer Valentine pour sa femme, un même regret, un même remords le désolaient. Et tandis que Patrice, à la façon d'un gentilhomme campagnard, dirigeait le dîner :

« C'est moi, pensait Meaulnes, qui devrais, ce soir, dans une salle basse comme celle-ci, une belle salle que je connais bien, présider le repas de mes noces. »

Près de lui, Valentine refusait timidement tout ce qu'on lui offrait. On eût dit une jeune paysanne. À chaque tentative nouvelle, elle regardait son ami et semblait vouloir se réfugier contre lui. Depuis longtemps, Patrice insistait vainement pour qu'elle vidât son verre, lorsqu'enfin Meaulnes se pencha vers elle et lui dit doucement :

« Il faut boire, ma petite Valentine. »

Alors, docilement, elle but. Et Patrice félicita en souriant le jeune homme d'avoir une femme aussi obéissante.

Mais tous les deux, Valentine et Meaulnes, restaient silencieux et pensifs. Ils étaient fatigués, d'abord ; leurs pieds trempés par la boue de la promenade étaient glacés sur les carreaux lavés de la cuisine. Et puis, de temps à autre, le jeune homme était obligé de dire :

« Ma femme, Valentine, ma femme… »

Et chaque fois, en prononçant sourdement ce mot, devant ces paysans inconnus, dans cette salle obscure, il avait l'impression de commettre une faute.

17 juin. – L'après-midi de ce dernier jour commença mal.

Patrice et sa femme les accompagnèrent à la promenade. Peu à peu, sur la pente inégale couverte de bruyère, les deux couples se trouvèrent séparés. Meaulnes et Valentine s'assirent entre les genévriers, dans un petit taillis.

Le vent portait des gouttes de pluie et le temps était bas. La soirée avait un goût amer, semblait-il, le goût d'un tel ennui que l'amour même ne le pouvait distraire.

Longtemps ils restèrent là, dans leur cachette, abrités sous les branches, parlant peu. Puis le temps se leva. Il fit beau. Ils crurent que, maintenant, tout irait bien.

Et ils commencèrent à parler d'amour, Valentine parlait, parlait…

« Voici, disait-elle, ce que me promettait mon fiancé, comme un enfant qu'il était : tout de suite nous aurions eu une maison, comme une chaumière perdue dans la campagne. "Elle était toute prête", disait-il. Nous y serions arrivés comme au retour d'un grand voyage, le soir de notre mariage, vers cette heure-ci qui est proche de la nuit. Et par les chemins, dans la cour, cachés dans les bosquets, des enfants inconnus nous auraient fait fête, criant : "Vive la mariée !…" Quelles folies ! n'est-ce pas ? »

Meaulnes, interdit, soucieux, l'écoutait. Il retrouvait, dans tout cela, comme l'écho d'une voix déjà entendue. Et il y avait aussi, dans le ton de la jeune fille, lorsqu'elle contait cette histoire, un vague regret.

Mais elle eut peur de l'avoir blessé. Elle se retourna vers lui, avec élan, avec douceur.

« À vous, dit-elle, je veux donner tout ce que j'ai : quelque chose qui ait été pour moi plus précieux que tout…, et vous le brûlerez ! »

Alors, en le regardant fixement, d'un air anxieux, elle sortit de sa poche un petit paquet de lettres qu'elle lui tendit, les lettres de son fiancé.

Ah ! tout de suite, il reconnut la fine écriture. Comment n'y avait-il jamais pensé plus tôt ! C'était l'écriture de Frantz le bohémien, qu'il avait vue jadis sur le billet désespéré laissé dans la chambre du Domaine...

Ils marchaient maintenant sur une petite route étroite entre les pâquerettes et les foins éclairés obliquement par le soleil de 5 heures. Si grande était sa stupeur que Meaulnes ne comprenait pas encore quelle déroute pour lui tout cela signifiait. Il lisait parce qu'elle lui avait demandé de lire. Des phrases enfantines, sentimentales, pathétiques... Celle-ci, dans la dernière lettre :

> ... Ah ! vous avez perdu le petit cœur, impardonnable petite Valentine. Que va-t-il nous arriver ? Enfin je ne suis pas superstitieux...

Meaulnes lisait, à demi aveuglé de regret et de colère, le visage immobile, mais tout pâle, avec des frémissements sous les yeux. Valentine, inquiète de le voir ainsi, regarda où il en était, et ce qui le fâchait ainsi.

« C'est, expliqua-t-elle très vite, un bijou qu'il m'avait donné en me faisant jurer de le garder toujours. C'étaient là de ses idées folles. »

Mais elle ne fit qu'exaspérer Meaulnes.

« Folles ! dit-il en mettant les lettres dans sa poche. Pourquoi répéter ce mot ? Pourquoi n'avoir jamais voulu croire en lui ? Je l'ai connu, c'était le garçon le plus merveilleux du monde !

– Vous l'avez connu, dit-elle au comble de l'émoi, vous avez connu Frantz de Galais ?

– C'était mon ami le meilleur, c'était mon frère d'aventures, et voilà que je lui ai pris sa fiancée !

« Ah ! poursuivit-il avec fureur, quel mal vous nous avez fait, vous qui n'avez voulu croire à rien. Vous êtes cause de tout. C'est vous qui avez tout perdu ! tout perdu ! »

Elle voulut lui parler, lui prendre la main, mais il la repoussa brutalement.

« Allez-vous-en. Laissez-moi.

– Eh bien ! s'il en est ainsi, dit-elle, le visage en feu, bégayant et pleurant à demi, je partirai en effet. Je rentrerai à Bourges, chez nous, avec ma sœur. Et si vous ne revenez pas me chercher, vous savez, n'est-ce pas ? que mon père est trop pauvre pour me garder ; eh bien ! je repartirai pour Paris, je battrai les chemins comme je l'ai déjà fait une fois, je deviendrai certainement une fille perdue, moi qui n'ai plus de métier… »

Et elle s'en alla chercher ses paquets pour prendre le train, tandis que Meaulnes, sans même la regarder partir, continuait à marcher au hasard.

Le journal s'interrompait de nouveau.

Suivaient encore des brouillons de lettres, lettres d'un homme indécis, égaré. Rentré à La Ferté-d'Angillon, Meaulnes écrivait à Valentine en apparence pour lui affirmer sa résolution de ne jamais la revoir et lui en donner des raisons précises, mais en réalité, peut-être, pour qu'elle lui répondît. Dans une de ces lettres, il lui demandait ce que, dans son désarroi, il n'avait pas même songé d'abord à lui demander : savait-elle où se trouvait le Domaine tant cherché ? Dans une autre, il la suppliait de se réconcilier avec Frantz de Galais. Lui-même se chargeait de le retrouver… Toutes les lettres dont je voyais les brouillons n'avaient pas dû être envoyées. Mais il avait dû écrire deux ou trois fois, sans jamais obtenir de réponse. Ç'avait été pour lui une période de combats affreux et misérables, dans un isolement absolu. L'espoir de revoir jamais Yvonne de Galais s'étant complètement évanoui, il avait dû peu à peu sentir sa grande résolution faiblir. Et d'après les pages qui vont suivre – les dernières de son journal – j'imagine qu'il dut, un beau matin du début des vacances, louer une bicyclette pour aller à Bourges, visiter la cathédrale.

Il était parti à la première heure, par la belle route droite entre les bois, inventant en chemin mille prétextes à se présenter dignement, sans demander une réconciliation, devant celle qu'il avait chassée.

Les quatre dernières pages, que j'ai pu reconstituer, racontaient ce voyage et cette dernière faute…

CHAPITRE XVI

LE SECRET *(fin)*

25 août. – De l'autre côté de Bourges, à l'extrémité des nouveaux faubourgs, il découvrit, après avoir longtemps cherché, la maison de Valentine Blondeau. Une femme – la mère de Valentine – sur le pas de la porte, semblait l'attendre. C'était une bonne figure de ménagère, lourde, fripée, mais belle encore. Elle le regardait venir avec curiosité, et lorsqu'il lui demanda : « si Mlles Blondeau étaient ici », elle lui expliqua doucement, avec bienveillance, qu'elles étaient rentrées à Paris depuis le 15 août.

« Elles m'ont défendu de dire où elles allaient, ajouta-t-elle, mais en écrivant à leur ancienne adresse, on fera suivre leurs lettres. »

En revenant sur ses pas, sa bicyclette à la main, à travers le jardinet, il pensait :

« Elle est partie… Tout est fini comme je l'ai voulu… C'est moi qui l'ai forcée à cela. “Je deviendrai certainement une fille perdue”, disait-elle. Et c'est moi qui l'ai jetée là ! C'est moi qui ai perdu la fiancée de Frantz ! »

Et tout bas il se répétait avec folie : « Tant mieux ! Tant mieux ! » avec la certitude que c'était bien « tant pis » au contraire et que, sous les yeux de cette femme, avant d'arriver à la grille, il allait buter des deux pieds et tomber sur les genoux.

Il ne pensa pas à déjeuner et s'arrêta dans un café où il écrivit longuement à Valentine, rien que pour crier, pour se délivrer du cri désespéré qui l'étouffait. Sa lettre répétait indéfiniment : « Vous avez pu ! Vous avez pu !... Vous avez pu vous résigner à cela ! Vous avez pu vous perdre ainsi ! »

Près de lui des officiers buvaient. L'un d'eux racontait bruyamment une histoire de femme qu'on entendait par bribes : « ... Je lui ai dit... Vous devez bien me connaître... Je fais la partie avec votre mari tous les soirs ! » Les autres riaient et, détournant la tête, crachaient derrière les banquettes. Hâve et poussiéreux, Meaulnes les regardait comme un mendiant. Il les imagina tenant Valentine sur leurs genoux.

Longtemps, à bicyclette, il erra autour de la cathédrale, se disant obscurément : « En somme, c'est pour la cathédrale que j'étais venu. » Au bout de toutes les rues, sur la place déserte, on la voyait monter énorme et indifférente. Ces rues étaient étroites et souillées comme les ruelles qui entourent les églises de village. Il y avait çà et là l'enseigne d'une maison louche, une lanterne rouge... Meaulnes sentait sa douleur perdue, dans ce quartier malpropre, vicieux, réfugié, comme aux anciens âges, sous les arcs-boutants de la cathédrale. Il lui venait une crainte de paysan, une répulsion pour cette église de la ville, où tous les vices sont sculptés dans des cachettes, qui est bâtie entre les mauvais lieux et qui n'a pas de remède pour les plus pures douleurs d'amour.

Deux filles vinrent à passer, se tenant par la taille et le regardant effrontément. Par dégoût ou par jeu, pour se venger de son amour ou pour l'abîmer, Meaulnes les suivit lentement à bicyclette et l'une d'elles, une misérable fille dont les rares cheveux blonds étaient tirés en arrière par un faux chignon, lui donna rendez-vous pour 6 heures au Jardin de l'Archevêché, le jardin où Frantz, dans une de ses lettres, donnait rendez-vous à la pauvre Valentine.

Il ne dit pas non, sachant qu'à cette heure il aurait depuis longtemps quitté la ville. Et de sa fenêtre basse, dans la rue en pente, elle resta longtemps à lui faire des signes vagues.

Il avait hâte de reprendre son chemin.

Avant de partir, il ne put résister au morne désir de passer une dernière fois devant la maison de Valentine. Il regarda de tous ses yeux et put faire provision de tristesse. C'était une des dernières maisons du faubourg et la rue devenait une route à partir de cet endroit... En face, une sorte de terrain vague formait comme une petite place. Il n'y avait personne aux fenêtres, ni dans la cour, nulle part. Seule, le long d'un mur, traînant deux gamins en guenilles, une sale fille poudrée passa.

C'est là que l'enfance de Valentine s'était écoulée, là qu'elle avait commencé à regarder le monde de ses yeux confiants et sages. Elle avait travaillé, cousu, derrière ces fenêtres. Et Frantz était passé pour la voir, lui sourire, dans cette rue de faubourg. Mais maintenant il n'y avait plus rien, rien... La triste soirée durait et Meaulnes savait seulement que quelque part, perdue, durant ce même après-midi, Valentine regardait passer dans son souvenir cette place morne où jamais elle ne viendrait plus.

Le long voyage qu'il lui restait à faire pour rentrer devait être son dernier recours contre sa peine, sa dernière distraction forcée avant de s'y enfoncer tout entier.

Il partit. Aux environs de la route, dans la vallée, de délicieuses maisons-fermières, entre les arbres, au bord de l'eau, montraient leurs pignons pointus garnis de treillis verts. Sans doute, là-bas, sur les pelouses, des jeunes filles attentives parlaient de l'amour. On imaginait, là-bas, des âmes, de belles âmes...

Mais, pour Meaulnes, à ce moment, il n'existait plus qu'un seul amour, cet amour mal satisfait qu'on venait de souffleter si cruellement, et la jeune fille entre toutes qu'il eût dû protéger, sauvegarder, était justement celle-là qu'il venait d'envoyer à sa perte.

Quelques lignes hâtives du journal m'apprenaient encore qu'il avait formé le projet de retrouver Valentine coûte que coûte avant qu'il fût trop tard. Une date, dans un coin de page, me faisait croire que c'était là ce long voyage pour lequel Mme Meaulnes faisait des préparatifs, lorsque j'étais venu à La Ferté-d'Angillon pour tout déranger. Dans la mairie abandonnée, Meaulnes notait ses souvenirs et ses projets par un beau matin de la fin du mois d'août – lorsque j'avais poussé la porte et lui avais apporté la grande nouvelle qu'il n'attendait plus. Il avait été repris, immobilisé, par son ancienne aventure, sans oser rien faire ni rien avouer. Alors avaient commencé le remords, le regret et la peine, tantôt étouffés, tantôt triomphants, jusqu'au jour des noces où le cri du bohémien dans les sapins lui avait théâtralement rappelé son premier serment de jeune homme.

Sur ce même cahier de devoirs mensuels, il avait encore griffonné quelques mots en hâte, à l'aube, avant de quitter, avec sa permission – mais pour toujours –, Yvonne de Galais, son épouse depuis la veille :

« Je pars. Il faudra bien que je retrouve la piste des deux bohémiens qui sont venus hier dans la sapinière et qui sont partis vers l'est à bicyclette. Je ne reviendrai près d'Yvonne que si je puis ramener avec moi et installer dans la "maison de Frantz" Frantz et Valentine mariés.

« Ce manuscrit, que j'avais commencé comme un journal secret et qui est devenu ma confession, sera, si je ne reviens pas, la propriété de mon ami François Seurel. »

Il avait dû glisser le cahier en hâte sous les autres, refermer à clef son ancienne petite malle d'étudiant, et disparaître.

ÉPILOGUE

Le temps passa. Je perdais l'espoir de revoir jamais mon compagnon, et de mornes jours s'écoulaient dans l'école paysanne, de tristes jours dans la maison déserte. Frantz ne vint pas au rendez-vous que je lui avais fixé, et d'ailleurs ma tante Moinel ne savait plus depuis longtemps où habitait Valentine.

La seule joie des Sablonnières, ce fut bientôt la petite fille qu'on avait pu sauver. À la fin de septembre, elle s'annonçait même comme une solide et jolie petite fille. Elle allait avoir un an. Cramponnée aux barreaux des chaises, elle les poussait toute seule, s'essayant à marcher sans prendre garde aux chutes, et faisait un tintamarre qui réveillait longuement les échos sourds de la demeure abandonnée. Lorsque je la tenais dans mes bras, elle ne souffrait jamais que je lui donne un baiser. Elle avait une façon sauvage et charmante en même temps de frétiller et de me repousser la figure avec sa petite main ouverte, en riant aux éclats. De toute sa gaieté, de toute sa violence enfantine, on eût dit qu'elle allait chasser le chagrin qui pesait sur la maison depuis sa naissance. Je me disais parfois : « Sans doute, malgré cette sauvagerie, sera-t-elle un peu mon enfant. » Mais une fois encore la Providence en décida autrement.

Un dimanche matin de la fin de septembre, je m'étais levé de fort bonne heure, avant même la paysanne qui avait la garde de la petite fille. Je devais aller pêcher au Cher avec deux hommes de Saint-Benoist et Jasmin

Delouche. Souvent ainsi les villageois d'alentour s'entendaient avec moi pour de grandes parties de braconnage : pêches à la main, la nuit, pêches aux éperviers prohibés... Tout le temps de l'été, nous partions les jours de congé, dès l'aube, et nous ne rentrions qu'à midi. C'était le gagne-pain de presque tous ces hommes. Quant à moi, c'était mon seul passe-temps, les seules aventures qui me rappelassent les équipées de jadis. Et j'avais fini par prendre goût à ces randonnées, à ces longues pêches le long de la rivière ou dans les roseaux de l'étang.

Ce matin-là, j'étais donc debout, à cinq heures et demie, devant la maison, sous un petit hangar adossé au mur qui séparait le jardin anglais des Sablonnières du jardin potager de la ferme. J'étais occupé à démêler mes filets que j'avais jetés en tas, le jeudi d'avant.

Il ne faisait pas jour tout à fait ; c'était le crépuscule d'un beau matin de septembre ; et le hangar où je démêlais à la hâte mes engins se trouvait à demi plongé dans la nuit.

J'étais là silencieux et affairé lorsque soudain j'entendis la grille s'ouvrir, un pas crier sur le gravier.

« Oh ! oh ! me dis-je, voici mes gens plus tôt que je n'aurais cru. Et moi qui ne suis pas prêt !... »

Mais l'homme qui entrait dans la cour m'était inconnu. C'était, autant que je pus distinguer, un grand gaillard barbu habillé comme un chasseur ou un braconnier. Au lieu de venir me trouver là où les autres savaient que j'étais toujours, à l'heure de nos rendez-vous, il gagna directement la porte d'entrée.

« Bon ! pensai-je ; c'est quelqu'un de leurs amis qu'ils auront convié sans me le dire et ils l'auront envoyé en éclaireur. »

L'homme fit jouer doucement, sans bruit, le loquet de la porte. Mais je l'avais refermée, aussitôt sorti. Il fit de même à l'entrée de la cuisine. Puis, hésitant un instant, il tourna vers moi, éclairée par le demi-jour, sa figure inquiète. Et c'est alors seulement que je reconnus le grand Meaulnes.

Un long moment je restai là, effrayé, désespéré, repris soudain par toute la douleur qu'avait réveillée son retour. Il avait disparu derrière la maison, en avait fait le tour, et il revenait, hésitant.

Alors je m'avançai vers lui et, sans rien dire, je l'embrassai en sanglotant. Tout de suite, il comprit.

« Ah ! dit-il d'une voix brève, elle est morte, n'est-ce pas ? »

Et il resta là, debout, sourd, immobile et terrible. Je le pris par le bras et doucement je l'entraînai vers la maison. Il faisait jour maintenant. Tout de suite, pour que le plus dur fût accompli, je lui fis monter l'escalier qui menait vers la chambre de la morte. Sitôt entré, il tomba à deux genoux devant le lit, et, longtemps, resta la tête enfouie dans ses deux bras.

Il se releva enfin, les yeux égarés, titubant, ne sachant où il était. Et, toujours le guidant par le bras, j'ouvris la porte qui faisait communiquer cette chambre avec celle de la petite fille. Elle s'était éveillée toute seule – pendant que sa nourrice était en bas – et, délibérément, s'était assise dans son berceau. On voyait tout juste sa tête étonnée, tournée vers nous.

« Voici ta fille », dis-je.

Il eut un sursaut et me regarda.

Puis il la saisit et l'enleva dans ses bras. Il ne put pas bien la voir d'abord, parce qu'il pleurait. Alors, pour détourner un peu ce grand attendrissement et ce flot de larmes, tout en la tenant très serrée contre lui, assise sur son bras droit, il tourna vers moi sa tête baissée et me dit :

« Je les ai ramenés, les deux autres… Tu iras les voir dans leur maison. »

Et en effet, au début de la matinée, lorsque je m'en allai, tout pensif et presque heureux vers la maison de Frantz qu'Yvonne de Galais m'avait jadis montrée déserte, j'aperçus de loin une manière de jeune ménagère en collerette, qui balayait le pas de sa porte, objet de curiosité et d'enthousiasme pour plusieurs petits vachers endimanchés qui s'en allaient à la messe…

Cependant la petite fille commençait à s'ennuyer d'être serrée ainsi, et comme Augustin, la tête penchée de côté pour cacher et arrêter ses larmes, continuait à ne pas la regarder, elle lui flanqua une grande tape de sa petite main sur sa bouche barbue et mouillée.

Cette fois le père leva bien haut sa fille, la fit sauter au bout de ses bras et la regarda avec une espèce de rire. Satisfaite, elle battit des mains…

Je m'étais légèrement reculé pour mieux les voir. Un peu déçu et pourtant émerveillé, je comprenais que la petite fille avait enfin trouvé là le compagnon qu'elle attendait obscurément… La seule joie que m'eût laissée le grand Meaulnes, je sentais bien qu'il était revenu pour me la prendre. Et déjà je l'imaginais, la nuit, enveloppant sa fille dans un manteau, et partant avec elle pour de nouvelles aventures.

DOSSIER

1 — *Un roman de l'adolescence*

2 — *Le syndrome de Peter Pan*

3 — *Personnages romanesques et relation triangulaire*

4 — *Genèse et suites du* Grand Meaulnes

1 — *Un roman de l'adolescence*

L'ADOLESCENCE, ÂGE DES POSSIBLES

Le personnage du jeune homme, qui est au départ de tant de récits du XIXe siècle, d'*Illusions perdues* de Balzac à *L'Éducation sentimentale* de Flaubert et, plus généralement, de tout ce qu'on appelle le roman d'initiation ou le *Bildungsroman*, laisse la place, au début du XXe siècle, à un intérêt spécifique pour la figure de l'adolescent. Ce déplacement tient d'une part à l'attention nouvelle portée à l'enfant comme à un être à part entière et d'autre part aux développements de la psychologie et de la psychanalyse qui transforment à la fois les méthodes d'éducation et le système général de la représentation des âges de la vie. La mise en évidence par Freud de la sexualité infantile révèle l'importance des premiers temps de la vie pour les développements ultérieurs de la personnalité : « Il n'est pas vrai, écrit Freud, que l'impulsion sexuelle entre dans l'enfant à la puberté comme le diable dans le cochon de l'Évangile. L'enfant a ses impulsions, ses activités sexuelles dès le début, il les amène avec lui au monde et, à partir d'elles, cette sexualité prétendue normale des adultes émerge à la suite d'un développement significatif qui passe par plusieurs étapes [1]. » L'adolescence (étymologiquement la « croissance », le « changement ») est l'une de ces étapes, marquée par un certain nombre de conflits.

Dès le début du XXe siècle, des travaux spécifiquement consacrés aux figures de l'adolescent et de l'adolescence

1. Sigmund Freud, *Introduction à la psychanalyse*, Payot, 1947. Voir l'extrait reproduit ci-après, p. 247.

sont divulgués par le psychologue Pierre Mendousse dans deux ouvrages publiés en 1907, *L'Âme de l'adolescent* et *L'Âme de l'adolescente*[1], qui connaîtront beaucoup de succès et seront réédités pendant près de quarante ans. Ces travaux soulignent le caractère indistinct, instable et éminemment variable de cet âge : « Le sujet a lui-même le sentiment de ce qu'il y a de provisoire et d'inachevé dans toutes les manifestations de sa personnalité… il ne cesse jamais entièrement de jouer…[2]. » Cette relation continuée, voire exacerbée, au monde du rêve et du jeu, qui rattache peut-être mélancoliquement l'adolescent à l'enfance, est mise en évidence dans *Le Grand Meaulnes.* De l'adulte, l'adolescent tient déjà la préoccupation sexuelle (qui dans le roman emprunte les traits de l'amour ou de l'amitié) et le souci de l'avenir, qui peut revêtir une forme très générale, généreuse, absolument ouverte. De l'enfant, l'adolescent conserve le goût du jeu, du déguisement, de la dispersion, de la bande, tous traits présents à un moment ou à un autre dans le récit, que ce soit dans le cadre de l'école ou dans celui de la fête étrange. Le fait que les personnages, quoique ayant déjà entre quinze et dix-sept ans, sont très souvent qualifiés d'« enfants » par la narration contribue à accentuer cet aspect[3]. Mais l'adolescence est aussi un passage : le jeu devient plus sérieux et peut mener à l'embuscade, comme dans les chapitres I et II de la deuxième partie (« Le grand jeu » et « Nous tombons

1. Pierre Mendousse, *L'Âme de l'adolescent*, Alcan, 1907. *L'Âme de l'adolescente*, Alcan, 1909.

2. Pierre Mendousse, *L'Âme de l'adolescente*, *op. cit.*, p. V.

3. Le narrateur lui-même se qualifie d'enfant. Lorsque les écoliers jouent à faire un tournoi, François dit, en parlant de Meaulnes : « Il resta là un long moment, sa tête rase au vent, à maugréer contre ce comédien qui allait faire assommer tous ces gars dont il avait été peu de temps auparavant le capitaine. Et, enfant paisible que j'étais, je ne manquais pas de l'approuver » (II, III). Sur la présence, dans *Le Grand Meaulnes*, des fantasmes fondamentaux de l'enfance, voir Anne Clancier, « Alain-Fournier et l'enfance », dans *Mystères d'Alain-Fournier*, Saint-Genouph, Nizet, 1999, p. 17-28.

dans une embuscade ») ; les amitiés solides sont perturbées par des sentiments d'une nature nouvelle. Certains personnages, comme Frantz de Galais, refusent d'accomplir le passage. François Seurel juge durement sa « terrible puérilité » et lui rappelle que « le temps des fantasmagories et des enfantillages est passé » (III, VIII). Mais les adolescents qui cherchent à faire homme, comme Jasmin Delouche, le « vieux petit gars » avec sa figure « déjà vieillotte et fanée » (III, I), sont tout aussi vivement condamnés. Les idées d'inachèvement et de devenir [1] paraissent alors centrales pour comprendre la figure de l'adolescent dans *Le Grand Meaulnes*. Ce sont elles qui expliquent qu'il n'y ait pas de morale fermée, pas d'amour possible, pas de clôture véritable au roman. D'où le caractère sans doute un peu incertain que l'on peut trouver à la structure du roman et que beaucoup de critiques lui ont reproché. Hésitant entre rêve et réalité, entre un passé perdu et un avenir indéterminé, le texte peut paraître incarner aussi le passage entre le romantisme et la modernité pour laquelle prévaut un sujet instable et un moi dispersé [2].

UNE DÉFINITION MÉDICALE

ADOLESCENCE, subst. fém. *adolescentia*, « jeune âge », « jeunesse », du verbe *adolescere*, « croître », « grandir », « se fortifier ». L'adolescence est cette partie de la vie humaine, qui est comprise entre les premiers signes de la puberté et le terme où le corps cesse de croître et a acquis toute sa perfection physique. Ainsi, cet âge commence à onze ou douze ans

1. Telles notamment qu'elles sont élaborées par Nietzsche qui place l'enfant en devenir, comme l'artiste, du côté des esprits libres parce que inachevés. Voir l'analyse qu'en donne Élisabeth Ravoux-Rallo en mettant en rapport la nouvelle psychologie de l'adolescent avec la pensée nietzschéenne du devenir. *Images de l'adolescence dans quelques récits du XXe siècle*, José Corti, 1989, p. 29 *sq*.

2. C'est l'hypothèse de David Ellison, dans *Ethics and Aesthetics in European Modernist Literature*, Cambridge, Cambridge University Press, 2001, p. 189.

pour les femmes, à quatorze ou quinze pour les hommes, et se termine chez les premières à vingt et un ans, et chez les derniers à vingt-cinq, ou environ.

Les changements que subit l'organisation à cette époque de la vie sont extrêmement remarquables dans les deux sexes. Chez l'homme, les organes de la génération, jusqu'alors nuls, se développent, s'accroissent et se préparent à remplir une des fonctions les plus importantes de l'espèce humaine, la reproduction ; la capacité de la poitrine s'agrandit ; la voix devient plus grave et plus sonore ; on aperçoit les rapports qui lient entre eux les organes pulmonaires et génitaux ; la barbe commence à végéter ; les muscles se prononcent davantage et acquièrent plus de force ; le système osseux arrive à un degré de consistance parfaite, et la taille à une hauteur décidée : tous les sens se perfectionnent. De cette exubérance de vie, qui n'est pas toujours exempte d'orages ; de cet accroissement d'énergie dans tous les organes, naissent ces mouvements impétueux, ces passions fougueuses, ces élans de générosité, qui caractérisent le jeune homme : bientôt il ne rêve plus qu'amour, dévouement, combats, désir de la gloire, et ne tarde pas à se montrer l'amant le plus ardent, le guerrier le plus intrépide, l'ami le plus généreux.

Chez la femme, les changements physiques et moraux ne sont pas moins remarquables. L'organe qui, en elle, va jouer le plus grand rôle pendant la plus belle partie de sa vie, et qui n'avait pas encore donné le moindre signe d'existence, l'utérus, commence à sortir de cet état d'inertie ; les menstrues paraissent, pour revenir périodiquement chaque mois, excepté pendant le temps de la gestation ; les mamelles, dont les fonctions sont si intimement liées avec celles de la matrice, commencent à se développer ; tout se prépare à l'acte essentiel de la conception ; le corps conserve une partie de cette délicatesse, de cette souplesse, de cette mobilité, qui font le partage de l'enfance, et qui forment un contraste si frappant avec la vigueur, l'activité, l'impétuosité, qui accompagnent l'adolescence de l'homme.

C'est à cette époque, si bien nommée la fleur de l'âge, que les deux sexes éprouvent l'un envers l'autre cette impulsion irrésistible, ce besoin impérieux de se rapprocher, qui est sans contredit la source des plus douces jouissances, mais qui souvent entraîne dans des écarts que la nature réprouve, ou dans des excès funestes à la santé, indépendamment des orages, qui parfois troublent cette époque de la vie, et deviennent fréquemment le germe des maladies les plus graves[1].

Une définition psychologique : Pierre Mendousse

Chapitre I. L'amour

Un fait nouveau semble dominer la crise de la puberté morale : l'adolescent devient capable d'amour ; non pas du sentiment compliqué qui meut le moi tout entier vers une personne de l'autre sexe désirée et choisie à l'exclusion de toute autre : ceci ne viendra que plus tard et peut-être jamais. Beaucoup plus vague mais tout aussi puissant est le besoin qui le pousse à sortir de lui-même, à chercher une diversion à l'inquiétude résultant de l'afflux des sensations nouvelles, à trouver un objet ou un but où puisse s'individualiser son désir de quelque chose de meilleur que lui et pourtant semblable à lui. À la différence de l'enfant, presque toujours égoïste à cause de la pauvreté de sa vie affective, le jeune pubère, à mesure que sa conscience s'enrichit d'émotions nouvelles, éprouve le besoin, pour leur donner un support, de les objectiver dans les représentations les plus diverses empruntées au monde des perceptions et plus souvent à celui des rêves. Jusque-là l'univers tout entier, en premier lieu ses parents et ses maîtres, lui semblaient n'avoir d'autre but que la satisfaction de ses besoins : volontiers il aurait considéré ses caprices comme des lois dignes de s'imposer à tout ce qui n'était pas lui. Dès le début de l'adolescence, une autre disposition apparaît, qui de plus en plus se précisera dans le plein jour de la conscience, au moins pendant quelques années : le sentiment de la subordination de l'individu à l'espèce et au groupe social, du fait à l'idée, de la matière à l'esprit qui l'organise, en un mot le besoin pour le sujet de *se dépasser*, se traduit par des manifestations altruistes

1. *Dictionnaire des sciences médicales par une société de médecins et de chirurgiens*, article « Adolescence », Paris, Panckoucke éditeur, 1812, t. I, p. 159-160.

variées telles que le renoncement en faveur de personnes méritantes ou non, la passion pour les nobles causes, l'enthousiasme pour les grands hommes, les privations secrètes ou avouées portant sur la nourriture, le vêtement, les distractions, quand il s'agit de rendre service ou de faire plaisir à autrui. Et cependant, à cause de la cœnesthésie plus consciente et plus douloureuse, à cause des nouveaux désirs impérieux jusqu'à l'obsession, le sentiment de la personnalité s'exagère au point que le sujet parvient rarement à s'échapper à lui-même et à retrouver les joies simples et complètes de jadis. Aussi est-il presque mûr pour les doctrines individualistes : de seize à vingt ans, il n'est pas nécessaire de bien comprendre les idées de Stirner, de Nietzsche ou de M. Barrès pour les adopter avec enthousiasme. Mais loin qu'il y ait contradiction entre ces deux aspects de la sensibilité juvénile, ils s'harmonisent dans la formation d'un des traits les plus précieux qui contribuent à dessiner le caractère adolescent : le besoin de se sentir riche et fort pour pouvoir donner et produire beaucoup. Pourtant, dans bien des cas, l'égoïsme de l'enfance semble s'exaspérer, en particulier chez les sujets d'une imagination paresseuse ou d'une faible vitalité, ou parfois encore chez ceux qui vivent dans un milieu familial trop préoccupé des questions d'intérêt. Le rétrécissement du moi combiné avec une conscience plus vive des états intérieurs peut donner lieu à un misonéisme [1] précoce qui contraste singulièrement avec la mentalité habituelle du pubère, presque toujours tendue vers l'avenir. Pour les mêmes motifs, certaines formes de l'égoïsme adulte, telles que l'avarice, l'esprit de caste, prennent souvent naissance à ce moment. Mais, ce qui montre à quel point l'adolescence est l'âge par excellence du désintéressement, c'est la facilité avec laquelle les individus les plus étriqués se laissent entraîner par les circonstances à des actes de générosité les plus contraires à leurs habitudes. D'autre part, dans les riches natures, la puberté morale ne va pas sans des accès intermittents d'égoïsme au cours desquels le jeune homme affecte un cynisme inattendu, l'indifférence la plus complète aux sentiments d'autrui. Les contrastes de ce genre sont si fréquents

1. Attitude consistant à rejeter toute innovation.

pendant le passage de l'enfance à la virilité qu'ils nous apparaîtront comme un des traits caractéristiques de l'adolescence. Il semble que les nouvelles tendances ne puissent être mises en valeur ou même en lumière sans l'opposition tantôt successive et tantôt simultanée des tendances antagonistes.

*

Rousseau fait remarquer avec raison que « le premier sentiment dont un jeune homme élevé soigneusement est susceptible n'est pas l'amour, c'est l'amitié [1] ». Mais il faudrait ajouter qu'une telle amitié ressemble souvent à l'amour. Les camaraderies enfantines, sauf de précoces exceptions, se nouent et se dénouent au hasard des fréquentations, sans presque jamais laisser de trace durable dans la vie. Par contre, chacun sait que les vraies amitiés de collège sont si tenaces qu'elles résistent à la plupart des causes de destruction, aux différences de goûts, d'intérêts, d'idées, de situation, même à la séparation la plus prolongée, et si intimes qu'elles font presque tomber les barrières qui isolent une conscience des autres : or, elles datent en général de l'adolescence. De quatorze à dix-huit ans en moyenne, l'affinité élective qui porte deux garçons l'un vers l'autre est un sentiment si riche dans son imprécision, si vivement senti dans sa fraîche nouveauté, qu'il n'est pas de tendance qui n'en reçoive une satisfaction au moins partielle, et que par comparaison, les autres émotions en apparaîtront plus tard comme décolorées. Les documents abondent à cet égard : sans remonter aux cas si connus de l'Antiquité classique, je me borne à signaler quelques faits parmi les plus significatifs. Écoutons d'abord saint Augustin pleurant dans ses *Confessions* la mort d'un ami du même âge que lui « *et conflorentem flore adolescentæ... Dolore contenebratum est cor meum et quidquid adspiciebam mors erat. Et erat mihi patria supplicium, et paterna domus mira infelicitas ; et quidquid cum illo communicaveram, sine illo in cruciatum immanem verterat. Expetebant eum undique ocilu mei et non dabatur mihi ; et oderam omnia quia non haberent eum. Nec mihi jam dicere*

1. *Émile ou De l'éducation* (1762), livre IV.

poterant : Ecce veniet : sicut cum viveret, quando absens erat[1] ».

Toute traduction affaiblirait la force de cette plainte. C'est sur un ton analogue que Michelet parle de sa rencontre et de sa liaison avec Poinsot : « Ce n'est pas sans émotion que je reprends mon récit. Je vais parler d'une rencontre qui fut le plus grand événement de mon adolescence[2] », etc. On connaît l'amitié de Vigny et de Hugo, une amitié d'adolescent prompte, fervente, d'une exaltation toute romantique et qui malgré d'inévitables froissements persista vivace et tendre jusqu'à l'exil de Victor Hugo. Chacun trouverait dans ses souvenirs de jeunesse des exemples du même genre. Le fait seul d'avoir vécu ensemble à cet âge crée entre condisciples une familiarité d'une douceur que plus tard on ne retrouve plus. La plasticité du caractère est telle à ce moment qu'il est presque impossible qu'un régime et une éducation identiques ne créent dans les âmes les plus différentes des parties communes, une sorte de parenté morale dont la formation devient déjà très difficile aux environs de la vingtième année, témoin les nombreux étudiants qui suivent les mêmes cours, prennent ensemble leurs repas, font partie de la même association, sans que la vie universitaire, même les folies commises ensemble, suffisent à nouer entre eux un lien d'une solidité durable. Mais est-il juste de laisser le nom d'amitié aux relations affectueuses entre adolescents ? À sa naissance la sympathie juvénile, quel qu'en soit l'objet, présente confusément mélangés quelques-uns des caractères des divers sentiments qui se différencient les uns des autres au cours de l'évolution affective, à moins qu'ils ne s'atrophient faute de trouver l'aliment nécessaire à leur développement. De l'amitié elle a la confiance mutuelle, le besoin d'estime, la communion dans les idées, la poursuite en commun des fins qui font

---

1. Saint Augustin, *Confessions*, livre IV, chap. IV, « L'ami perdu et pleuré » (« Il était comme moi dans la fleur de l'adolescence [...]. La douleur que j'en ressentis enténébra mon cœur. Tout ce que je voyais n'était que mort. La patrie m'était un supplice, la maison paternelle un lieu d'étrange infortune. Tout ce que j'avais mis en commun avec lui, sans lui se changeait en un cruel tourment. Mes yeux le demandaient partout, et il leur était refusé. Tout m'était odieux, car tout était vide de lui, et rien ne pouvait plus me dire : "Voilà qu'il va venir !", comme de son vivant, quand il s'absentait »).

2. Michelet, *Ma jeunesse*, Calman Lévy, 1884, p. 53.

le prix de la vie ; mais elle ressemble peut-être encore plus à l'amour par les tendres confidences, les accès de jalousie, les orages, le besoin de posséder exclusivement, les caresses sensuelles, surtout par une sorte de vague mysticisme où il faut voir une déviation inconsciente de l'instinct sexuel, encore incapable de se formuler en aspirations normales et précises. Aussi dans ces liaisons les cadeaux tiennent-ils une grande place, surtout ceux qui valent comme souvenirs, et que pour ce motif on garde sur soi comme de précieux témoins. De longues lettres sont échangées que, sans les noms et l'orthographe, on pourrait croire écrites par des jeunes gens de sexe différent. Malgré les dangers que présente un tel état d'esprit, surtout dans les internats, on doit lui reconnaître certains avantages incontestables : En premier lieu, il faut y voir à la fois la manifestation peut-être la plus nette de l'altruisme naissant et un des moyens assurant la sauvegarde des tendances affectives, trop souvent compromises par la sécheresse de notre éducation ; de plus, la personnalité de l'ami, à cause du travail de cristallisation qu'elle suscite, équivaut, au moins pour les délicats et les intelligents, à leur conscience morale objectivée ; d'où naturellement un effort constant vers les diverses formes de la supériorité physique ou mentale.

Chapitre II. Le rêve

La plupart des psychologues qui se sont occupés de l'adolescence ont remarqué qu'elle débutait le plus souvent par une rupture d'équilibre avec le milieu. Le monde des formes, des couleurs, des sons et des mouvements, même celui des saveurs cessent d'intéresser au même degré l'enfant arrivé à la période critique. Ils deviennent à la fois lointains et indifférents ou s'ils restent présents à la conscience, c'est en revêtant de nouveaux aspects ou en entrant dans un système de représentations et de tendances qui leur confère une signification différente de celle de jadis. Sauf de rares exceptions, le néo-pubère rompt avec l'enfant et n'éprouve pour ses occupations préférées qu'une aversion dédaigneuse. D'autre part son expérience juvénile, presque semblable à la *tabula rasa* des sensualistes, ne peut encore fournir les données nécessaires à la construction du monde nouveau où le sollicitent ses désirs, ses joies et ses tristesses. Faudra-t-il attendre pour donner à la vie affective un solide support de représentations que l'observation, mise au service des besoins inconnus jusque-là, ait récolté les documents destinés à servir de matériaux à la connaissance de la nature et de l'homme ? Avant que ne vînt l'heure d'une telle moisson, la jeunesse serait presque passée et avec elle les désirs obsédants et confus d'où découlent comme de leur source les efforts pour créer un univers approprié à la personnalité adolescente. Mais à défaut des traits empruntés à l'expérience, le sujet aura recours à la fiction. Ne pouvant pas encore modeler ses sentiments sur le milieu, c'est le milieu que de très bonne foi et à son insu il modèle sur ses sentiments. Pendant cinq ou six ans, dans la moyenne des cas, le rêve va se substituer à la réalité, l'imagination jouer un rôle prépondérant dans la mentalité du pubère. Je sais combien cette affirmation peut paraître risquée. L'enfance, surtout dans ses premiers ans, n'est-elle pas réputée comme étant par excellence l'âge de l'imagination ? Le petit garçon ne vit-il pas dans un monde fictif où les personnes, les lieux, les objets sont créés par lui de toutes pièces ou transformés soit à son image, soit à celle des êtres qui lui sont familiers ? Mais à mesure qu'il grandit, la nature lui semble de moins en moins peuplée de vies hostiles ou favorables à ses désirs ; la civilisation moderne, par son caractère positif et rationaliste, arrête de bonne heure l'essor de la faculté mythique, de sorte que vers douze ou treize ans la plupart des enfants ne s'intéressent plus guère aux symboles qui contredisent trop ouvertement leur conception très nette de la réalité sensorielle et des applications scientifiques. Aux contes de fées, aux légendes mythologiques ils préfèrent les fantaisies d'un Jules Verne en apparence plus réalistes. Si pendant les premiers ans, les représentations imaginaires ont suffi à diriger, malgré leur subjectivité, ou n'ont pas trop contrarié les exigences de la vie enfantine, peu à peu elles font place à une conception plus objective et partant plus efficace de l'univers. L'ère de la pensée positive ne tarderait pas à s'ouvrir si la puberté ne venait replonger, parfois brusquement, l'esprit dans le courant du rêve et de la fantaisie. Comment en serait-il autrement ? Si dans l'évolution de l'individu et de l'espèce, il est de règle que toute condition nouvelle d'existence, intérieure ou extérieure, soit d'abord l'objet d'une explication fictive portant sur son origine et sa valeur, si d'autre part la puissance de l'imagination est liée en partie à la richesse et à l'intensité des états affectifs, l'adolescent doit traverser une période trouble pendant laquelle la vie sentimentale cherche à s'organiser en utilisant comme matériaux des représentations symboliques, des analogies fuyantes, toutes les combinaisons subjectives qui peuvent donner une forme provisoire au mystère insaisissable de l'âme en voie de formation. Comme dans toute construction imaginative, l'image va servir de substitut à la perception ; mais, comme la fantaisie juvénile, à la différence de ce qui se passe chez l'enfant, s'intéresse moins aux qualités des choses qu'aux états intérieurs, en particulier aux nuances affectives exprimées ou symbolisées par les phénomènes physiques, la réduction du rêve par la réalité risque de s'opérer beaucoup plus lentement ; car les causes psychologiques sont peut-être plus difficiles à démêler que les causes physiques ; en tout cas, les illusions ayant l'homme pour objet persistent plus longtemps que les fictions relatives à la nature, puisque le plus souvent on ne s'en défait, au prix d'un renoncement parfois douloureux, qu'en les remplaçant par des illusions contraires [1].

Une définition psychanalytique : Freud

Prétendre que les enfants n'ont pas de vie sexuelle – excitations sexuelles, besoins sexuels, une sorte de satisfaction sexuelle –, mais que cette vie s'éveille chez eux brusquement à l'âge de douze à quatorze ans, c'est, abstraction faite de toutes les observations, avancer une affirmation qui, au point de vue biologique, est aussi invraisemblable, voire aussi absurde que le serait celle d'après laquelle les enfants naîtraient sans organes génitaux, lesquels ne feraient leur apparition qu'à l'âge de la puberté. Ce qui s'éveille chez les enfants à cet âge, c'est la fonction de la reproduction qui se sert, pour réaliser ses buts, d'un appareil corporel et psychique déjà existant. Vous tombez dans l'erreur qui consiste à confondre sexualité et reproduction, et par cette erreur vous vous fermez l'accès à la compréhension de la sexualité,

1. Pierre Mendousse, *L'Âme de l'adolescent*, Alcan, 1907, rééd. PUF, 1953, p. 47-50 et 70-71.

des perversions et des névroses. C'est là cependant une erreur tendancieuse. Et, chose étonnante, elle a sa source dans le fait que vous avez été enfants vous-mêmes et avez, comme tels, subi l'influence de l'éducation.

Au point de vue de l'éducation, la société considère comme une de ses tâches essentielles de refréner l'instinct sexuel lorsqu'il se manifeste comme besoin de procréation, de le limiter, de le soumettre à une volonté individuelle se pliant à la contrainte sociale. La société est également intéressée à ce que le développement complet du besoin sexuel soit retardé jusqu'à ce que l'enfant ait atteint un certain degré de maturité sociale, car dès que ce développement est atteint, l'éducation n'a plus de prise sur l'enfant. La sexualité, si elle se manifestait d'une façon trop précoce, romprait toutes les barrières et emporterait tous les résultats si péniblement acquis par la culture. La tâche de refréner le besoin sexuel n'est d'ailleurs jamais facile ; on réussit à la réaliser tantôt trop, tantôt trop peu. La base sur laquelle repose la société humaine est, en dernière analyse, de nature économique : ne possédant pas assez de moyens de subsistance pour permettre à ses membres de vivre sans travailler, la société est obligée de limiter le nombre de ses membres et de détourner leur énergie de l'activité sexuelle vers le travail. Nous sommes là en présence de l'éternel besoin vital qui, né en même temps que l'homme, persiste jusqu'à nos jours.

L'expérience a bien dû montrer aux éducateurs que la tâche d'assouplir la volonté sexuelle de la nouvelle génération n'est réalisable que si, sans attendre l'explosion tumultueuse de la puberté, on commence à influencer les enfants de très bonne heure, à soumettre à une discipline, dès les premières années, leur vie sexuelle qui n'est qu'une préparation à celle de l'âge mûr. Dans ce but, on interdit aux enfants toutes les activités sexuelles infantiles ; on les en détourne, dans l'espoir idéal de rendre leur vie asexuelle, et on en est arrivé peu à peu à la considérer réellement comme telle, croyance à laquelle la science a apporté sa confirmation. Afin de ne pas se mettre en contradiction avec les croyances qu'on professe et les intentions qu'on poursuit, on néglige l'activité sexuelle de l'enfant, ce qui est loin d'être une attitude facile, ou bien on se contente, dans la science, de la concevoir différemment. L'enfant est considéré comme pur, comme innocent, et quiconque le décrit autrement est accusé de commettre un sacrilège, de se livrer à un attentat impie contre les sentiments les plus tendres et les plus sacrés de l'humanité.

Les enfants sont les seuls à ne pas être dupes de ces conventions ; ils font valoir en toute naïveté leurs droits anormaux et montrent à chaque instant que, pour eux, le chemin de la pureté est encore à parcourir tout entier. Il est assez singulier que ceux qui nient la sexualité infantile ne renoncent pas pour cela à l'éducation et condamnent le plus sévèrement, à titre de « mauvaises habitudes », les manifestations de ce qu'ils nient. Il est en outre extrêmement intéressant, au point de vue théorique, que les cinq ou six premières années de la vie, c'est-à-dire l'âge auquel le préjugé d'une enfance asexuelle s'applique le moins, est enveloppé chez la plupart des personnes d'un brouillard d'amnésie que seule la recherche analytique réussit à dissiper, mais qui auparavant s'était déjà montré perméable pour certaines formations de rêves [1].

UN AUTRE ROMAN DE L'ADOLESCENCE : *LE DIABLE AU CORPS* DE RADIGUET (1923)

Plus un enfant, pas encore un adulte : cette caractérisation courante de l'adolescent est aussi ce qui fait sa puissance narrative ; être de l'entre-deux, être protéiforme et par certains aspects pas encore entièrement déterminé, il peut être le réceptacle de toutes les aventures, le lieu de tous les destins. Cette puissance du possible qui est au cœur de cet âge implique que les mondes romanesques dans lesquels cette figure gravite et qui d'une certaine façon dépendent d'elle soient infiniment divers et variés : l'émoi amoureux et l'éveil de la sexualité, par exemple, prennent des formes extrêmement différentes chez l'écrivain autrichien Robert Musil (*Les*

1. Sigmund Freud, *Introduction à la psychanalyse*, traduit de l'allemand par le Dr S. Jankélévitch, © Payot, 1947, p. 201-204.

Désarrois de l'élève Törless, 1907), chez Alain-Fournier (*Le Grand Meaulnes*, 1913) et chez Raymond Radiguet (*Le Diable au corps*, 1923). Alors que les trois textes débutent dans le cadre de l'école, qui est aussi celui de l'enfance, ils traitent différemment de cet âge du devenir. Si les points communs entre *Le Diable au corps* et *Le Grand Meaulnes* sont nombreux – notamment le thème du voyage qui conduit à la mort, les épreuves à accomplir, les obstacles à franchir avant de retrouver la femme aimée, la symbolique des saisons, le décès des deux jeunes femmes lors de leur accouchement… [1] –, il n'en demeure pas moins que les deux récits se distinguent : chez Radiguet, par exemple, la sexualité tient une place beaucoup plus importante que chez Alain-Fournier, et l'adolescent est présenté en décalage avec d'autres figures adultes, comme en témoigne l'extrait suivant.

Dans son *Journal*, André Gide, qui compare les deux écrivains, voit plus de défauts dans *Le Grand Meaulnes*, « dont l'intérêt se dilue ; qui s'étale sur un trop grand nombre de pages et un trop long espace de temps ; de dessin quelque peu incertain et dont le plus exquis s'épuise dans les cent premières pages. Le reste du livre court après cette première émotion virginale, cherche en vain à s'en ressaisir… Je sais bien que c'est le sujet même du livre ; mais c'en est aussi le défaut, de sorte qu'il n'était pas possible de le "réussir" davantage [2] ». Le passage, en quelque sorte, ne se fait pas. L'adolescence, dans *Le Grand Meaulnes*, est à la fois l'apogée de la pureté de l'être et le temps de la chute, les deux opérations étant presque concomitantes. Que l'on songe à l'étrange nuit de noces d'Augustin et d'Yvonne : longtemps différée, la consommation de leur amour n'aura lieu qu'après bien des détours et après que la jeune fille se sera blessée en

1. Voir Élisabeth Ravoux-Rallo, *Images de l'adolescence dans quelques récits du XXe siècle*, *op. cit.*, p. 77-132.

2. André Gide, *Journal 1926-1950*, éd. Martine Sagaert, Gallimard, « Bibliothèque de la Pléiade », 1997, t. II, 2 janvier 1933, p. 389.

tombant, ayant perdu dès ce moment sa blancheur et sa pureté : « Je crois que tous ses amis, tout un village, tout un monde l'eût regardée, qu'elle fût accourue tout de même, qu'elle fût tombée de la même façon, échevelée, pleurante, salie » (III, IX). Le tournant de l'intrigue, l'amorce de la tragédie interviennent au centre du roman, lorsque Meaulnes quitte Sainte-Agathe pour poursuivre ses études à Paris, interrompant sa quête de la jeune fille rencontrée à la fête, coupant avec le monde de son enfance (la Sologne rurale) et avec ses liens passés. Anticipant sur le malheur à venir, le narrateur, après avoir mis son ami dans la voiture le conduisant au train pour Paris, se dit : « Quant à moi, je me trouvai, pour la première fois depuis de longs mois, seul en face d'une longue soirée de jeudi – avec l'impression que, dans cette vieille voiture, mon adolescence venait de s'en aller pour toujours » (II, X).

Je vais encourir bien des reproches. Mais qu'y puis-je ? Est-ce ma faute si j'eus douze ans quelques mois avant la déclaration de la guerre ? Sans doute, les troubles qui me vinrent de cette période extraordinaire furent d'une sorte qu'on n'éprouve jamais à cet âge ; mais comme il n'existe rien d'assez fort pour nous vieillir malgré les apparences, c'est en enfant que je devais me conduire dans une aventure où déjà un homme eût éprouvé de l'embarras. Je ne suis pas le seul. Et mes camarades garderont de cette époque un souvenir qui n'est pas celui de leurs aînés. Que déjà ceux qui m'en veulent se représentent ce que fut la guerre pour tant de très jeunes garçons : quatre ans de grandes vacances.

Nous habitions à F…, au bord de la Marne.

Mes parents condamnaient plutôt la camaraderie mixte. La sensualité, qui naît avec nous et se manifeste encore aveugle, y gagna au lieu d'y perdre.

Je n'ai jamais été un rêveur. Ce qui semble rêve aux autres, plus crédules, me paraissait à moi aussi réel que le fromage au chat, malgré la cloche de verre. Pourtant la cloche existe.

La cloche se cassant, le chat en profite, même si ce sont ses maîtres qui la cassent et s'y coupent les mains.

Jusqu'à douze ans, je ne me vois aucune amourette, sauf pour une petite fille, nommée Carmen, à qui je fis tenir, par un gamin plus jeune que moi, une lettre dans laquelle je lui exprimais mon amour. Je m'autorisai de cet amour pour solliciter un rendez-vous. Ma lettre lui avait été remise le matin avant qu'elle se rendît en classe. J'avais distingué la seule fillette qui me ressemblât, parce qu'elle était propre, et allait à l'école accompagnée d'une petite sœur, comme moi de mon petit frère. Afin que ces deux témoins se tussent, j'imaginai de les marier, en quelque sorte. À ma lettre, j'en joignis donc une de la part de mon frère, qui ne savait pas écrire, pour Mlle Fauvette. J'expliquai à mon frère mon entremise, et notre chance de tomber juste sur deux sœurs de nos âges et douées de noms de baptême aussi exceptionnels. J'eus la tristesse de voir que je ne m'étais pas mépris sur le bon genre de Carmen, lorsque, après avoir déjeuné avec mes parents qui me gâtaient et ne me grondaient jamais, je rentrai en classe.

À peine mes camarades à leurs pupitres – moi en haut de la classe, accroupi pour prendre dans un placard, en ma qualité de premier, les volumes de la lecture à haute voix –, le directeur entra. Les élèves se levèrent. Il tenait une lettre à la main. Mes jambes fléchirent, les volumes tombèrent, et je les ramassai, tandis que le directeur s'entretenait avec le maître. Déjà, les élèves des premiers bancs se tournaient vers moi, écarlate, au fond de la classe, car ils entendaient chuchoter mon nom. Enfin le directeur m'appela, et pour me punir finement, tout en n'éveillant, croyait-il, aucune mauvaise idée chez les élèves, me félicita d'avoir écrit une lettre de douze lignes sans aucune faute. Il me demanda si je l'avais bien écrite seul, puis il me pria de le suivre dans son bureau. Nous n'y allâmes point. Il me morigéna [1] dans la cour, sous l'averse. Ce qui troubla fort mes notions de morale fut qu'il considérait comme aussi grave d'avoir compromis la jeune fille (dont les parents lui avaient communiqué ma déclaration), que d'avoir dérobé une feuille de papier à lettres. Il me menaça d'envoyer cette feuille chez moi. Je le suppliai de n'en rien faire. Il céda, mais me dit qu'il conservait la lettre,

1. Réprimanda.

et qu'à la première récidive il ne pourrait plus cacher ma mauvaise conduite.

Ce mélange d'effronterie et de timidité déroutait les miens et les trompait, comme à l'école ma facilité, véritable paresse, me faisait prendre pour un bon élève.

Je rentrai en classe. Le professeur, ironique, m'appela Don Juan. J'en fus extrêmement flatté, surtout de ce qu'il me cita le nom d'une œuvre que je connaissais et que ne connaissaient pas mes camarades. Son « Bonjour, Don Juan » et mon sourire entendu transformèrent la classe à mon égard. Peut-être avait-elle déjà su que j'avais chargé un enfant des petites classes de porter une lettre à une « fille », comme disent les écoliers dans leur dur langage. Cet enfant s'appelait Messager ; je ne l'avais pas élu d'après son nom, mais, quand même, ce nom m'avait inspiré confiance.

À une heure, j'avais supplié le directeur de ne rien dire à mon père ; à quatre, je brûlais de lui raconter tout. Rien ne m'y obligeait. Je mettrais cet aveu sur le compte de la franchise. Sachant que mon père ne se fâcherait pas, j'étais, somme toute, ravi qu'il connût ma prouesse.

J'avouai donc, ajoutant avec orgueil que le directeur m'avait promis une discrétion absolue (comme à une grande personne). Mon père voulait savoir si je n'avais pas forgé de toutes pièces ce roman d'amour. Il vint chez le directeur. Au cours de cette visite, il parla incidemment de ce qu'il croyait être une farce. – Quoi ? dit alors le directeur surpris et très ennuyé ; il vous a raconté cela ? Il m'avait supplié de me taire, disant que vous le tueriez.

Ce mensonge du directeur l'excusait ; il contribua encore à mon ivresse d'homme. J'y gagnai séance tenante l'estime de mes camarades et des clignements d'yeux du maître. Le directeur cachait sa rancune. Le malheureux ignorait ce que je savais déjà : mon père, choqué par sa conduite, avait décidé de me laisser finir mon année scolaire, et de me reprendre. Nous étions alors au commencement de juin. Ma mère ne voulant pas que cela influât sur mes prix, mes couronnes, se réservait de dire la chose, après la distribution. Ce jour venu, grâce à une injustice du directeur qui craignait confusément les suites de son mensonge, seul de la classe, je reçus la couronne d'or que méritait aussi le prix d'excellence.

Mauvais calcul : l'école y perdit ses deux meilleurs élèves, car le père du prix d'excellence retira son fils.

Des élèves comme nous servaient d'appeaux pour en attirer d'autres [1].

1. Raymond Radiguet, *Le Diable au corps*, Grasset, 1923, p. 11-15.

2 — Le syndrome de Peter Pan

Le syndrome de Peter Pan et ses origines littéraires

Tout en continuant à faire de l'adulte le but de toute éducation et de tout le développement de l'enfant et de l'adolescent, le psychologue Pierre Mendousse n'en promouvait pas moins l'adolescent comme une figure riche de potentialités. Pour une société, valoriser la jeunesse signifiait selon lui maintenir les qualités de l'adolescent dans l'adulte. Comme l'écrit encore Élisabeth Ravoux-Rallo, les adultes perdent en général ces qualités [1], et « seuls les créateurs (les artistes ? les savants ?) gardent cette richesse alliée à la stabilité et à la maturité de l'âge d'homme. L'idéal qui se dégage de ce portrait d'adulte est clair. Il s'agit de rester adolescent par certains côtés, tout en perdant les défauts de cet âge, la versatilité, l'instabilité psychologique et sentimentale [2] ». Mais il arrive que la fixation dans l'enfance ou dans l'adolescence puisse être lue aussi comme un défaut ou du moins comme un problème. Le psychologue américain Dan Kiley, en 1983, a nommé « syndrome de Peter Pan » ce refus manifesté par certains hommes devant le fait de grandir, cette incapacité qu'ils ont parfois à affronter les responsabilités du monde adulte et à accéder à leurs émotions profondes :

1. « Se profile une image d'adulte étriqué, médiocre et surtout limité qui a été dans son adolescence un jeune homme ouvert à tous les possibles, et riche de potentialités diverses », Élisabeth Ravoux-Rallo, *Images de l'adolescence dans quelques récits du XXe siècle*, José Corti, 1989, p. 25.
2. *Ibid.*

> Vers la fin de l'adolescence et peu de temps après avoir atteint l'âge de vingt ans, ces hommes se mettent à vivre de façon impétueuse. Narcissiques, ils se réfugient en eux-mêmes tandis qu'une flambée irréaliste de leur moi les convainc qu'ils peuvent et doivent faire tout ce que leur suggèrent leurs fantasmes. Plus tard, après des années passées à vivre à côté de la réalité, leur vie semble s'inverser : "je veux" se trouve remplacé par "je devrais", la quête de l'acceptation par autrui devient apparemment leur seul moyen de s'accepter eux-mêmes, leurs accès de mauvaise humeur se déguisent en affirmations viriles, ils prennent l'amour comme chose due, n'apprenant jamais à le rendre. Ils prétendent être des adultes mais agissent en fait comme des enfants gâtés [1].

La figure qui sert de référence à cette maladie de l'immaturité est Peter Pan, le petit personnage au chapeau vert créé par l'écrivain britannique James Matthew Barrie (1860-1937), qui s'est enfui le jour de sa naissance pour échapper à la condition qui l'attend. Voilà ce que le personnage dévoile à son amie Wendy dans *Peter Pan* – œuvre d'abord écrite sous la forme d'une pièce de théâtre, *Peter Pan ou Le petit garçon qui ne voulait pas grandir* (1904), puis d'un roman intitulé *Peter et Wendy*, et désormais connu sous le titre *Peter Pan* (1911) :

> – J'ai entendu mes parents parler de ce qui m'attendait quand je serais un homme, expliqua Peter à voix basse. (On le sentait très agité maintenant.) Je ne veux jamais devenir un homme, s'écria-t-il avec véhémence. Je veux toujours rester un petit garçon et m'amuser. C'est pour cela que je me suis sauvé au parc de Kensington, et j'y ai vécu longtemps parmi les fées [2].

Alain-Fournier connaissait et aimait l'œuvre de Barrie. Depuis Londres où il passa un moment à l'hiver 1911, il envoyait au *Courrier littéraire* une chronique où il évoqua plusieurs fois Peter Pan : « 8 janvier 1911. – UN CLUB

---

1. Dan Kiley, *Le Syndrome de Peter Pan. Ces hommes qui ont refusé de grandir*, trad. Jean Duriau, Odile Jacob, 1996, p. 12.
2. James M. Barrie, *Peter Pan*, trad. Yvette Métral, Flammarion, « Chat perché », 1982, p. 43.

D'ENFANTS. Le délicieux *Peter Pan*, pièce et roman de Barrie, qui fait, depuis plusieurs saisons, la joie de Londres, et qui fit, naguère, celle de Paris, a tourné plus d'une cervelle enfantine. Tout récemment, plusieurs enfants de Londres ont écrit à Miss Trevelyan, qui joue, dans *Peter Pan*, le rôle de "Wendy, la petite maman", pour lui annoncer qu'ils venaient de fonder un "Peter Pan Club". Les membres de ce club se reconnaissent à une rosette mauve et blanche ; ils s'engagent à assister à la "première" de chaque "reprise" de *Peter Pan.* » Puis, dix jours plus tard : « 19 janvier 1911. – EN ANGLETERRE. Le *Times* annonce que *L'Oiseau bleu*, de Maurice Maeterlinck, s'est enrichi d'un nouveau personnage allégorique, une nouvelle "Joie" : *La Joie d'être tout à fait vilain*. Le petit garçon qui joue ce rôle est la noirceur personnifiée. Tout est noir en lui, sauf les dents et les yeux ; il trouble de ses éclats de rire et de ses cabrioles les assemblées les plus graves… Grâce à lui, peut-être *L'Oiseau bleu* pourra rivaliser avec Peter Pan, dans ce royaume des enfants qu'est le Royaume-Uni [1]. » Commune à *Peter Pan* et au *Grand Meaulnes*, l'idée qu'il existe un univers séparé de l'enfance, caractérisé par l'éloignement des adultes et l'existence d'un territoire à part – le *Neverland*, ou Pays de Jamais Jamais, de *Peter Pan*, et le mystérieux domaine, longtemps introuvable, de la fête du *Grand Meaulnes* –, contribue au climat d'*heroic fantasy* qui règne dans la première partie du roman d'Alain-Fournier : « "Mais ce sont les enfants qui font la loi, ici ?… Étrange domaine !" » (I, XI) [2].

1. Alain-Fournier, *Chroniques et critiques*, éd. André Guyon, Le Cherche Midi, 1991, p. 138 et 139.

2. Sur ce thème des enfants qui règnent en maîtres sur leur propre univers, voir aussi *Lord of the Flies* (*Sa Majesté des mouches*), de William Golding, 1954, et Oê Kenzaburô, *Arrachez les bourgeons, tirez sur les enfants*, traduit du japonais par Ruôji Nakamura et René de Ceccaty, Gallimard, « Haute enfance », 1996 [1958] : un village déserté par l'épidémie de peste y devient le refuge d'une bande d'enfants qui se sont enfuis de la maison de correction afin d'échapper aux bombardements. Ils vivent là dans un temps différent, dans une liberté et un

« Je ne veux pas devenir un homme... » : *Peter Pan* de James Matthew Barrie

Chapitre VIII. La lagune aux sirènes

Dans ce chapitre, Peter Pan s'adonne au jeu des devinettes avec le capitaine Crochet :

– Es-tu un végétal ? demanda Crochet.
– Non !
– Un minéral ?
– Non !
– Un animal ?
– Oui !
– Un homme ?
– Oh ça non, alors !
– Un garçon ?
– Oui !
– Un garçon ordinaire ?
– Non !
– Un merveilleux garçon ?
Au grand désespoir de Wendy, cette fois la réponse fut :
– Oui !

À la fin du chapitre, Peter se trouve échoué, blessé sur un rocher.

Peter n'était pas tout à fait comme les autres garçons. Mais enfin il eut peur. Une crainte profonde le parcourut comme un frisson court sur l'eau. Mais sur la mer, un frisson succède à l'autre et des centaines d'autres le suivent. Peter, lui, ne sentit que le premier. L'instant d'après, il se dressait à nouveau sur la pointe du rocher, avec ce fameux sourire sur son visage et un tambour battant dans sa poitrine. Et ce tambour disait : « Mourir ! Ça, c'est une aventure ! »

---

abandon radicaux. Dans le roman de Golding, qui reprend en les détournant les utopies de sociétés enfantines du XIXe siècle (*Deux Ans de vacances* de Jules Verne ou *L'Île de corail* de R.M. Ballantyne), des enfants échoués dans une île déserte, au lieu d'y créer librement une société parfaite, sont rapidement reconduits à la sauvagerie et à la cruauté.

Chapitre XVII. Bien des ans ont passé…

Mme Darling s'approcha de la fenêtre, car elle surveillait désormais sa Wendy d'un œil vigilant. Elle dit à Peter qu'elle adoptait les garçons perdus et qu'elle le garderait volontiers, lui aussi.

– Et vous m'enverriez à l'école ? S'enquit-il prudemment.

– Bien sûr.

– Et ensuite au bureau ?

– Je présume.

– Et très bientôt je devrais être un homme ?

– Très bientôt.

– Je ne veux pas aller à l'école apprendre des choses ennuyeuses, répondit-il avec véhémence. Je ne veux pas devenir un homme ! Ô maman de Wendy, si en me réveillant, je devais sentir qu'il m'est poussé de la barbe !

– Peter, dit Wendy, encourageante, je t'aimerais même barbu !

Et Mme Darling lui tendit les bras, mais il la repoussa.

– Arrière, ma bonne dame ! Personne ne m'aura ! personne ne fera de moi un homme !

– Mais où vas-tu vivre ?

– Je vivrai avec Clo, dans la petite hutte que nous avons bâtie pour Wendy. Les fées l'installeront très haut à la cime d'un arbre, où elles dorment la nuit.

– Oh ! délicieux ! s'écria Wendy avec un tel accent de convoitise que sa mère la serra plus fort dans ses bras.

– Je croyais que toutes les fées étaient mortes, dit Mme Darling.

– Il en vient sans cesse de nouvelles, expliqua Wendy qui faisait maintenant autorité en la matière, parce que, vois-tu, chaque fois qu'un nouveau-né rit pour la première fois, une fée voit le jour, et comme il naît sans cesse de nouveaux bébés, il naît sans cesse de nouvelles fées. Elles vivent dans des nids au sommet des arbres ; les mauves sont des garçons, les blanches des filles, et les bleues, de petites imbéciles qui ne savent même pas ce qu'elles sont.

– Qu'est-ce que je vais bien m'amuser ! dit Peter, un œil sur Wendy.

– Ce sera plutôt triste, le soir, de t'asseoir tout seul près du feu.

– Clo sera là.

– Clo ne m'arrive pas à la cheville ! lui rappela-t-elle sur un ton acide.

– Sale menteuse ! glapit Clochette, quelque part au coin de la rue.

– Cela n'a pas d'importance, dit Peter.

– Oh, Peter, tu sais bien que si.

– Alors viens avec moi vivre dans la petite hutte.

– Je peux, maman ?

– Certainement pas. Je t'ai retrouvée et j'entends bien te garder.

– Mais il a tellement besoin d'une maman !

– Toi aussi, ma chérie.

– Très bien, dit Peter comme s'il l'avait invitée par pure politesse.

Mais Mme Darling vit sa bouche se crisper, et elle fit cette proposition généreuse : Wendy irait le voir une fois par an, pour faire le nettoyage de printemps. Wendy aurait préféré un arrangement plus définitif ; il lui semblait que le printemps serait long à venir. Mais cette promesse satisfit Peter qui repartit tout content. Il n'avait aucune notion de durée, et il lui arrivait tant d'aventures que tout ce que je vous ai raconté n'est que roupie de sansonnet en comparaison. Et Wendy devait en être consciente, sinon pourquoi lui aurait-elle adressé un au revoir si plaintif ?

– Tu ne m'oublieras pas, Peter, avant le retour du printemps ?

Peter promit de ne pas oublier, et il s'envola [1].

LA THÉORIE DE DAN KILEY

Chapitre III.
Le syndrome de Peter Pan : considérations générales

Personne n'a oublié l'histoire irrésistible de l'insouciant Peter Pan, ce petit garçon doux et efféminé qui refusait de grandir. C'est Peter qui nous révéla la gloire de la jeunesse éternelle. C'est Pan qui ensorcela le capitaine Crochet : sa chanson et sa danse brisèrent le cœur du cruel pirate et

1. James M. Barrie, *Peter Pan*, *op. cit.*, p. 130, 137 et 237-240.

l'envoyèrent, saut suicidaire, par-dessus bord, droit dans la gueule du crocodile « tictaquant » et carnivore.

Peter Pan est le symbole de la jeunesse même. De la joie. De l'esprit infatigable. Lorsqu'il capture le *Jolly-Roger* [1] et lorsqu'il fait des galipettes avec Clochette, il réveille l'enfant qui sommeille en chacun de nous. Il nous attire irrésistiblement. Il est merveilleux. C'est la main du compagnon de jeu éternel qu'il nous tend. Lorsque nous lui permettons d'accéder à notre cœur, notre âme s'abreuve à la fontaine de jouvence.

Mais combien parmi nous sont conscients de l'autre face de ce personnage créé par J.M. Barrie ? Se trouve-t-il des sceptiques pour approfondir ce conte obsédant ? Vous êtes-vous demandé pourquoi Peter désire rester jeune ? Bien sûr, ce n'est pas drôle de grandir, mais Peter lutte violemment contre. Pourquoi rejette-t-il tout ce qui est adulte ? Que cherche-t-il en réalité ? Tout cela est-il aussi simple qu'il y paraît ? Son désir de rester enfant n'est-il pas en fait un refus délibéré de grandir ? Et si oui, de quel problème – et n'en a-t-il qu'un ? – souffre-t-il ?

En lisant attentivement le texte original de la pièce de Barrie, une réalité terrifiante m'apparut. Quel que soit mon désir de croire le contraire, Peter Pan est un jeune homme profondément triste. Sa vie n'est que contradictions, conflits et confusion. Son univers est hostile et impitoyable. Malgré toute sa gaieté, c'est un petit garçon perturbé vivant un moment encore plus perturbant. Il se trouve piégé entre l'homme qu'il refuse de devenir et l'enfant qu'il ne peut plus être.

Pardonnez-moi si j'utilise un attirail psychologique pour éclairer une face de l'histoire que les adeptes de Peter ont escamotée. Je m'en sens le droit. L'examen attentif du récit en fait une allégorie instructive des fantasmes de la jeunesse, allégorie qui permet aux spécialistes d'aujourd'hui de mieux comprendre une réalité dramatique : à l'insu de bon nombre de parents et d'autres adultes qui les aiment, beaucoup de nos enfants emboîtent inconsciemment le pas à Peter Pan.

1. Nom du navire du capitaine Crochet.

Une part significative de notre jeunesse fait sienne la face moins connue du célèbre Peter Pan. S'ils n'en sont pas libérés, ces enfants souffriront de troubles émotionnels et sociaux sans fin. Je suis certain que Peter ne m'en voudrait pas d'utiliser son histoire pour venir en aide à d'autres. En fait, je ne suis même pas sûr qu'il s'en soucierait.

Les enfants d'aujourd'hui vivent des temps troublés assez semblables à ceux qui cernaient Peter Pan et son Pays de Jamais Jamais. Mais, contrairement à notre héros espiègle, nos enfants sont incapables de s'envoler et de rester jeunes pour toujours.

Comme chez les contemporains de Peter, les garçons sont ceux qui souffrent le plus. Partout, des jeunes gens refusent de grandir. Des milliers, voire des centaines de milliers d'entre eux, abordent un âge d'homme qui les effraye et se hâtent de grossir les rangs de la cohorte des enfants perdus. Tôt ou tard, beaucoup surmonteront leur peur de l'état adulte et laisseront tomber ce clan. Bien d'autres, par contre, succomberont à leur angoisse et prêteront serment d'allégeance à la cause des perdants. Il n'y a pas d'âge pour appartenir à cette troupe et bien des adultes qui ont « réussi » se comportent encore comme des enfants perdus.

Plus ils sont jeunes, plus ils sont faciles à reconnaître : ce sont des êtres doubles. En apparence, ils vont très bien, ce sont même de vraies « merveilles ». Brillants et beaux, sensibles et sincères, ils font la joie de leurs parents car ils incarnent tous leurs espoirs et leurs rêves. Cependant, s'ils restent longtemps dans leur « prison », leur comportement devient quelque peu étrange. Ils fuient la réalité, planent à l'aide d'« herbes », font des galipettes avec les fées et déclinent toute responsabilité adulte.

Tous ces « nouveaux Pans » épouseraient sans remords la rébellion passionnée exprimée au début de ce chapitre. Ils ne veulent rien savoir de l'école, du travail ou de toute chose ayant trait à l'état adulte. Leur désir est de tout faire pour demeurer ce qu'ils sont : de petits enfants qui refusent de grandir.

Qui parmi nous n'a jamais, à un moment ou à un autre, flirté avec cette attitude ? Il est tout à fait normal de se saupoudrer la tête de poussière magique, surtout lorsqu'on est très jeune. On peut alors s'envoler pour le Pays de Jamais

> Jamais en retrouvant ses copains pour des escapades enfantines ou fuir simplement la réalité sur les ailes de ses propres fantasmes. Il n'y a certes aucun mal à éprouver du désir de rejoindre Peter et ses compagnons frivoles. Aucun, *à condition de rentrer du Pays de Jamais Jamais lorsqu'il faut affronter le monde réel*[1].

Les motifs de l'absence des adultes et de l'adolescent qui ne veut pas grandir sont aussi apparents dans *Le Grand Meaulnes*. Une des grandes forces du roman est de ne pas lever l'ambiguïté profonde qui caractérise les personnages. L'instabilité des appellations est à cet égard significative : tantôt « l'écolier » ou « l'enfant », tantôt « l'adolescent », « le jeune homme » ou encore « l'étudiant », la désignation d'Augustin Meaulnes, comme celle de François Seurel, est volontairement indéterminée. Alain-Fournier s'emploie à brouiller les pistes, à produire une indétermination qui semble le sujet même de son œuvre. Une tension est créée entre les personnages qui, comme Jasmin Delouche, veulent jouer aux adultes avant l'âge (« Quelle idée de faire l'homme à dix-sept ans ! Rien ne me dégoûte davantage... », se dit le narrateur, II, IV), et ceux qui, à l'instar de Frantz de Galais, ne cessent pas d'être des enfants :

> Il me montrait un visage où, dans la poussière et la boue, les larmes avaient tracé des sillons sales, un visage de vieux gamin épuisé et battu. Ses yeux étaient cernés de taches de rousseur ; son menton, mal rasé ; ses cheveux trop longs traînaient sur son col sale. Les mains dans les poches, il grelottait. Ce n'était plus ce royal enfant en guenilles des années passées. De cœur, sans doute, il était plus enfant que jamais : impérieux, fantasque et tout de suite désespéré. Mais cet enfantillage était pénible à supporter chez ce garçon déjà légèrement vieilli... Naguère, il y avait en lui tant d'orgueilleuse jeunesse que toute folie au monde lui paraissait permise. À présent, on était d'abord tenté de le plaindre pour n'avoir pas réussi sa vie ; puis de lui reprocher ce rôle

1. Dan Kiley, *Le Syndrome de Peter Pan. Ces hommes qui ont refusé de grandir* [1983], trad. Jean Duriau, © Odile Jacob, 1996, p. 33-36.

absurde de jeune héros romantique où je le voyais s'entêter... » (*Le Grand Meaulnes*, III, VIII).

Entre ces aspirations contradictoires et toutes deux condamnées par la narration, il y a l'attitude fondamentalement instable de Meaulnes, ni enfant ni adulte, libre de l'une et l'autre condition, qui est l'une des grandes inventions romanesques du *Grand Meaulnes*. D'où le relatif échec des adaptations cinématographiques du roman qui, obligées d'incarner ces figures indéterminées, en donnent l'image soit de jeunes gens déjà pubères (film de Jean-Gabriel Albicocco, 1967) soit d'adolescents impubères artificiellement vieillis à la fin (film de Jean-Daniel Verhaeghe, 2007). Or c'est l'être même de Meaulnes et, dans une moindre mesure, de François Seurel, leur beauté et leur pureté que d'imposer cette indétermination, qui implique qu'ils construisent autour d'eux leur propre univers.

LA FIGURE DE L'ENFANT GRANDI TROP VITE : *VICTOR OU LES ENFANTS AU POUVOIR* DE ROGER VITRAC

Symétrique de celle de Peter Pan, la figure de l'enfant grandi trop vite (incarnée par Jasmin Delouche dans le roman) est au cœur de la pièce de Roger Vitrac [1], *Victor*

1. Né en 1899 et mort en 1952, Roger Vitrac devient dès les années 1920 l'ami de Breton et d'Artaud. Rallié au surréalisme dès sa fondation, il est pourtant exclu du mouvement à la fin de 1926. Il est l'auteur de poèmes et de pièces de théâtre, parmi lesquelles *Le Coup de Trafalgar* (1934), *Le Loup-Garou* (1939), *Le Sabre de mon père* (1951). *Victor ou les Enfants au pouvoir* reste sa pièce la plus célèbre.

Il faut noter à ce propos le goût des surréalistes pour *Le Grand Meaulnes*. On peut citer par exemple la reprise par Desnos du *Grand Meaulnes* en 1940 qui affirme, au début de la Seconde Guerre mondiale, qu'il faut relire ce livre : « C'est que lire *Le Grand Meaulnes*, c'est faire un rêve lourd de conséquences et de présages. Vous pourrez ne lui attacher qu'une attention distraite, l'enfouir dans votre conscience. Des années après, *Le Grand Meaulnes* surgira pour vous comme il a surgi

ou les Enfants au pouvoir, écrite en 1927 puis créée pour la première fois en 1928 à la Comédie des Champs-Élysées dans une mise en scène d'Antonin Artaud, et considérée comme le chef-d'œuvre du théâtre surréaliste. Seul rôle principal entièrement dévolu à un enfant dans tout le répertoire théâtral, Victor est la plupart du temps joué par un adulte, ce qui accentue l'étrangeté de ce personnage qui, le soir de son anniversaire, découvre qu'il peut mourir. Enfant surdoué – il s'inscrit lui-même dans la lignée des génies précoces –, il apparaît aussi aux yeux des spectateurs comme un adulte resté enfant et est dès lors perçu comme fou. Dans *Le Grand Meaulnes* comme dans *Victor ou les Enfants au pouvoir* c'est l'ambiguïté qui est au cœur de la représentation.

Acte II, scène VI

VICTOR, IDA

IDA

Qu'ai-je fait ?

VICTOR

Elle a de qui tenir, son père est fou.

IDA

Ah ?

Un temps.

VICTOR

Je suis bien sur vos genoux.

IDA

Assieds-toi mieux.

VICTOR

J'ai dit sur vos genoux ; mais enfin, c'est sur vos cuisses que je suis assis.

---

pour moi, au détour d'un chemin » (Robert Desnos, « *Aujourd'hui* vous conseille de lire *Le Grand Meaulnes* », *Aujourd'hui*, septembre 1940. Repris dans *Bulletin des amis de Jacques Rivière et d'Alain-Fournier*, n° 31, 1983, p. 53-54).

IDA

Tiens, c'est vrai, les expressions sont mal faites.

Un temps.

IDA

Et tu as neuf ans aujourd'hui. Neuf ans seulement ?

VICTOR

Au fait, ai-je neuf ans ? Je n'ai été initié à la notion d'âge qu'à mon quatrième anniversaire. Il a donc fallu quatre ans pour qu'on me persuade du retour périodique du 12 septembre. Peut-être pourrait-on me prouver un jour qu'il a fallu cent ans. Oui, rien ne s'oppose à ce que j'aie plus de cent ans.

IDA

Que dis-tu ?

VICTOR

Je dis que j'ai peut-être cent cinq ans.

IDA

On ne vit pas si vieux. Il faudrait que tu meures.

VICTOR

Et ma mort ne prouverait même pas que je les aurais. On meurt à tout âge. D'ailleurs, il est bien possible que je meure bientôt, pour entretenir le doute, pour me donner raison, par courtoisie.

IDA

Assieds-toi un peu plus haut. Tu glisses et tu vas tomber.

VICTOR

Voilà. Vous aviez raison, je suis beaucoup mieux ainsi.

Un temps.

IDA

Écoute, Victor, il vaudrait mieux que je parte sans attendre qu'ils reviennent. Je ne me sens pas bien, et tu m'excuserais.

VICTOR

Oui, maintenant… Mais restez encore un moment. Nous les entendrons revenir et s'il vous plaît alors, vous partirez.

IDA

Soit.

Un temps.
– Victor l'embrasse dans le cou,
à plusieurs reprises, lentement.

VICTOR

Vous devriez me dire quelque chose encore, pendant qu'on cherche Esther.

IDA

Oui.

VICTOR

Je suis amoureux [1].

---

1. Roger Vitrac, *Victor ou les Enfants au pouvoir*, Denoël, 1929 ; © Gallimard, « Folio Théâtre », éd. Marie-Claude Hubert, 2000, p. 108-110.

3 — *Personnages romanesques et relation triangulaire*

Les couples ne cessent de se former, de se défaire, de se recomposer autrement dans *Le Grand Meaulnes.* Cette géométrie variable du désir repose sur des trios plus que sur des couples, les personnages n'entrant pas les uns avec les autres dans des relations sociales communes. C'est encore une des façons dont Alain-Fournier écarte le monde des adultes dans son roman et lui substitue un univers instable, marqué par la ronde, l'échange, la circulation des êtres et des objets de désir, ces diverses formes que prend l'aventure. On voit ainsi se dessiner trois triangles amoureux dans *Le Grand Meaulnes* : le premier est formé du narrateur, François Seurel, d'Augustin Meaulnes et d'Yvonne de Galais ; le second de Frantz de Galais, d'Augustin Meaulnes et de Valentine ; le troisième du frère et de la sœur de Galais (Yvonne et Frantz) et d'Augustin Meaulnes, ce dernier triangle étant la transposition exacte, du point de vue de la structure, du trio formé dans la vie par l'écrivain, sa sœur Isabelle et son ami Jacques Rivière. Seul le personnage de Meaulnes circule d'un triangle à l'autre : à ce titre, il est bien le personnage principal du roman.

DÉSIR TRIANGULAIRE, DÉSIR ROMANESQUE

Le désir triangulaire a été mis au jour par René Girard comme l'élément fondamental du désir tel que le révèle le romanesque : l'être désire toujours à travers la médiation d'un être ou d'une chose qui vient s'interposer entre le sujet et l'objet. Le médiateur rayonne à la fois vers le sujet et vers l'objet. Cela peut être Amadis, héros d'un roman de chevalerie, pour Don Quichotte, par exemple : Don Quichotte « ne choisit plus les objets de son désir, c'est Amadis qui doit les choisir pour lui. Le disciple se précipite vers les objets que lui désigne, ou semble lui désigner, le modèle de toute chevalerie. Nous appellerons ce modèle le médiateur du désir [1] ». Cela peut encore être l'écrivain Bergotte, ou les frères Goncourt, pour le narrateur d'*À la recherche du temps perdu* de Proust, comme le suggère l'extrait qui suit. On désire toujours selon les autres ou selon un autre. Le mensonge romantique, à l'inverse, est la volonté de dissimuler cette médiation en se persuadant de ne céder à aucune imitation, en se croyant parfaitement original : « Partout, au XIXe siècle, la spontanéité se fait dogme, détrônant l'imitation. Ne nous laissons pas duper, répète partout Stendhal, les individualismes bruyamment professés cachent une forme nouvelle de copie. Les dégoûts romantiques, la haine de la société, la nostalgie du désert, tout comme l'esprit grégaire, ne recouvrent, le plus souvent, qu'un souci morbide de l'Autre [2]. » La thèse, centrale, de René Girard est que l'on aime le plus souvent par imitation. C'est parce que l'autre désire un être ou un objet que je le désire moi aussi.

> Le texte imprimé a une vertu de suggestion magique dont le romancier ne se lasse pas de nous donner des exemples. Lorsque sa mère l'envoie aux Champs-Élysées, le narrateur trouve d'abord ces promenades très ennuyeuses. Aucun

---

1. René Girard, *Mensonge romantique et vérité romanesque*, Grasset, 1961, p. 12. René Girard distingue entre médiation externe, lorsque la distance entre les deux sphères du sujet et de la médiation est trop grande pour se rencontrer ou se superposer (modèle de Don Quichotte) et médiation interne « lorsque cette même distance est assez réduite pour que les deux sphères pénètrent plus ou moins profondément l'une dans l'autre » (*ibid.*, p. 18).

2. *Ibid.*, p. 23.

médiateur ne lui a *désigné* les Champs-Élysées : « Si seulement Bergotte les eût décrits dans un de ses livres, sans doute j'aurais désiré de les connaître, comme toutes les choses dont on avait commencé à mettre le double dans mon imagination. » À la fin du roman, la lecture du *Journal* des Goncourt transfigure rétrospectivement le salon Verdurin qui n'avait jamais eu de prestige, dans l'esprit du narrateur, parce qu'aucun artiste ne l'avait encore dépeint :

> J'étais incapable de voir ce dont le désir n'avait pas été éveillé en moi par quelque lecture… Que de fois, je le savais bien même si cette page des Goncourt ne me l'eût appris, je suis resté incapable d'accorder mon attention à des choses ou à des gens qu'ensuite, une fois que leur image m'avait été présentée dans la solitude par un artiste, j'aurais fait des lieues, risqué la mort pour retrouver.

Il faut porter, aussi, au compte de la suggestion littéraire, ces affiches théâtrales que le narrateur lit avidement lors de ses promenades aux Champs-Élysées. Les formes les plus hautes de la suggestion ne sont pas séparées des plus basses. Entre Don Quichotte et le petit-bourgeois victime de la publicité, la distance n'est pas si grande que le romantisme voudrait le faire croire.

L'attitude du narrateur envers son médiateur Bergotte rappelle celle de Don Quichotte envers Amadis :

> … sur presque toutes choses j'ignorais son opinion. Je ne doutais pas qu'elle fût entièrement différente des miennes, puisqu'elle descendait d'un monde inconnu vers lequel je cherchais à m'élever ; persuadé que mes pensées eussent paru pure ineptie à cet esprit parfait, j'avais tellement fait table rase de toutes que, quand par hasard il m'arrivait d'en rencontrer dans tel de ses livres, une que j'avais déjà eue moi-même, mon cœur se gonflait comme si un dieu dans sa bonté me l'avait rendue, l'avait déclarée légitime et belle… Même plus tard, quand je commençais de composer un livre, certaines phrases dont la qualité ne suffit pas pour me décider à les continuer, j'en retrouvais l'équivalent dans Bergotte. Mais ce n'était qu'alors quand je les lisais dans son œuvre que je pouvais en jouir.

Don Quichotte se fait chevalier errant pour imiter Amadis, on conçoit que Marcel veuille se faire écrivain pour imiter Bergotte. L'imitation du héros contemporain est plus humble, plus écrasée et comme paralysée par une terreur religieuse. La puissance de l'*Autre* sur le Moi est plus grande que jamais et nous allons voir qu'elle n'est pas limitée à un médiateur *unique* comme chez les héros antérieurs.

Le narrateur a fini par se rendre à une représentation de la Berma. De retour à l'appartement familial, il fait la connaissance de M. de Norpois invité ce soir-là à dîner. Pressé de révéler ses impressions de théâtre, Marcel, ingénument, avoue sa déception. Son père est fort embarrassé et M. de Norpois se croit tenu de rendre à la grande actrice l'hommage de quelques pompeux clichés. Les conséquences de cet échange banal sont typiquement, essentiellement proustiennes. Les paroles du vieux diplomate remplissent le vide creusé par le spectacle dans l'esprit et la sensibilité de Marcel. La foi en la Berma renaît. Le lendemain, un médiocre compte rendu de journal mondain parachève l'œuvre de M. de Norpois. Comme chez les romanciers antérieurs, la suggestion orale et la suggestion littéraire se prêtent un mutuel appui. Marcel, désormais, ne doute plus ni de la beauté du spectacle ni de l'intensité de son propre plaisir. Non seulement l'*Autre* et l'*Autre* seul peut déclencher le désir, mais son témoignage l'emporte aisément sur l'expérience vécue lorsque celle-ci contredit celui-là.

On peut choisir d'autres exemples, le résultat sera toujours le même. Le désir proustien est chaque fois triomphe de la suggestion sur l'impression. À sa naissance, c'est-à-dire à la source même de la subjectivité, on trouve toujours l'*Autre*, victorieusement installé. La source de la « transfiguration » est bien en nous, mais l'eau vive ne jaillit que lorsque le médiateur a frappé le roc de sa baguette magique. Jamais le narrateur n'a simplement envie de jouer, de lire un ouvrage, de contempler une œuvre d'art ; c'est toujours le plaisir qu'il lit sur le visage des joueurs, c'est une conversation, c'est une première lecture qui déclenchent le travail de l'imagination et provoquent le désir :

> … ce qu'il y avait d'abord en moi de plus intime, la poignée sans cesse en mouvement qui gouvernait le reste, c'était la croyance en la richesse philosophique, en la

> beauté du livre que je lisais, et mon désir de me les approprier, quel que fût le livre. Car, même si je l'avais acheté à Combray… c'est que je l'avais reconnu pour m'avoir été cité comme un ouvrage remarquable par le professeur ou le camarade qui me paraissait à cette époque détenir le secret de la vérité et de la beauté à demi pressenties, à demi incompréhensibles dont la connaissance était le but vague mais permanent de ma pensée.

Le jardin intérieur tant célébré par les critiques n'est donc jamais un jardin solitaire. À la lumière de tous ces désirs d'enfance déjà « triangulaires », le sens de la jalousie et du snobisme se fait plus éclatant que jamais. Le désir proustien est *toujours* un désir emprunté[1].

Une illustration du désir triangulaire : Proust, *Du côté de chez Swann*

Il se peut que le médiateur se trouve dans l'art ou dans la littérature. Chez Proust, dans le passage qui suit, extrait de la première partie d'*À la recherche du temps perdu*, c'est parce qu'elle lui fait penser au personnage de Geneviève de Brabant dont on lui racontait l'histoire pour qu'il s'endorme ou encore à un vitrail de l'église de Combray que le narrateur désire la duchesse de Guermantes. Comme l'écrit René Girard, « le prestige du médiateur se communique à l'objet désiré et confère à ce dernier une valeur illusoire. Le désir triangulaire est le désir qui transfigure son objet[2] ». C'est pourquoi chez Proust, comme chez Stendhal ou chez Dostoïevski, l'amour s'accompagne toujours de la jalousie : on sort de l'exclusivité de la relation de sujet à objet, de la stabilité du deux, pour inscrire l'amour dans la configuration

1. René Girard, *Mensonge romantique et vérité romanesque*, © Grasset, 1961, p. 37-40.
2. *Ibid.*, p. 25.

variable du trois où l'autre sort de l'unicité pour être transporté du côté d'un modèle ou d'un autre objet.

Nous nous asseyions entre les iris au bord de l'eau. Dans le ciel férié, flânait longuement un nuage oisif. Par moments oppressée par l'ennui, une carpe se dressait hors de l'eau dans une aspiration anxieuse. C'était l'heure du goûter. Avant de repartir nous restions longtemps à manger des fruits, du pain et du chocolat, sur l'herbe où parvenaient jusqu'à nous, horizontaux, affaiblis, mais denses et métalliques encore, des sons de la cloche de Saint-Hilaire qui ne s'étaient pas mélangés à l'air qu'ils traversaient depuis si longtemps, et côtelés par la palpitation successive de toutes leurs lignes sonores, vibraient en rasant les fleurs, à nos pieds.

Parfois, au bord de l'eau entourée de bois, nous rencontrions une maison dite de plaisance, isolée, perdue, qui ne voyait rien, du monde, que la rivière qui baignait ses pieds. Une jeune femme dont le visage pensif et les voiles élégants n'étaient pas de ce pays et qui sans doute était venue, selon l'expression populaire « s'enterrer » là, goûter le plaisir amer de sentir que son nom, le nom surtout de celui dont elle n'avait pu garder le cœur, y était inconnu, s'encadrait dans la fenêtre qui ne lui laissait pas regarder plus loin que la barque amarrée près de la porte. Elle levait distraitement les yeux en entendant derrière les arbres de la rive la voix des passants dont avant qu'elle eût aperçu leur visage, elle pouvait être certaine que jamais ils n'avaient connu, ni ne connaîtraient l'infidèle, que rien dans leur passé ne gardait sa marque, que rien dans leur avenir n'aurait l'occasion de la recevoir. On sentait que, dans son renoncement, elle avait volontairement quitté des lieux où elle aurait pu du moins apercevoir celui qu'elle aimait, pour ceux-ci qui ne l'avaient jamais vu. Et je la regardais, revenant de quelque promenade sur un chemin où elle savait qu'il ne passerait pas, ôter de ses mains résignées de longs gants d'une grâce inutile.

Jamais dans la promenade du côté de Guermantes nous ne pûmes remonter jusqu'aux sources de la Vivonne, auxquelles j'avais souvent pensé et qui avaient pour moi une existence si abstraite, si idéale, que j'avais été aussi surpris quand on m'avait dit qu'elles se trouvaient dans le département, à une certaine distance kilométrique de Combray, que le jour où j'avais appris qu'il y avait un autre point précis de la terre où s'ouvrait, dans l'Antiquité, l'entrée des Enfers [1]. Jamais non plus nous ne pûmes pousser jusqu'au terme que j'eusse tant souhaité d'atteindre, jusqu'à Guermantes. Je savais que là résidaient des châtelains, le duc et la duchesse de Guermantes, je savais qu'ils étaient des personnages réels et actuellement existants, mais chaque fois que je pensais à eux, je me les représentais tantôt en tapisserie, comme était la comtesse de Guermantes, dans le « Couronnement d'Esther » de notre église, tantôt de nuances changeantes comme était Gilbert le Mauvais dans le vitrail où il passait du vert chou au bleu prune selon que j'étais encore à prendre de l'eau bénite ou que j'arrivais à nos chaises, tantôt tout à fait impalpables comme l'image de Geneviève de Brabant, ancêtre de la famille de Guermantes, que la lanterne magique promenait sur les rideaux de ma chambre ou faisait monter au plafond – enfin toujours enveloppés du mystère des temps mérovingiens et baignant comme dans un coucher de soleil dans la lumière orangée qui émane de cette syllabe : « antes ». Mais si malgré cela ils étaient pour moi, en tant que duc et duchesse, des êtres réels, bien qu'étranges, en revanche leur personne ducale se distendait démesurément, s'immatérialisait, pour pouvoir contenir en elle ce Guermantes dont ils étaient duc et duchesse, tout ce « côté de Guermantes » ensoleillé, le cours de la Vivonne, ses nymphéas et ses grands arbres, et tant de beaux après-midi. Et je savais qu'ils ne portaient pas seulement le titre de duc et de duchesse de Guermantes, mais que depuis le XIVe siècle où, après avoir inutilement essayé de vaincre ses anciens seigneurs ils s'étaient alliés à eux par des mariages, ils étaient comtes de Combray, les premiers des citoyens de Combray par conséquent et pourtant les seuls qui n'y habitassent pas. comtes de Combray, possédant Combray au milieu de leur nom, de leur personne, et sans doute ayant effectivement en eux cette étrange et pieuse tristesse qui était spéciale à Combray ; propriétaires de la ville, mais non d'une maison particulière, demeurant sans doute dehors, dans la rue, entre ciel et terre, comme ce Gilbert de Guermantes, dont je ne voyais

1. L'entrée des Enfers, selon les Anciens, se situait dans la région du lac Averne, près duquel se trouvait l'antre de la sibylle de Cumes (voir Virgile, *Énéide*, livre VI).

aux vitraux de l'abside de Saint-Hilaire que l'envers de laque noire, si je levais la tête, quand j'allais chercher du sel chez Camus.

Puis il arriva que sur le côté de Guermantes je passai parfois devant de petits enclos humides où montaient des grappes de fleurs sombres. Je m'arrêtais, croyant acquérir une notion précieuse, car il me semblait avoir sous les yeux un fragment de cette région fluviatile, que je désirais tant connaître depuis que je l'avais vue décrite par un de mes écrivains préférés. Et ce fut avec elle, avec son sol imaginaire traversé de cours d'eau bouillonnants, que Guermantes, changeant d'aspect dans ma pensée, s'identifia, quand j'eus entendu le docteur Percepied nous parler des fleurs et des belles eaux vives qu'il y avait dans le parc du château. Je rêvais que Mme de Guermantes m'y faisait venir, éprise pour moi d'un soudain caprice ; tout le jour elle y pêchait la truite avec moi. Et le soir, me tenant par la main, en passant devant les petits jardins de ses vassaux, elle me montrait, le long des murs bas, les fleurs qui y appuient leurs quenouilles violettes et rouges et m'apprenait leurs noms [1].

DU *GRAND MEAULNES* À *JULES ET JIM*

On peut certes penser que c'est par le hasard seul que Meaulnes à Paris rencontre et aime Valentine, la fiancée de Frantz. Mais dans l'économie du désir élaborée par le roman, cet amour est logique. Comme le dit la jeune fille à Meaulnes lorsqu'elle le rencontre pour la première fois : « "Vous m'amusez beaucoup. Vous me rappelez un jeune homme qui me faisait la cour, autrefois, à Bourges. Il était même mon fiancé" » (III, XIV). Elle désire Meaulnes à travers Frantz, et Frantz à travers Meaulnes. On peut considérer en outre que la relation entre Augustin et Valentine constitue le versant charnel, impur, de l'amour idéal incarné par Augustin et Yvonne, et se présente donc comme une variation de celui-ci. Aussi le désir

1. Marcel Proust, *Du côté de chez Swann*, sous la dir. de Jean Milly, GF-Flammarion, 2009, p. 286-289.

se déplace-t-il constamment ; et l'incapacité qu'ont les personnages à le fixer les conduit au malheur et à la mort. Lorsque le narrateur retrouve Yvonne de Galais, il prend soin de ne pas en prévenir tout de suite Meaulnes, entamant avec la jeune fille une relation complexe, faite de grande amitié et de désir retenu, et qui peut être tout entière caractérisée comme un amour *selon Meaulnes*, un amour dont le troisième terme est Meaulnes : « Lorsqu'elle me tendit la main, pour partir, il y avait entre nous, plus clairement que si nous avions dit beaucoup de paroles, une entente secrète que la mort seule devait briser et une amitié plus pathétique qu'un grand amour » (III, II). Pendant l'absence de Meaulnes, c'est François qui prend sa place auprès de la jeune femme [1] ; c'est lui, plus tard, qui s'occupera de leur enfant. Plus encore, on peut lire la scène où il transporte le corps d'Yvonne dans les escaliers comme une transposition de l'étreinte amoureuse où, dans la mort seulement, s'accomplit cet amour impossible :

> Mais alors je m'avance, je prends le seul parti possible : avec l'aide du médecin et d'une femme, passant un bras sous le dos de la morte étendue, l'autre sous ses jambes, je la charge contre ma poitrine. Assise sur mon bras gauche, les épaules appuyées contre mon bras droit, sa tête retombante retournée sous mon menton, elle pèse terriblement sur mon cœur. Je descends lentement, marche par marche, le long escalier raide, tandis qu'en bas on apprête tout.
>
> […] Agrippé au corps inerte et pesant, je baisse la tête sur la tête de celle que j'emporte, je respire fortement et ses cheveux blonds aspirés m'entrent dans la bouche – des cheveux morts qui ont un goût de terre. Ce goût de terre et de mort, ce poids sur le cœur, c'est tout ce qui reste pour moi de la grande aventure, et de vous, Yvonne de Galais, jeune femme tant cherchée – tant aimée » (*Le Grand Meaulnes*, III, XII).

1. « […] heureux simplement d'être là, tout près de ce qui me passionnait et m'inquiétait le plus au monde » (III, XI).

Une femme et deux hommes : c'est la structure qui gouverne *Le Grand Meaulnes*. Quoique explicite, ce triangle du désir est pourtant évoqué avec discrétion, sans que les personnages en jouent consciemment. Dans un roman plus tardif, qui reste le modèle de la relation triangulaire, la circulation entre les êtres se fait plus directe : avec *Jules et Jim* d'Henri-Pierre Roché (1953), et dans le film du même nom qu'en a tiré François Truffaut en 1962, le chiffre trois régit toutes les relations, et quand les trios se déforment, ils se reforment ailleurs. Catherine, le personnage principal, évolue entre Jules et Jim, mais aussi entre Jim et Albert, de même que Jules évolue entre Lucie et Jim… C'est à un véritable manège des sujets et des corps que le lecteur ou le spectateur assistent et, dans des termes plus subversifs que ceux du *Grand Meaulnes*, mais avec une grande vitalité romanesque, à un éloge du triangle amoureux.

Chapitre VI. Lucie et Jim

Huit jours plus tard Jules et Jim étaient seuls dans un compartiment du petit train omnibus menant vers Lucie : un voyage de six heures. Jules, sans perdre sa lenteur, était agité. Il conta à Jim un rêve qu'il avait eu la veille.

– Nous marchions avec précaution, vous et moi, sur les murs d'une haute maison en démolition. Il y avait danger de chute dans des ronces. Vous étiez devant, et je vous suivais, en tenant derrière moi la main de Lucie. Plus loin, Gertrude et d'autres. Vous arrivâtes au bout du mur. Impossible d'aller plus loin. L'arrêt me donnait le vertige. Alliez-vous faire demi-tour ? Soudain vous fîtes un bond, comme vous en faites avec votre perche à sauter, mais sans perche. Il y eut des cris. Mais déjà vous vous teniez debout, souriant, sur le mur d'en face, à six pas de là. Je me réveillai alors.

Jules ajouta sans transition : « Voulez-vous jouer aux dominos ?

– Oui », dit Jim, qui n'aimait pas ce jeu.

Jules tira de son sac des dominos extra-plats que sa mère lui avait donnés, et ils jouèrent longtemps. Jim s'appliquait, mais Jules gagnait toujours. Il restait deux heures.

Jules se mit alors à raconter Lucie et lui depuis le début, comment elle avait été malheureuse et malade, pour un autre, comment il l'avait soignée et comment il avait conçu peu à peu de l'espoir. Jim vit avec angoisse la force de cet amour.

Jules consacra la première journée dans la petite ville à un pèlerinage tout autour, mais à distance, de la maison de Lucie. Il n'avait vu cette maison qu'une fois, quelques heures, un soir d'hiver. Il souhaitait apercevoir Lucie lisant à sa fenêtre (elle ne s'y tenait probablement jamais) et la contempler de loin avant d'aller chez elle. Ils passèrent entre de hauts murs de jardins, dans des ruelles montantes. Ils prirent le thé, courbés sous une tonnelle, pour ne pas être vus par Lucie, guettant une maison qui, un moment plus tard, n'était plus la vraie. Jules, dans ce rêve éveillé, fut pris d'un vertige, la maison fut partout. Ils marchaient et ils étaient en nage.

Le lendemain ils la trouvèrent à sa place, au bout d'une avenue plate, vaste et blanche au milieu de son parc. Jim fut présenté à l'auréole de cheveux blancs qu'était le vieux père, encore causeur, de Lucie. Elle s'effaçait derrière lui. Tout respirait l'ordre et la précision.

Lucie avait réservé pour Jules et pour Jim deux grandes chambres, dans une auberge en rondins, hors la ville, sur un joli coteau d'où l'on apercevait sa maison. On pouvait, à la lorgnette, échanger des signaux.

Ils vécurent là, dans ce cadre choisi par elle, attendant les occasions de la voir. Ils seraient venus chaque jour, mais il ne fallait pas bousculer les parents ni trop faire parler la petite ville.

Ils étaient souvent invités chez Lucie. Jim brilla au tennis du parc, moins au salon, où il s'ennuyait. Ce fut le contraire pour Jules qui voulait séduire tout au moins le père. La maison était ample, pleine de sœurs aînées, de neveux, de nièces, de servantes et de chiens de race. La mère, rarement visible, dirigeait tout.

Ils étaient venus pour six jours. Ils restèrent six semaines. Jules était dans une extase inquiète et ne formulait pas sa demande. Lucie ne l'y encourageait pas. Et c'était si beau ainsi !

Le jeune frère de Lucie, étudiant, fin et sportif, arriva, et il y eut dans les monts boisés des excursions à quatre, d'une journée entière, sac au dos, pendant lesquelles tantôt Jules, tantôt Jim, se trouvaient parfois seuls avec Lucie.

Fût-ce le contact permanent de l'amour de Jules ? Fût-ce le rayonnement de cette douce vie familiale avec ses rites provinciaux qui encadraient si bien Lucie ? Fût-ce simplement... Lucie ? Jim devint peu à peu, malgré lui, amoureux d'elle. Jules sans le savoir, le frère en le sachant, peut-être Lucie elle-même, l'y aidèrent [1].

1. Henri-Pierre Roché, *Jules et Jim*, © Gallimard, 1953, p. 24-26.

4 — *Genèse et suites du* Grand Meaulnes

EN AMONT : LE DOSSIER DE GENÈSE

Roman d'une vie, même si ce fut celui d'une vie brève, *Le Grand Meaulnes* a occupé Alain-Fournier pendant six longues années. D'abord sous la forme d'un projet, longtemps intitulé *Le Pays sans nom*, puis au cours d'une longue étape de rédaction durant laquelle il a accumulé quantité de notes, de brouillons et de manuscrits. Commencé en 1907 et publié en 1913, ce roman a emprunté plusieurs voies, ses personnages ont eu plusieurs noms, son histoire a connu plusieurs scénarios. Une partie des brouillons et des notes préparatoires a été publiée dans l'édition dite du Centenaire (qui parut en 1986, date anniversaire de la naissance de l'écrivain) [1], mais le manuscrit définitif n'a jamais été retrouvé : a-t-il été détruit, volé, vendu ? Les hypothèses ne manquent pas, mais aucune n'a été confirmée à ce jour [2].

Parmi les ébauches et brouillons qui constituent le dossier de genèse de l'œuvre, on doit distinguer ce qui relève

1. *Le Grand Meaulnes, Miracles, op. cit.* Le fonds d'archives littéraires que possédait la famille d'Alain-Fournier et de Jacques Rivière a été donné en 2000 à la ville de Bourges par Alain Rivière (le catalogue du fonds peut être consulté à l'adresse suivante : http://catalogue.mediatheque-bourges.fr).

2. Dans *Vie et passion d'Alain-Fournier*, sa sœur Isabelle Rivière soupçonne Madame Simone, le dernier amour de l'écrivain, d'avoir disséminé les manuscrits (Fayard, 1989, p. 434 *sq.*). Dans un article publié dans le *Bulletin des amis de Jacques Rivière et d'Alain-Fournier* (nº 43, 1987, p. 3), Alain Rivière, son neveu, rapporte une version selon laquelle le manuscrit aurait peut-être été vendu par Fournier à un riche Américain qui le lui aurait payé la somme que lui aurait rapporté le prix Goncourt s'il l'avait obtenu.

de notes préparatoires de ce qui correspond à de premières « mises au net », chapitres recopiés ou faisant l'objet de plusieurs versions. On voit se dessiner plusieurs directions qu'aurait pu prendre le livre avant sa version définitive ou finale. Dans les premiers plans, par exemple, Meaulnes s'appelle François, ou encore Julien ; le personnage apprend la mort de sa femme Yvonne alors qu'il est en voyage et demande des renseignements par lettre à François Seurel ; avant de devenir le nom du village, Sainte-Agathe est d'abord le lieu vers lequel, depuis Épineuil, tendent les aventures des jeunes gens (« Ainsi, peu à peu, Sainte-Agathe devient pour les deux enfants un village à part, le village qu'ils aimaient, le pays des vacances, le pays où l'on ne peut jamais aller et où l'on voudrait habiter… [1] »).

Le dossier de genèse révèle aussi qu'au début Alain-Fournier voulait donner un tour très charnel à l'amour entre Valentine et Meaulnes. Un chapitre écarté, dans lequel Valentine s'appelle alors Annette et Augustin François, évoque crûment le corps de la femme et les tourments de l'amour physique. Ce chapitre fut repris dans *Miracles*, un recueil posthume de textes divers, publiés en revues ou abandonnés par Alain-Fournier et rassemblés après sa mort par Jacques Rivière, sous le titre « La dispute et la nuit dans la cellule » : nous le reproduisons intégralement ci-après. Même si Alain-Fournier n'a pas conservé ce discours sur l'amour dans la version finale du *Grand Meaulnes*, son roman contient une opposition marquée entre un amour pur, idéal, voire sublimé, et un amour charnel marqué par la faute. Ce chapitre abandonné apparaît donc comme la réalisation provisoire d'une virtualité du roman [2].

---

1. « Dossier du *Grand Meaulnes*. Ébauches, première partie », f° 27, dans *Le Grand Meaulnes, Miracles*, *op. cit.*, p. 442.

2. L'opposition entre deux sortes d'amour est un trait de la biographie d'Alain-Fournier, partagé entre le souvenir idéalisé et l'amour sublimé d'Yvonne de Quiévrecourt d'un côté et l'amour orageux et sensuel vécu avec Jeanne Bruneau par exemple. Voir la chronologie.

L'après-midi commença mal. Sur une pente couverte de bruyères, elle voulut par jeu, tant elle se sentait enivrée de bonheur, se laisser dérouler en poussant de petits cris ; mais le vent s'engouffra dans sa robe et lui découvrit les jambes. Meaulnes l'avertit rudement. Elle tourna deux ou trois fois encore, en essayant vainement d'aplatir à deux mains l'étoffe ballonnée ; puis elle se redressa, toute pâle, sa gaieté finie, et elle descendit la pente en disant :

« Je sais bien, je sais bien que je ne peux plus faire l'enfant… »

On entendait à quelque distance, derrière les genévriers, une dispute basse, assourdie, entre leurs amis, le mari et la femme. La soirée avait un goût amer, le goût d'un tel ennui que l'amour même ne le pouvait distraire… Les deux voix s'éloignèrent, âpres, désespérées, chargées de reproches. Meaulnes et Annette restèrent seuls.

À mi-côte, ils avaient découvert une sorte de cachette entre des branches basses et des genévriers. Étendu sur l'herbe, Meaulnes regardait pensivement Annette assise qui s'inclinait vers lui pour lui parler. C'était un jour semblable à bien des jours pluvieux, où seul à travers la campagne, il avait imaginé près de lui son amour abrité sous les branches. Aujourd'hui comme alors, le vent portait les gouttes de pluie et le temps était bas. Aujourd'hui comme alors, couché sur l'herbe humide, il se sentait mal satisfait et désolé ; et il regardait sans joie ce pauvre visage de femme que le reflet de la lumière basse éclairait durement.

Annette, elle, parlait de son amour : « Je voudrais, disait-elle, vous donner quelque chose ; quelque chose qui soit plus que tout, plus lourd que tout, plus important que tout. Ce serait mieux que mon corps. Ce serait tout mon amour. Je cherche… » Et à la fin, en le regardant fixement, d'un air anxieux et coupable, elle sortit de la poche de sa jupe un paquet de lettres tachées de sang qu'elle lui tendit.

Ils marchaient maintenant sur une route étroite, entre les pâquerettes et les foins qu'éclairait obliquement le soleil de cinq heures. Meaulnes lisait sans rien dire. Pour la première fois, il regardait de près le passé d'Annette auquel il s'était efforcé jusqu'ici de ne jamais songer. Il y avait sur ces feuilles jaunies l'histoire de tout un amour misérable et charnel ;

depuis les premiers billets de rendez-vous jusqu'à la longue lettre ensanglantée, qu'on avait trouvée sur cet homme, quand il s'est tué, au retour de Saigon.

Meaulnes feuilletait… Le grand enfant chaste qu'il était resté malgré tout n'avait pas imaginé cette impureté. C'était, à cette page, un détail précis comme un soufflet ; à cette autre une caresse qui lui salissait son amour… Une révolte l'aveuglait. Il avait ce visage immobile, affreusement calme, avec des petits frémissements sous les yeux, – cette expression de douleur intense et de colère, qu'on lui avait vue à la Colombière, un soir où un fermier qu'il aimait beaucoup l'avait attendu pour l'insulter.

Annette, atterrée, voulut s'excuser, expliquer, et ne fit qu'exaspérer sa douleur. Il lui jeta le paquet de lettres, sans répondre, et, coupant à travers champs, se dirigea vers le village en haut de la côte. Elle voulut l'accompagner, lui prendre la main, mais il la repoussa brutalement.

« Allez-vous-en. Laissez-moi. »

Là-bas, dans la vallée, au tournant de la route, trois paysans qui rentraient au village regardaient ce couple soudain séparé, cette femme qui suivait craintivement, de loin, un homme fâché qui ne se retournait pas.

En montant à travers un grand pré fauché, il regarda en arrière, au moment même où Annette se cachait derrière un tas de foin. Sans doute elle s'était dit : « Il me croira perdue et il sera bien forcé de me chercher.» Elle dut attendre là, le cœur battant, une longue minute ; puis il lui fallut sortir de sa cachette et renoncer à son pauvre jeu, puisque François se donnait l'air de n'y avoir pas pris garde.

Cependant il se sentait pour celle qu'il punissait ainsi une pitié affreuse. C'était là son plus dangereux défaut : le mal qu'il faisait à ceux qu'il aimait lui inspirait tant de douloureux remords et de pitié qu'il lui semblait se châtier lui-même, en les faisant souffrir. Sa propre cruauté devenait ainsi comme une pénitence qu'il s'infligeait. Bien des fois, il avait poursuivi sa mère ou son ami le plus aimé de reproches si sanglants, si déchirants qu'il était lui-même prêt à éclater en sanglots. C'est alors qu'il souffrait. C'est alors qu'il était bien puni. Et c'est alors qu'il était impitoyable…

Annette marchait, à présent, dans un contrebas, parallèlement à lui. D'un geste mol et méprisant, il se mit à lui lancer, tout en avançant, de la terre durcie qu'elle prit pour des cailloux. Il semblait la choisir pour cible simplement parce qu'elle se trouvait là comme une chose qu'on a jetée, dont personne ne veut plus. Puis il parut se piquer au jeu. On eût dit, à la fin, qu'il cherchait à l'atteindre par dégoût, pour se venger du dégoût qu'elle lui inspirait… Annette, cependant, ne s'arrêtait pas de grimper péniblement la colline. Elle, si peureuse, elle ne cherchait pas à éviter les coups. Mais, par instants, elle tournait un peu sa figure toute pâle et regardait de côté celui qui lui lançait des pierres.

Elle s'engagea enfin dans un sentier qui conduisait chez Sylvestre, tandis que Meaulnes traversait un pré où des petites filles cueillaient des fleurs. Elles s'arrêtèrent un instant et levèrent la tête pour lui dire, tout affairées :

« C'est pour votre dame, Monsieur… »

Une fois rentrée, il écouta longtemps leur amie qui causait paisiblement dans une salle voisine. Il songeait : « Nous allons partir. Je veux partir demain matin, ce soir. » Puis il se fit dans la salle à côté un brusque silence, et Mme Sylvestre, effrayée, vint lui dire qu'Annette était évanouie.

Il la trouva assise auprès d'une fenêtre, la tête tombée, toute blanche.

Quand on l'eut déshabillée et couchée dans le petit lit de fer, elle se prit à dire en grelottant : « Je suis un petit chien. Je suis un petit chien ; un pauvre petit chien malade. » Et Meaulnes fut le seul à comprendre pourquoi elle disait cela.

Il lui expliqua tout bas qu'il ne lui avait pas jeté des pierres. Elle ne répondit pas. Et vainement il tenta de la réchauffer en la couvrant d'oreillers. Elle restait glacée, immobile. Et seul, le vieux Sylvestre, en lui frottant les mains, parvint à lui donner un peu de chaleur, parce qu'il était, ce soir-là, son seul ami.

À la tombée de la nuit, on vint dire à Meaulnes qui dînait rapidement qu'Annette avait peur et le réclamait. Très tard, assis auprès d'elle, il lui tint compagnie en silence. Puis il se coucha.

Pour la première fois ils passaient la nuit dans cette grande cellule. Ils se trouvaient enfoncés dans le lit étroit de la religieuse, tous les deux, le garçon et la fille, le mari et la femme.

Malgré leurs griefs, leurs corps, comme ceux de deux amants, étaient, dans l'obscurité, serrés l'un contre l'autre. Et le drame recommença, plus secret, plus pénible que la dispute de l'après-midi. Ils ne se parlaient pas. Annette, sur le point de s'endormir, disait de temps à autre, d'une voix basse et brève : « François ! » et cela ressemblait à la fois à un appel bien tendre et à un cri de frayeur involontaire. Meaulnes, pour la calmer, lui serrait le bras, sans répondre.

Une odeur, aigre d'abord, puis fade et écœurante, montait du corps immobile d'Annette et s'épaississait entre les rideaux, – odeur de sang corrompu, de femme malade... Meaulnes, éveillé, ne savait plus maintenant si son dégoût était pour cette misère, cette misère physique qui soulevait le cœur, ou pour les amours coupables de sa compagne.

« Je vais me lever, dit-il soudain, en se dressant sur le coude. »

Annette comprit. D'un ton de lassitude infinie, elle dit :

« C'est moi qui me lèverai. Voyez, vous ne pouvez pas souffrir une femme auprès de vous. Vous ne pouvez pas endurer une femme... »

Il hésita un instant, puis il la retint ;

« Ah ! misère, misère, dit-il d'une voix sourde. Tu sais bien que je t'aime ; que je t'aime, femme ! que je t'aime, pauvre femme !... »

Et il serrait contre lui avec fureur l'enfant malade et effrayée [1].

En aval : les développements ultérieurs

Le texte appelle le texte. Et s'il y a du texte avant le texte (notes, ébauches, manuscrits préparatoires, etc.), il y en a aussi après, qui peut prendre la forme du commentaire, de la citation, de la reprise, du pastiche... Parfois, c'est plus rare, il surgit sous la forme du développement

1. « La dispute et la nuit dans la cellule », dans *Le Grand Meaulnes, Miracles, op. cit.*, p. 125-129.

ou de la suite. Fréquente dans le cas des œuvres inachevées, où un autre auteur prend la plume pour « terminer » le roman de son prédécesseur (comme Mme Riccoboni achevant *La Vie de Marianne* de Marivaux)[1] ou des œuvres très célèbres (Régine Deforges prolongea de trois volumes *Autant en emporte le vent* de Margaret Mitchell)[2], la suite s'explique, dans le cas du *Grand Meaulnes*, à la fois par le caractère ouvert, indécis, de la fin du livre et par son extraordinaire popularité. De même que l'étrange atmosphère de la fête reste entêtante pour la plupart des lecteurs, de même l'esprit du *Grand Meaulnes* se prolonge dans d'autres récits qui le reprennent et le font vivre à leur tour.

La Nuit de Sainte-Agathe de Guillaume Orgel (1992)

« Qui n'a rêvé, en refermant *Le Grand Meaulnes*, d'une suite qui nous raconterait les "nouvelles aventures" du héros d'Alain-Fournier ? » demande Alain Rivière dans sa préface à *La Nuit de Sainte-Agathe* de Guillaume Orgel (1992)[3]. Ce roman-suite débute comme une enquête sur les personnages du *Grand Meaulnes.* Dans les années 1960, le narrateur, en voyage à Sainte-Agathe et marqué depuis toujours par les dernières lignes du roman (« Et déjà je l'imaginais, la nuit, enveloppant sa fille dans un manteau, et partant avec elle pour de nouvelles aventures »), décide de découvrir la nature de ces aventures. Sa quête le conduit à mettre la main sur un journal de François Seurel qui fait le récit des années ultérieures, jusqu'à la fin de la guerre de 1914 d'où

1. Mme Riccoboni, *Suite de Marianne, qui commence où celle de M. Marivaux est restée*, 1761. *La Vie de Marianne* de Marivaux avait été publiée de 1731 à 1742.

2. *La Bicyclette bleue, 101, avenue Henri-Martin* et *Le diable en rit encore*, publié sous le titre général *La Bicyclette bleue*, Ramsay, 1982-1985.

3. Guillaume Orgel, *La Nuit de Sainte-Agathe*, Le Cherche Midi, 1992, préface d'Alain Rivière, p. 9.

Augustin Meaulnes ne revient pas. C'est ainsi que le personnage épouse le destin de l'auteur qui l'a fait naître, comme dans le film récent de Jean-Daniel Verhaeghe, qui s'achève dans les tranchées – donc à l'époque de l'auteur et non à celle où se déroule l'histoire [1].

Deuxième partie, chapitre I
La rencontre

Dans le train qui le ramenait de Paris à la fin de la semaine, Augustin avait remarqué plusieurs fois une grande jeune fille, à la taille mince, d'une vingtaine d'années qui descendait à Vierzon. Une voiture légère en bois de noyer clair et à la capote noire vernie, attelée d'un cheval fier et nerveux, l'attendait, amenée par un homme à l'allure de garde-chasse, vareuse de velours gris et casquette portant un cor doré. La voiture n'allait pas en ville, mais passait sous un tunnel au-dessous de la voie de chemin de fer qui débouchait vers la campagne.

Faisant les cent pas devant la petite gare de Vierzon dont l'architecture indigente ajoutait à la tristesse des façades des usines d'en face, Augustin songeait à cette belle voyageuse, si à l'aise dans sa tenue sportive. Il avait depuis longtemps remarqué l'ovale pur de son visage, éclairé par de grands yeux aux longs cils. Ses cheveux châtains se jouaient des reflets du soleil comme ceux des femmes de la mer ou des grands espaces. Ses joues et ses lèvres étaient seulement colorées du jeune sang qui les parcourait. Tout en elle évoquait la nature et l'air pur. Augustin se l'imaginait sur un stade, foulant la cendrée de ses fines jambes de biche, la poitrine en avant telle une figure de proue, ou lançant le javelot avec la même grâce que ses sœurs de l'Antiquité dans les grands jeux d'Athènes. Mais son sac d'étudiante gonflé de livres montrait qu'elle avait dans la vie d'autres occupations que celles forgées par l'imagination d'Augustin.

---

1. Dans le film de Jean-Daniel Verhaeghe (*Le Grand Meaulnes*, 2007), Meaulnes meurt au début de la guerre ; le réalisateur lui attribue la mort d'Alain-Fournier. Les adaptations cinématographiques sont aussi une façon de prolonger l'œuvre, tout en la déplaçant d'un *medium* à un autre. Les traductions en langues étrangères sont encore un autre moyen d'étendre son impact et sa vie.

Il en était toujours à ses pensées lorsqu'il sursauta à un léger hennissement. Elle était là, près de son cheval, caressant son encolure et y appliquant sa joue d'un geste de tendre amitié. Il la vit monter dans le cabriolet, prendre les guides de la main de l'homme et enlever la voiture en un virage éblouissant.

Notre ami passa quelques jours entre sa mère et son enfant et, le lundi, reprit le petit train qui le transportait à Vierzon. Le trajet était toujours long car on devait s'arrêter aux plus petits hameaux et même parfois sur le simple signe d'une villageoise encombrée de paniers. Il ne fut donc pas surpris en voyant pénétrer dans son compartiment, où à peine assis il avait commencé à extraire des papiers de sa serviette, la jeune personne qui l'impressionnait tant depuis plusieurs semaines. Il la revoyait avec son beau cheval, irréelle et lointaine, et là, soudain, elle était devant lui et il se sentait incapable d'un mouvement, d'une parole. Il s'empressa de prendre ses bagages et de les déposer dans le filet au-dessus d'elle. Augustin formait des vœux pour que le compartiment restât vide. Son désir fut exaucé, mais aucune parole ne sortit de la bouche de la jeune femme pour autant.

Elle le remercia d'un sourire, ouvrit un livre de grand format dont la couverture titrait : *Characteristics of a Good Horse*, laissant deviner le contenu. Augustin regardait les premières pages qui, bien qu'elles se présentassent à lui à l'envers, montraient en aquarelles superbes différents types de chevaux, avec la description de leur robe. Il y avait là le noir avec son cavalier vêtu d'une tunique rouge de veneur et, portant bombe et trompe, le bai et l'isabelle, le souris aux crins noirs. Le Grand Meaulnes n'avait nul besoin de lire le texte, sa grande amitié pour les chevaux – il l'avait prouvée quand il avait soigné le pauvre Bélisaire à la Partie de Plaisir – lui faisait apprécier leurs qualités et leurs défauts. Il connaissait aussi la plupart des races et il bénissait le ciel que cette jeune fille eût en cet instant entre les mains un livre qu'il avait lui-même déjà lu plusieurs fois ; cela lui permettait une entrée en matière inespérée.

« Votre cheval est aussi dans ce livre », lui dit-il doucement.

Elle parut surprise qu'un inconnu lui adressât la parole et elle le dévisagea presque inquiète :

« Comment savez-vous que je possède un cheval ? demanda-t-elle, vous m'intriguez.

– Peut-être dois-je m'excuser de l'avoir remarqué, répondit Augustin en souriant, mais que vous le vouliez ou non, une bête comme celle-là ne passe pas inaperçue. »

Comme elle ne répondait pas, il s'enhardit à lui dire :

« Surtout quand vous tenez les rênes. »

Elle reçut le compliment en rougissant légèrement et le remercia cette fois d'un grand sourire.

Mais soudain le Grand Meaulnes se trouva devant une profonde perplexité. En un éclair fulgurant, il venait d'avoir la certitude qu'il ne parlait pas à une inconnue, qu'il avait déjà entendu cette voix ; ce sourire, ces jolies dents, il les avait eus tout près de lui, il l'aurait juré. Ces traits charmants étaient restés gravés au fond de sa mémoire. Il était à ce point troublé qu'il n'osait plus continuer le bavardage, ni poser de questions dans la crainte de dévoiler l'immense curiosité qui lui était venue devant une découverte aussi étrange qu'indéfinissable.

Elle fut la première à reprendre la parole, sans se douter du grand trouble qui venait de s'emparer de son voisin. Elle lui demanda s'il possédait aussi des chevaux. Il lui apprit que, sans en posséder personnellement, il avait contribué à créer dans la propriété d'un ami, près de La Ferté-d'Angillon, un petit ranch où de nombreux jeunes des alentours venaient s'initier au sport équestre. Son ami et lui se dévouaient afin que l'équitation ne restât plus l'apanage des classes privilégiée mais soit mise à la portée de la jeunesse plus modeste de la campagne. La jeune fille comprit très vite qu'elle avait affaire à un bon cavalier et ils continuèrent à parler sur ce sujet qui, visiblement, les passionnait l'un et l'autre.

Petit à petit, elle dévoilait son existence. Son père possédait dans la région parisienne une fabrique de moteurs à essence et il avait acheté à Vierzon une ancienne fonderie qu'il avait modernisée. Il y coulait des blocs de moteurs car cette région de France possédait, plus que beaucoup d'autres, une main-d'œuvre très spécialisée dans cette métallurgie moyenne. Dans les débuts, ils avaient habité une maison particulière de la petite ville et son père, grand chasseur, y avait fréquenté les meilleurs fusils. Ces relations agréables et la proximité de la Sologne lui avaient fait acheter une propriété qui conciliait pour lui et sa famille une habitation très agréable et sa passion pour la chasse. Elle avait été invitée à toutes les fêtes que donnaient une fois par an les amis de son père et n'avait pas été étrangère à cette acquisition. Pendant ses études, elle habitait à Paris chez une tante. Elle était inscrite à la faculté de pharmacie, mais il lui restait encore une longue année de travail avant de passer l'examen final.

Entre Vierzon et Orléans, Augustin avait tout appris de cette inconnue, mais il ne parvenait toujours pas à retrouver le moment fugitif où il l'avait rencontrée pour la première fois. Il se l'imaginait, espiègle et bien élevée à la façon des petites filles modèles de la comtesse de Ségur. Cette bonne éducation la faisait entrer dans la vie avec une aisance naturelle et une grande maîtrise d'elle-même.

Depuis la triste fin d'Yvonne de Galais, que je continue d'appeler ainsi en dépit de son trop court mariage, le Grand Meaulnes n'avait eu pour compagnon que son chagrin. Le remords qu'il avait éprouvé de n'avoir pas su conserver son épouse tant aimée, son regret de l'avoir délaissée pour un devoir qu'il s'était tracé, sans doute en retour du grand bonheur qui lui était survenu, la mort d'Yvonne enfin, l'avaient longtemps poursuivi et seule son enfant cristallisait son espoir en la vie. Et là, assis devant cette étrangère, il se sentait coupable envers ses souvenirs, coupable de la curiosité qu'elle inspirait et du désarroi qui s'installait en lui dont il venait seulement de prendre conscience.

Une foule nombreuse, arrivée de la navette d'Orléans, envahit le train à l'arrêt des Aubrais. Le compartiment s'était rempli et la conversation avec la jeune fille qu'Augustin savait maintenant se prénommer Édith, n'était plus possible devant un public par trop disparate. Ils reprirent leurs lectures jusqu'à la gare d'Orsay. Le Grand Meaulnes s'empara vivement des bagages d'Édith. Il espérait la revoir à Paris mais elle répondit en souriant qu'elle avait en ce moment énormément de travail. Elle lui dit simplement :

« Je retourne là-bas dans quinze jours. Je prendrai le train de seize heures trente. »

Puis elle se dirigea vers la sortie et Augustin la vit embrasser une personne d'une cinquantaine d'années qui devait être la tante dont elle lui avait parlé.

Édith se révélera être une des adolescentes de la fête étrange, et deviendra ainsi la deuxième femme d'Augustin :

> Augustin était atterré. Il revoyait en un éclair l'endroit où il avait aperçu Édith pour la première fois : C'était *un couloir transversal… Il entendait un bruit de voix, lorsqu'il vit passer dans le fond deux fillettes qui se poursuivaient… Un bruit de portes qui s'ouvrent, deux visages de quinze ans que la fraîcheur du soir et la poursuite ont rendus tout roses, sous de grands cabriolets à brides, et tout va disparaître dans un brusque éclat de lumière.* Augustin revoyait aussi la *petite fille sur une vieille jument blanche* qui avait remporté une course : c'était elle [1].

WALTENBERG D'HÉDI KADDOUR (2005)

Dans *Waltenberg*, un roman-somme paru en 2005, Hédi Kaddour rouvre le dossier de la mort d'Alain-Fournier, non pour alimenter la légende [2], mais pour rappeler deux liens : celui du *Grand Meaulnes* avec la vie éphémère de son auteur, qui donne à jamais au récit un goût de mort et d'inachevé ; celui du roman d'Alain-Fournier avec la littérature du XXe siècle, préfigurant d'immenses mutations (en particulier la fin du monde rural) et de grandes disparitions.

> Alain-Fournier est mort, la littérature blessée à jamais, la fin de notre enfance, les arbres de Sologne sont en deuil, la communale est morte, la salle de classe à goût de foin et d'écurie, tout, la maison rouge, les vignes vierges, la lampe

---

1. Guillaume Orgel, *La Nuit de Sainte-Agathe*, © Le Cherche Midi, 1992, préface d'Alain Rivière, p. 85-89 et 98 (les citations du roman d'Alain-Fournier apparaissent en italiques).

2. Avant que soit découverte la dépouille d'Alain-Fournier en 1991 et qu'une étude balistique établisse clairement les circonstances de la mort, certains ont prétendu que Fournier était mort fusillé par les Allemands pour avoir attaqué une ambulance et non mort au combat. Dans *Waltenberg*, Hédi Kaddour – qui écrit une fiction, ne l'oublions pas – donne encore une autre version de la fin de l'écrivain.

au soir, Noël, ballots de châtaignes, tout, les victuailles, enveloppées dans des serviettes, et les odeurs de laine roussie quand un gamin s'est réchauffé trop près de l'âtre, pas de corps identifié. La dépouille de Fournier manquait à l'appel[1].

Waltenberg d'Hédi Kaddour, qui se présente plus généralement comme le livre d'un siècle vu cette fois depuis sa fin, évoquant de façon polyphonique autour de plusieurs personnages et de plusieurs dates l'histoire tourmentée de l'Europe au XXe siècle, en appelle aussi au texte même du *Grand Meaulnes* pour rappeler l'importance de ce qui a eu lieu avec ce livre, et qui n'aura plus jamais lieu. Dans l'extrait suivant, les funérailles d'un écrivain allemand sont l'occasion, pour un de ses amis français, de réaliser sa dernière volonté en lisant au bord de sa tombe un passage du *Grand Meaulnes.*

Chapitre XI, 1969.
« Des funérailles à un guet-apens »

Vers cinq heures du soir à Grindisheim tout le monde s'est retrouvé près de la fosse, un millier de personnes rangées en demi-cercle.

Sur un signe de l'ordonnateur des pompes funèbres un homme s'avance devant les micros, il tire un livre de sa poche, l'ouvre, selon les dernières volontés de notre ami je lis ici en français un extrait du chapitre intitulé « La Partie de plaisir », chapitre V de la troisième partie du *Grand Meaulnes*, dans l'assistance il y a un murmure, pas d'hostilité mais un peu de surprise, simplement ce qui se passe quand certaines personnes dans une foule reconnaissent celui qui est la cible de tous les regards et font circuler un nom inattendu, oui, il est parfaitement reconnaissable, c'est bien l'ambassadeur de France, pas monsieur Gillet, non, celui-ci c'est l'ambassadeur de France à Berne, monsieur de Vèze, je ne savais pas qu'ils se connaissaient, c'est drôle, un Français qui vient lire *Le Grand Meaulnes* en plein cimetière allemand,

1. Hédi Kaddour, *Waltenberg*, Gallimard, 2005, p. 48.

alors que le président du *Bundestag* est là, et de Vèze a commencé : *Tout paraissait si parfaitement concerté pour que nous soyons heureux et nous l'avons été si peu…*

Dans la voix lente et appliquée de De Vèze défile un monde de petits prés, de collines grises, de bruits de meutes et de châteaux à tourelle… *que les bords du Cher étaient beaux…* des haies, des taillis, une pelouse… *une grande pelouse rase où il semblait qu'il n'y eût place que pour des jeux sans fin…* connaissant Kappler, mon cher, je m'attendais à des réflexions plus aiguës que cette vieille carte postale, il a traversé le siècle et il nous fait lire par un Français son livre d'adolescent, moi ça ne m'étonne pas, vous savez, il y a au moins deux Kappler, celui des grandes œuvres presque illisibles dans l'entre-deux-guerres, la crise des valeurs et du roman, le martyr du clair-obscur, et celui des grands tirages à partir de 45, la phrase familière, la transparence réaliste, sa dernière manière, des histoires que tout le monde peut lire, il voulait même fonder une collection de littérature où on aurait réécrit les grands livres en langage simple, on les aurait condensés, élagués, il voulait même faire ça avec *Ulysse* et *La Montagne magique*, je crois qu'il aurait même simplifié son cher *Grand Meaulnes*, dites-moi, vous avez une idée de ce que va devenir la politique étrangère de la France maintenant que de Gaulle est parti ?

Puis le même ordonnateur a dit :

« J'appelle maintenant monsieur Max Goffard. »

Trois jours auparavant, le notaire avait convoqué Max :

« Vous êtes expressément concerné par une des dernières volontés de votre ami, monsieur Kappler demande que vous lisiez un petit extrait des *Scènes de la vie d'un propre à rien*, il précise, je cite, *une fois que Max aura fini de gueuler vous pourrez ajouter que la lecture d'Eichendorff doit se faire en allemand, il aimera beaucoup, depuis notre première rencontre toutes nos conversations ont eu lieu en français, maintenant c'est à mon tour de l'écouter parler allemand et de rire.* Monsieur Kappler ne veut rien d'autre que ces deux lectures, monsieur de Vèze et vous [1]. »

---

1. Hédi Kaddour, *Waltenberg*, © Gallimard, 2005, p. 564-565.

CHRONOLOGIE

1886. Le 3 octobre, Henri Alban Fournier naît à La Chapelle-d'Angillon (Cher). Son père, instituteur, sera son maître d'école pendant toutes ses études primaires à Épineuil-le-Fleuriel. Sa mère, Albanie Barthe, institutrice elle aussi, s'occupe de la classe des filles jusqu'en 1908, date de la mutation du couple Fournier dans la région parisienne. L'école et le village du *Grand Meaulnes* tiennent beaucoup de ce lieu de mille quatre cents habitants, à la frontière du Cher et de l'Allier, où l'enfance trouve un monde à sa mesure, loin des centres urbains et des bruits du monde. (« J'ai toujours pensé, me dit mon ami Bernard, que le monde des enfants et pour ainsi dire la société des enfants était aussi séparée que celle des grandes personnes, aussi fermée et pour tout dire aussi incompréhensible pour nous autres grandes personnes que celle des abeilles et des fourmis », écrit Fournier dans les brouillons du *Grand Meaulnes.*)

1889. Le 16 juillet, Isabelle Fournier, sœur d'Henri, naît à La Chapelle-d'Angillon. Elle sera très proche de son frère, dont elle partagera les lectures dans le grenier de l'école et les rêveries, et dont elle épousera l'ami Jacques Rivière.

1891. Les parents et les deux enfants déménagent à Épineuil où a été muté M. Fournier et où Mme Fournier enseignera à partir de 1893. À chaque vacances d'été, la famille se rend chez les grands-parents maternels d'Henri à La Chapelle-d'Angillon puis, à la fin de l'été, à Nançay. En août 1906, Fournier écrira à Rivière sur le point de le rejoindre à La Chapelle : « Quel bouleversement, quelle angoisse, si j'essaie de me rappeler les hameaux autour de l'ancien chez moi ! – Pendant longtemps mes parents ont considéré mon amour d'Épineuil – comme mon amour pour Nançay – (bien qu'ils fussent cachés) comme aussi immoraux et déraisonnables qu'un amour de femme. On n'en a parlé que pour se réjouir que “ce soit passé [1]”. »

1. Jacques Rivière, Alain-Fournier, *Correspondance 1904-1914*, éd. Pierre de Gaulmyn et Alain Rivière, Gallimard, 1991, t. II, p. 115.

1898. Henri Fournier entre en classe de sixième au lycée Voltaire à Paris ; il est d'abord pensionnaire chez une dame, puis au lycée. Il revient peu à Épineuil-le-Fleuriel, et passe les grandes vacances dans son village natal de La Chapelle-d'Angillon.

1901. Il souhaite entrer dans un lycée de Brest pour devenir officier de marine. Il n'y restera qu'une année et poursuivra ses études au lycée de Bourges. Les premières lettres à sa famille datent de cette période où se précise son goût pour les lettres et, peu à peu, son absence de prédisposition pour la carrière militaire [1].

1902. À la rentrée, les époux Fournier sont nommés à Menetou-Ratel, dans le nord du département du Cher, et la famille quitte définitivement Épineuil, « lieu origine » pour le jeune homme. Depuis le lycée de Lakanal, il écrira à ses parents, le 20 mars 1905 : « Tout cela, voyez-vous, ça n'est pas dans votre cœur à vous, sans doute, parce que vous ne l'avez guère vu, que vous étiez déjà vivants et combattants – mais nous, nous "venions au monde" là-dedans, et tout notre cœur, tout notre bonheur, tout ce que nous sentons de doux ou de pénible, nous avons appris à le sentir, à le connaître dans la cour où, mélancoliques, les jeudis nous n'entendions que le cri des coqs dans le bourg, – et dans la chambre, où par la lucarne, le soleil venait jouer sur mes deux saintes vierges et sur l'oreiller rouge, – et dans la classe où entraient avec les branches de pommiers, quand papa faisait "étude", les soirs, tout le soleil doux et tiède de 5 heures, toute la bonne odeur de la terre bêchée [2]. »

1903. Il entre en hypokhâgne au lycée Lakanal de Sceaux où il fait l'une des rencontres majeures de son existence, celle de Jacques Rivière, fils d'un médecin de Bordeaux. Peu avant les vacances de Noël, grâce à la lecture par leur professeur de lettres de *Tel qu'en songe*… d'Henri de Régnier, leur amitié « fut brusquement portée à son comble ». L'année suivante, ils découvrent avec stupeur l'opéra de Debussy sur un livret de Maeterlinck, *Pelléas et Mélisande*, qui les décide à se consacrer à l'écriture et à l'art. La correspondance entre

1. Alain-Fournier, *Lettres à sa famille et à quelques autres*, Fayard, 1986, p. 17-52.
2. *Ibid.*, p. 87.

Alain-Fournier et Jacques Rivière ne contient pas moins de quarante-huit références à cette œuvre. Depuis Londres, par exemple, Henri écrit à Jacques le 27 août 1905 : « *Pelléas* symbolise pour moi en ce moment tout ce qu'il y a au monde de lointain, de français et d'ami [1] » ; et Jacques à Henri, le 6 juin 1908 : « Jamais, jamais, jamais je ne ressentirai ce que j'ai senti à la première audition de *Pelléas* [2]. »

1905. C'est l'année des premières longues lettres à Jacques Rivière, début d'une intense correspondance qui se poursuivra jusqu'à la mort d'Henri et qui est aujourd'hui rassemblée dans deux volumes de plus de six cents pages chacun. Le 1er juin 1905, Henri Fournier, devant le Grand Palais, fait l'autre grande rencontre de sa vie en la personne d'Yvonne de Quiévrecourt. Il monte dans le bateau-mouche sur lequel elle s'embarque (c'était un moyen de transport courant à l'époque) et la suit jusqu'à chez elle sur le boulevard Saint-Germain. Elle est le modèle avéré d'Yvonne de Galais dans *Le Grand Meaulnes*, qui a fait l'objet de nombreuses lectures biographiques. Quelques jours plus tard, il parvient à lui parler mais se fait éconduire par celle qui est déjà fiancée. En 1907 il apprendra son mariage, puis en 1909 qu'elle est devenue mère ; il ne la reverra qu'une fois, en 1913. Malgré tout, il lui enverra ses textes.

Le jeudi de l'ascension 1909, jour anniversaire de cette rencontre, il écrira à Jacques Rivière : « Je reste tout ce jour enfermé dans ma chambre pour souffrir plus à l'aise. Depuis des semaines, ceux qui me touchent la main savent que j'ai la fièvre. La fatigue même ne me fait plus dormir. La joie secrète de ces temps derniers est finie ; maintenant il faut lutter contre la douleur infernale. Comment traverserai-je tout seul cette fête à laquelle je ne suis pas convié ? De grand matin, le soleil est entré dans l'appartement par toutes les fenêtres et m'a réveillé ; le serviteur a tout préparé durant la nuit, les haies de roses, la route brûlante..., pour quelque grand anniversaire mystérieux ; et au moment de révéler à

1. Jacques Rivière, Alain-Fournier, *Correspondance 1904-1914*, *op. cit.*, t. I, p. 113.
2. *Ibid.*, t. II, p. 203.

tous le secret de sa joie, il trouve son maître seul et en larmes et abandonné [1]. »

1905 est l'année aussi d'un séjour estival en Angleterre, où il travaille comme secrétaire et traducteur dans une manufacture de papiers peints à Chiswick, dans la banlieue de Londres. Il découvre avec passion la langue et la littérature anglaises (Dickens, Stevenson, Barrie…), qui le conduiront à faire des études de langue. Sa connaissance de l'anglais sera une façon de mettre à distance sa langue maternelle et l'aidera à se décentrer, à conquérir un espace propre dans sa langue et à devenir écrivain.

1906. Il échoue au concours d'entrée à l'École normale supérieure, comme Jacques Rivière l'année précédente. Admissible l'année suivante, il ne parviendra pas à réussir l'oral. Cet échec est à l'origine d'une grande blessure dont témoignent les lettres à Jacques Rivière : « À présent, il me semble que je ne peux plus suivre ; pendant mon voyage de retour ici, la fin de l'examen m'ayant rendu la pensée, je me butais incessamment à ceci : "Où vais-je ? me revoici retraversant la campagne et le soleil. Où vais-je ? Vais-je encore recommencer une vie ?" » (lettre à Jacques Rivière du 15 août 1906) [2].

1907. Après son second échec à l'École normale supérieure, Henri Fournier fait son service militaire jusqu'en 1909, qu'il terminera comme sous-lieutenant d'Infanterie. Après avoir passé du temps au 23e régiment de dragons de Vincennes, il est en garnison à Mirande, dans le Gers, où il reviendra deux fois pour des « périodes militaires », en 1911 et en 1913. C'est l'époque où il écrit ses premiers textes.

En décembre, *Le Corps de la femme* est son premier texte publié, sous le nom d'Alain-Fournier, dans *La Grande Revue* – le quasi-pseudonyme s'explique par le fait qu'Henri Fournier était à l'époque un champion automobile célèbre.

1908. Ses parents sont nommés instituteurs dans la région parisienne et s'installent rue Dauphine. Le couple n'est pas très harmonieux et se séparera en 1920.

1. Jacques Rivière, Alain-Fournier, *Correspondance 1904-1914*, *op. cit.*, t. II, p. 296-297.
2. *Ibid.*, t. I, p. 474.

En novembre 1908, à l'occasion d'une permission, il écrit *La Femme empoisonnée.* Il commence à réfléchir au projet du *Grand Meaulnes* qui a d'abord pour titres *Les Gens de la ferme, Les Gens du domaine, La Fille du domaine*… À la fin de 1908, le titre devient durablement *Le Pays sans nom.* Dans son introduction à *Miracles,* Jacques Rivière évoque la nature de ce « pays sans nom » : « Le Pays sans nom, c'était le monde mystérieux dont il avait rêvé toute son enfance, c'était ce paradis sur terre, il ne savait trop où, qu'il avait vu, auquel il se voulait fidèle toute sa vie, dont il n'admettait pas qu'on pût avoir l'air de suspecter la réalité, qu'il se sentait comme unique vocation de rappeler et de révéler [1]. »

Une lettre à son ami René Bichet, du 6 septembre 1908, peut être lue comme une esquisse du *Grand Meaulnes* : « Notre rencontre fut extraordinairement mystérieuse, écrit-il en évoquant une fois de plus la rencontre de l'Ascension 1905. – “Ah ! disions-nous, nous nous connaissons – mieux que si nous savions qui nous sommes.” Et c'était étrangement vrai. “Nous sommes deux enfants, nous avons fait une folie”, disait-elle. Si grande était sa candeur et notre hauteur qu'on ne savait pas de quelle folie elle avait voulu parler : il n'y avait pas encore eu de prononcé un mot d'amour [2]. »

1909. Le 24 août, Isabelle, la sœur d'Henri Fournier, épouse l'ami Jacques Rivière. À propos du mariage, Henri Fournier écrit à sa mère : « Sans doute, moi, je ne connaîtrai jamais cette stupeur, cet apaisement, ce sommeil dans la maison du bonheur. Il y a en moi trop d'orgueil, d'insatisfaction que rien ne peut réduire, et peut-être que mon âme tient trop de place pour jamais endurer auprès d'elle une compagne [3]. »

De retour à Paris à l'automne, Henri Fournier et Jacques Rivière s'inscrivent pleinement dans la vie littéraire française. Ils rencontrent Claudel, Gide, Jammes, et surtout Charles Péguy. Fournier fait aussi la connaissance d'une couturière

---

1. *Le Grand Meaulnes, Miracles,* précédé de « Alain-Fournier », par Jacques Rivière, éd. Daniel Leuwers, Alain Rivière et Françoise Touzan, Garnier, « Classiques Garnier », 1986, p. 33.

2. Alain-Fournier, *Lettres au petit B.*, précédées de *La Fin de la jeunesse* par Claude Aveline, Émile-Paul frères, 1930, p. 138-139.

3. Alain-Fournier, *Lettres à sa famille et à quelques autres, op. cit.*, p. 475.

berrichonne plus âgée que lui, Marguerite Audoux, dont le premier roman autobiographique *Marie-Claire* vient d'obtenir le prix Fémina. Il se passionne pour la musique (Fauré, Debussy et Ravel) ainsi que pour la peinture (Gauguin, Cézanne) et la sculpture (Camille Claudel et Bourdelle).

1910. Il publie « L'amour cherche les lieux abandonnés », dans la revue *L'Occident*. C'est l'année de la rencontre avec Jeanne Bruneau – un modèle de Valentine Blondeau dans *Le Grand Meaulnes* – avec qui il aura une liaison de deux ans. Il commence également à rédiger régulièrement des chroniques littéraires pour *Paris-Journal*. C'est aussi le début de sa correspondance avec Péguy. En 1911, il publie *Le Miracle de la fermière* dans *La Grande Revue* puis *Portrait* dans *La Nouvelle Revue française*, à propos duquel Péguy lui adresse ce mot : « Vous irez loin, Fournier, vous vous souviendrez que c'est moi qui vous l'ai dit. » Le 7 décembre 1911 Jacques Rivière est nommé secrétaire de *La Nouvelle Revue française* où il restera jusqu'à sa mort, le 14 février 1925.
Henri commence à rédiger *Le Grand Meaulnes.* « Ce qu'il y a de plus ancien, de presque oublié, d'inconnu à nous-mêmes. C'est de cela que j'avais voulu faire mon livre, et c'était fou. C'était la folie du symbolisme. Aujourd'hui cela tient la même place que dans ma vie : c'est une émotion défaillante à un tournant de route, à un bout de paragraphe », écrit-il à Jacques Rivière le 28 septembre 1910 [1].

1912. Alain-Fournier abandonne *Paris-Journal* pour prendre un poste de secrétaire chez l'homme politique Claude Casimir-Périer, fils d'un ancien président de la République. Il collabore avec lui à la rédaction d'un ouvrage intitulé *Brest, port transatlantique européen*. Il fait en même temps connaissance de sa femme, la célèbre actrice Simone, née Pauline Benda, avec laquelle il entretiendra jusqu'à sa mort une relation passionnée. Il achève *Le Grand Meaulnes* en décembre. Par rapport au portrait posthume que donnera de Fournier sa sœur Isabelle, Simone en fournira une image plus complexe et plus tourmentée. « Le temps est venu, écrira-t-elle en 1957 dans ses souvenirs sur l'écrivain, d'opposer aux fades portraits

1. Jacques Rivière, Alain-Fournier, *Correspondance 1904-1914*, *op. cit.*, t. II, p. 412.

inspirés par un curieux fanatisme et dont les attributs essentiels sont une sagesse d'enfant de chœur, la fidélité tenace aux fantasmes de sa dix-septième année, et pour finir, si la guerre l'eût permis, l'entrée en religion, l'image réelle de cet être vivace, orageux, passionné, capable de joie éperdue, de jalousie extrême, de tourments imaginés… [1]. »

1913. Il revoit pour la seule fois Yvonne de Quiévrecourt, à Rochefort où elle se trouve avec ses enfants, et où il a l'occasion de lui parler longuement.

De juillet à novembre, *Le Grand Meaulnes* paraît par livraisons mensuelles à *La Nouvelle Revue française*, puis en octobre en volume chez Émile-Paul. Il est en compétition pour le prix Goncourt pour lequel il obtient cinq voix mais qui est finalement attribué au *Peuple de la mer* de Marc Elder. Rachilde, femme écrivain très connue à l'époque, défend en ces termes le roman d'Alain-Fournier dans *Le Mercure de France* : « Voici bien l'histoire la plus délicieuse et la mieux racontée qui se puisse lire avec le cœur comme avec les yeux et qui fasse palpiter notre imagination tout autant que notre poitrine. […] Jamais une œuvre symboliste ne fut plus naïvement simple et plus à la portée de tous les cœurs simples. Que l'auteur ne se désole pas de me voir lui attribuer une qualité que tant de gens ont déclaré n'être qu'un défaut, car ils n'ont pas voulu comprendre qu'une œuvre symboliste parfaite doit être palpable pour tous les publics, si j'ose employer ce terme vulgaire. Est-il donc un chef-d'œuvre qui ne contienne pas son symbole, c'est-à-dire sa goutte d'éternité [2] ? »

Cette année-là est reconnue comme un tournant dans tous les domaines artistiques. 1913 est en effet l'année de la première – et du scandale – du *Sacre du printemps* de Stravinski, auquel Fournier assiste avec Jacques Rivière le 29 mai (jour de la première publique), celle de la publication de *Du côté de chez Swann*, de Marcel Proust, et celle des premières créations musicales de Schönberg.

---

1. Simone [pseudonyme de Pauline Benda], *Sous de nouveaux soleils. I. Quand s'allumait la rampe. II. Histoire d'une amitié et d'un amour*, Gallimard, 1957, p. 202.
2. Rachilde, « *Le Grand Meaulnes* », *Le Mercure de France*, 16 décembre 1913.

1914. Il travaille à un deuxième roman, *Colombe Blanchet*, et à une pièce de théâtre, *La Maison dans la forêt*.
Le 1er août, il est mobilisé, comme Jacques Rivière et des millions de jeunes gens français (8,5 millions entre 1914 et 1918). Il part avec le 288e régiment d'infanterie et entre dans la bataille le 1er septembre. Le 24 août, Jacques Rivière est fait prisonnier. Le 5 septembre, Péguy est tué à Villeroy. Le 22 septembre, Henri Fournier est porté disparu sur les Hauts-de-Meuse, quelques jours avant son vingt-huitième anniversaire. Son corps ne sera retrouvé qu'en novembre 1991 ; une cérémonie de réinhumation dans le cimetière de Saint-Rémy-la-Calonne, dans la Meuse, aura lieu le 10 novembre 1992.

1922. Jacques Rivière rend hommage à Alain-Fournier dans *La Nouvelle Revue française.* Il y souligne son goût du monde vivant, des êtres particuliers : de là la résistance d'Alain-Fournier à tout effort critique, à toute tentative pour emprisonner le réel dans des formules ; pour lui, toute opération de discernement ou d'abstraction brise un contact, or, c'est de contact avec les choses et avec les gens qu'il a d'abord besoin. Son autre trait distinctif est le don qu'il a de rendre à chaque objet sa dose latente de merveilleux, et de deviner tout le parti qu'il en pourra tirer. Il s'écarte, autant que de l'abstraction, de la reconstruction littérale et intégrale de ses modèles du naturalisme ; au contraire, il ne prend des objets et des âmes que la plus mince pellicule, et leur fournit aussitôt une autre chair, comme immatérielle. Autrement dit, il s'applique à unir, par un phénomène de perception simultanée, le particulier et l'idéal, et aboutit à transposer comme automatiquement dans un monde quasi surnaturel tout le spectacle abordé par son esprit. À l'appui, Jacques Rivière cite ces mots, pris dans une lettre que lui adressa Fournier le 22 août 1906 : « Mon crédo en art et en littérature : l'enfance. Arriver à la rendre sans aucune puérilité, avec sa profondeur qui touche les mystères. Mon livre futur sera peut-être un perpétuel va-et-vient insensible du rêve à la réalité [1]. »

1965. Tournage dans le Berry du *Grand Meaulnes*, film de Jean-Gabriel Albicocco et première adaptation du roman.

---

1. Jacques Rivière, Alain-Fournier, *Correspondance 1904-1914*, *op. cit.*, t. I, p. 481.

1971. *Le Grand Meaulnes* paraît au Livre de poche : c'est le numéro 1000 de la collection créée en 1953 par Henri Filipacchi. À la fin du XXe siècle, c'est le livre de poche le plus vendu, à plus de quatre millions d'exemplaires.

2009. L'œuvre d'Alain-Fournier tombe dans le domaine public.

BIBLIOGRAPHIE

ŒUVRES D'ALAIN-FOURNIER

Le Grand Meaulnes, Miracles, précédé de « Alain-Fournier », par Jacques Rivière, édition de Daniel Leuwers, Alain Rivière et Françoise Touzan, Garnier, « Classiques Garnier », 1986. [Première édition : *La Nouvelle Revue française*, cinq livraisons du 1er juillet au 1er novembre 1913 ; première publication en volume chez Émile-Paul, 1913.]

Le Grand Meaulnes, préface et commentaire par Sophie Basch, LGF, Le Livre de poche, 2008.

Colombe Blanchet. Esquisse d'un second roman, éd. Gabrielle Manca, Le Cherche Midi, « Amor Fati », 1990.

Correspondance avec Jacques Rivière, éd. Pierre de Gaulmyn et Alain Rivière, Gallimard, 1991, 2 vol.

Correspondance entre André Lhote, Alain-Fournier et Jacques Rivière. La peinture, le cœur et l'esprit (1907-1924), Bordeaux, William Blake and Co/musée des Beaux-Arts de Bordeaux, 1986, 2 vol.

Correspondance Fournier-Péguy, éd. Yves Rey-Herne, Fayard, 1973.

Chroniques et critiques, éd. André Guyon, Le Cherche Midi, 1991.

Lettres à sa famille et à quelques autres, Fayard, 1991.

Lettres au Petit B., édition revue et augmentée, avant-propos d'Alain Rivière, Fayard, 1986.

TEXTES SUR ALAIN-FOURNIER ET *LE GRAND MEAULNES*

AGARD-MARÉCHAL, André, *La Nécessité du chagrin d'amour : Alain-Fournier ou l'invention de l'adolescence*, EPEL, 2009.

ARLAND, Marcel, « Alain-Fournier et *Le Grand Meaulnes* », *La Nouvelle Revue française*, n° 302, 1er novembre 1938, p. 818-827. Repris dans Marcel Arland, *Les Échanges*, Gallimard, 1946.

AUTRAND, Michel, « Isabelle et Henri Fournier : relation fraternelle et création littéraire », *Bulletin des amis de Jacques Rivière et d'Alain-Fournier*, n° 43, 1987, p. 37-51.

BARANGER, Michel, *Sur les chemins du Grand Meaulnes, avec Alain-Fournier*, Saint-Cyr-sur-Loire, Christian Pirot, 2004.

BASTAIRE, Jean, « Sur la modernité d'Alain-Fournier », *Esprit*, n° 390, mars 1970, p. 600-604.

BASTAIRE, Jean, *Alain-Fournier ou l'Anti-Rimbaud*, José Corti, 1978.

BAUDRY, Robert, *Le Grand Meaulnes : un roman initiatique*, Saint-Genouph, Nizet, 2006.

BORGAL, Clément, *Alain-Fournier*, Éditions universitaires, 1963.

BUISINE, Alain, *Les Mauvaises Pensées du Grand Meaulnes*, PUF, 1992.

CHALON, Jean, « Qui nous délivrera du *Grand Meaulnes ?* », *Magazine littéraire*, n° 54, juillet-août 1971, p. 59.

DESNOS, Robert, « *Aujourd'hui* vous conseille de lire *Le Grand Meaulnes* », *Aujourd'hui*, septembre 1940. Repris dans *Bulletin des amis de Jacques Rivière et d'Alain-Fournier*, n° 31, 1983, p. 53-54.

« Le dossier de presse du *Grand Meaulnes* de 1913 à nos jours », *Bulletin des amis de Jacques Rivière et d'Alain-Fournier*, nos 30, 31 et 33, 1984.

DUGAST, Francine, *L'Image de l'enfance dans la prose littéraire de 1918 à 1930*, vol. 1 et 2, Lille, Atelier de reproduction des thèses, 1981.

ELLISON, David, *Ethics and Aesthetics in European Modernist Literature*, Cambridge, Cambridge University Press, 2001.

GIANNONI, Robert, *La Fortune littéraire d'Alain-Fournier en Italie*, Florence, Edizioni Sansoni Antiquariato et Librairie Marcel Didier, 1972.

GIBSON, Robert, *The End of Youth : the Life and Work of Alain-Fournier*, Exeter, Impress Books, 2005.

GIRAUDOUX, Jean, *Et moi aussi j'ai été un petit Meaulnes*, Émile-Paul, « Les Introuvables », 1937.

GUÉNO, Jean-Pierre et RIVIÈRE, Alain, *La Mémoire du Grand Meaulnes*, Robert Laffont, 1995.

GUIOCHET, Joël-Charles, « Les traductions du *Grand Meaulnes* en langue anglaise », *Bulletin des amis de Jacques Rivière et d'Alain-Fournier*, n° 10, 1978, p. 19-38.

GUIOMAR, Michel, *Inconscient et imaginaire dans Le Grand Meaulnes*, José Corti, 1964.

HERZFELD, Claude, *Les Formes de la rêverie dans l'œuvre d'Alain-Fournier. Visage du Grand Meaulnes et figure du trismégiste*, Lille, Presses universitaires du Septentrion, « Thèse à la carte », 1999.

HERZFELD, Claude, *Vers Le Grand Meaulnes*, L'Harmattan, 2007.

HUSSON, Claudie, « Adolescence et création littéraire chez Alain Fournier », *Revue d'histoire littéraire de la France*, juillet-août 1985, n° 4, p. 637-666.

HUSSON, Claudie, *Alain-Fournier et la naissance du récit*, PUF, 1990.

JÖHR, Walter, *Alain-Fournier. Le paysage d'une âme*, Lausanne, La Bâconnière, 1972.

LESOT, Adeline, *Le Grand Meaulnes d'Alain-Fournier*, Hatier, « Profil d'une œuvre », 1992.

MACLEAN, Marie, *Le Jeu suprême : structure et thèmes dans Le Grand Meaulnes*, José Corti, 1973.

MAITRON-JODOGNE, Michèle, *Alain-Fournier et Yvonne de Quiévrecourt. Fécondité d'un renoncement*, Bruxelles, Peter Lang, 2000.

MARTINAT, Patrick, *Alain-Fournier, destins inachevés*, Royer, « Saga », 1994.

PICKERING, Robert, « Pays perdu, bonheur manqué, joie étrange : Alain-Fournier et les enjeux d'une civilisation mortelle », dans *Mystères d'Alain-Fournier*, colloque de Cerisy organisé par Alain Buisine et Claude Herzfeld, Saint-Genouph, Nizet, 1999, p. 215-230.

REY-HERME, Yves, *Le Grand Meaulnes d'Alain-Fournier*, Hachette, « Classiques Hachette », 1972.

RIVIÈRE, Alain, « À propos des traductions du *Grand Meaulnes* en langues étrangères », *Bulletin des amis de Jacques Rivière et d'Alain-Fournier*, n° 19, 1980, p. 73-77.

RIVIÈRE, Alain, « Les manuscrits du *Grand Meaulnes* », *Bulletin des amis de Jacques Rivière et d'Alain-Fournier*, n° 43, 1987, p. 3-21.

RIVIÈRE, Isabelle, *Vie et passion d'Alain-Fournier*, Jaspard, Polus & Cie, 1963.

RIVIÈRE, Isabelle, *Images d'Alain-Fournier par sa sœur Isabelle*, Émile Paul, 1938 ; rééd. Fayard, 1989.

RIVIÈRE, Jacques, *Le Roman d'aventure*, dans *Nouvelles Études*, Gallimard, 1947, p. 235-283. [Première publication dans *La Nouvelle Revue française*, mai, juin, juillet 1913.]

RIVIÈRE, Jacques, « Préface » au *Grand Meaulnes*, *Bulletin des amis de Jacques Rivière et d'Alain-Fournier*, n° 3, 1976, p. 32-34. [Première publication en 1924 en Hollande pour une édition du *Grand Meaulnes* destinée à l'enseignement du français.]

SAUVAGE, Sylvie, « *Pelléas et Mélisande* et *Le Grand Meaulnes* », *Bulletin des amis de Jacques Rivière et d'Alain-Fournier*, n° 64-65, p. 10-62.

TADIÉ, Jean-Yves, *Le Récit poétique*, PUF, « Écriture », 1978.

TADIÉ, Jean-Yves, *Le Roman d'aventures*, PUF, « Écriture », 1982.

THIBAUDET, Albert, « Le roman de l'aventure », dans *Le Liseur de roman*, Crès et Cie, 1925, p. 79-96. [Première publication dans *La Nouvelle Revue française*, n° 72, 1er septembre 1919, p. 597-611.]

TOUZAN, Françoise, *La Genèse du Grand Meaulnes d'Alain-Fournier d'après les documents inédits*, doctorat de 3e cycle, Université de Paris-Nord Villetaneuse, 1976.

TRISTMANS, Bruno, « *Le Grand Meaulnes* : un héroïsme problématisé », *Romanistische Zeitschrift für Literaturgeschichte. Cahiers d'histoire des littératures romanes*, Heidelberg, 3/4, 1982, p. 346-357.

PASTICHES ET SUITES

ALAIN, Jean-Claude, *La Nuit merveilleuse de la cigogne*, Tournai-Paris, Casterman, 1953. [Pastiche scout du *Grand Meaulnes*.]

ORGEL, Guillaume, *La Nuit de Sainte-Agathe*, préface d'Alain Rivière, Le Cherche Midi, 1992. [« Suite » du *Grand Meaulnes*. Devenu P-DG d'une entreprise d'aviation, Meaulnes épouse la petite fille à la jument blanche de la fête étrange.]

FILMOGRAPHIE

Le Grand Meaulnes, 1967, réalisateur : Jean-Gabriel ALBICOCCO. Jean-Pierre Bourtayre (musique), Marc Robin (photo). Interprètes : Brigitte Fossey (Yvonne de Galais), Jean Blaise (Augustin Meaulnes), Alain Litbolt (François Seurel)...

Le Grand Meaulnes, 2007, réalisateur : Jean-Daniel VERHAEGHE, Philippe Sarde (musique). Interprètes : Nicolas Duvauchelle (Meaulnes), Jean-Pierre Marielle (M. de Galais), Clémence Poésy (Yvonne de Galais)...

Un siècle d'écrivain consacré à Alain-Fournier (série dirigée par Bernard Rapp), réalisateur : Jacques TRÉFOUEL. France 3, 12 juillet 1995.

TABLE

Composition et mise en pages

N° d'édition : L01EHPN000311.N001
Dépôt légal : octobre 2009
Imprimé en Espagne par Novoprint (Barcelone)